DIETA Y CÁNCER

*Qué puede y qué no puede hacer tu alimentación
frente al cáncer*

Julio Basulto y Juanjo Cáceres
Con la colaboración de Carlos González

Dieta y cáncer

Qué puede y qué no puede hacer tu alimentación frente al cáncer

mr

© Julio Basulto, 2019
© Juanjo Cáceres, 2019
Con la colaboración de Carlos González (capítulo 3)
© Editorial Planeta, S. A., 2019
Ediciones Martínez Roca, sello editorial de Editorial Planeta, S. A.
Avda. Diagonal, 662-664, 08034 Barcelona
www.mrediciones.es
www.planetadelibros.com

Diseño de cubierta: Planeta Arte & Diseño, 2019
Fotografía de cubierta: © Cooksimage / Multi-bits
Primera edición: enero de 2019
Segunda edición: febrero de 2019
ISBN: 978-84-270-4499-9
Depósito legal: B. 28.493-2018
Preimpresión: Safekat, S. L.
Impresión: Unigraf, S. L.

El papel utilizado para la impresión de este libro es cien por cien
libre de cloro y está calificado como **papel ecológico.**

*Queremos dedicar este libro a todas las personas
que aparecen en el apartado de agradecimientos
y también a las decenas de investigadores, periodistas o
divulgadores que hemos citado en la bibliografía.
También a todos los profesionales sanitarios e investigadores
que se esfuerzan por hacer del cáncer una enfermedad curable,
sin los cuales este libro no tendría sentido.*

«Nunca habrá una cura alternativa para el cáncer. [...] Muchísimos "empresarios" están tratando de explotar a los pacientes desesperados con cáncer al hacer afirmaciones sobre "curas" alternativas del cáncer que van desde aceite de tiburón a la amigdalina y desde *essiac* al muérdago. No son otra cosa que mentiras. ¿Por qué? Me explico. Si alguna vez surge un tratamiento curativo contra el cáncer de la medicina alternativa que haya mostrado alguna promesa, sería investigado muy rápidamente por los científicos y, si los resultados fueran positivos, sería inmediatamente adoptado por la oncología convencional. Por tanto, la noción de una cura alternativa para el cáncer es una contradicción en los términos. Implica que los oncólogos son mezquinos bastardos quienes, frente a un inmenso sufrimiento, rechazan una cura prometedora, simplemente porque no surgió de sus propias filas».

DOCTOR EDZARD ERNST (*www.goo.gl/FTrfau*)

ÍNDICE

PRÓLOGO

Por responsabilidad. Ese es el principal motivo por el que Julio Basulto y Juanjo Cáceres, a quienes agradezco la confianza de permitirme escribir el prólogo, han publicado este libro. Un ejercicio de empatía con los ciudadanos para que dispongan de conocimientos suficientes y evitar, en la medida de lo posible, riesgos innecesarios. Eso sí, sin paternalismos. Porque una sociedad científicamente informada es mucho más culta y más libre. Y no lo digo yo; lo dice, entre muchos otros profesionales, el científico Pedro Miguel Etxenike. Este catedrático de la Universidad del País Vasco, presidente del Donostia International Physics Center (Centro Internacional de Física de Donostia), me dijo en la radio que tiene muy claro que el conocimiento es, para el ciudadano, sinónimo de libertad. Ahora bien, el reto es que llegue a todos. Y, claro, instituciones públicas y medios de comunicación deben apostar por conseguirlo. Ellos son los responsables y, desgraciadamente, no siempre sucede. Añadiría, a lo que apunta el profesor Etxenike, una eminencia de la investigación, que una sociedad informada es mucho más crítica. Y todavía queda mucho camino por recorrer, si tenemos en cuenta, por ejemplo, que uno de cada cuatro españoles está convencido de que la homeopatía es ciencia, según cuenta la Fundación Española para la Ciencia y la Tecnología (FECYT). ¿Que el agua tiene memoria? ¿De verdad? Estupendo. En fin... Afortunadamente, las sociedades científicas y los profesionales sanitarios se han unido en contra de la pseudociencia (duele que «ciencia» forme parte de la palabra) pero es necesario crear leyes más rígidas y, sobre todo, que se cumplan a rajatabla.

Situado en la pantalla de tu móvil u ordenador, busca noticias sobre el cáncer. Hazlo, por favor. ¡Hay miles y miles! Y, lo peor de todo, sin filtro. Cuesta encontrar argumentos contrastados y serios. Existen, pero hay demasiado «ruido» como para que le demos la suficiente importancia. A diario nos llega información sobre la enfermedad, pero no todo lo que leemos es cierto. El éxito de las redes sociales, sustentadas en minititulares, siempre llamativos y con cada vez menos caracteres, ha provocado que los medios de comunicación busquen el impacto. Y los diarios digitales compiten por conseguir el mayor número de clics, a veces a cualquier precio. Titulares como «Las vacunas producen autismo», «El zumo de limón es 10.000 veces más efectivo contra el cáncer que la quimioterapia», «Las patatas fritas pueden ser una solución para la calvicie», «El alcohol ayuda a aprender idiomas»… llaman mucho la atención. Y no me los invento, han sido publicados. El ejercicio es fácil, pero las prisas no juegan a nuestro favor. Deberíamos ser capaces de parar un momento, reflexionar y calibrar lo que intentan contarnos, lo que intentan colarnos. También entiendo que, siendo titulares tan llamativos, es más difícil que pasen desapercibidos. ¿Pero de verdad alguien puede creer que el zumo de limón es mágico? Pues sí, más gente de la que podemos pensar. Y es que los bulos y la desinformación se apoyan en el estado frágil y en la situación desesperada que viven quienes padecen cualquier enfermedad o problema de salud. Emilio Molina, por ejemplo, vicepresidente de la Asociación para Proteger al Enfermo de Terapias Pseudocientíficas (APETP), lucha desde hace años para que las muy mal llamadas «terapias alternativas» desaparezcan de las redes sociales y de internet en general. Molina, con quien he charlado un par de veces en la radio, dice que esos tratamientos, absurdos la mayoría, pueden ser muy peligrosos. Es cierto. Y repito, sin paternalismos, debemos hacer lo posible para velar por la salud de la población.

Insisto en que, cuando nos llega una noticia, por la vía que sea, es necesario parar unos minutos y reflexionar. Los periodistas recibimos casi cada día por correo electrónico notas de prensa que intentan «vender» estudios muy dispares relacionados con la alimentación: sobre los beneficios de los zumos, del jamón, del chocolate, del azúcar, de las golosinas… Investigaciones que suelen firmar profesionales de diferentes universidades, nacionales e internacionales. Basta con echar un ojo a quienes han financiado el proyecto para darse cuenta del engaño. Pero entiendo que títulos sugerentes como «Cuídate este verano con jamón», «Chocolate, refrescos, cereales y golosinas ya no son enemigos de nuestra salud», «Ocho vinos para ocho platos típicos de otoño», «Se busca el mejor torrezno del mundo»… pueden llamar tanto la atención que acabemos entrevistando a quienes defenderán a capa y espada esas notas de prensa. Prometo que he copiado textualmente los títulos de los correos, aunque parezcan inventados. Y está claro que si velamos por la salud de los ciudadanos, sobre todo en los medios públicos, debemos procurar que no se nos cuelen informaciones de este tipo. Lo mismo ocurre con una gran cantidad de libros que llegan a las redacciones. Espíritu crítico, nada más. Y entono el *mea culpa* si es que en algún momento he caído en las redes de titulares tan atractivos.

De ahí la necesidad de un libro como el que tienes en las manos. Sobre todo en un tiempo en el que estamos «infoxicados». Un término cada vez más frecuente en los medios de comunicación que define la sobrecarga de información difícil de procesar. Porque los datos están en todas partes, aún más en internet, y mezclados sin sentido. La desinformación campa a sus anchas. Por eso, debemos tener en cuenta una serie de parámetros. Pero el más importante es que aparezca la fuente de la noticia y un enlace al estudio científico al que se refiere. Si no consta, no hay razones para seguir leyendo. Por cierto, y hablando de leer, los periodistas deberíamos escribir más veces la palabra CÁNCER para que deje de ser un estigma. Basta ya de utilizar, como una construcción comodín, «X ha muerto tras padecer una larga enfermedad». Los eufemismos ayudan muy poco a la normalización. Y tampoco ayuda nada utilizar el término «cáncer» como sinónimo de problema o de situación conflictiva. Eso sí, aunque lentamente, las cosas están cambiando. Me lo contaba en una entrevista la doctora Tania Estapé, prestigiosa psicóloga clínica, psicooncóloga y miembro de la Fundación para la Educación Pública y la Formación en Cáncer (FEFOC): «Históricamente, hace muy poco que se habla de la enfermedad, porque era tabú y se escondía, algo que la ha hecho muy temible». Por eso, hay que hablar del cáncer y visibilizarlo. ¡Es tan importante el lenguaje! Y agradezco mucho las lecciones magistrales que me da periódicamente la lingüista Estrella Montolío sobre el asunto. Esta reputada catedrática de Lengua Española de la Universidad de Barcelona sostiene que el lenguaje construye nuestra realidad, tanto para bien como para mal. Y tiene toda la razón.

El Código Europeo contra el Cáncer recoge doce consejos para reducir el riesgo de padecerlo. ¿Conocemos esos doce consejos? ¿Han llegado a la población estos mensajes? Mensajes, por otro lado, de sentido común. Pues no, no llegan o llegan poco. Y en eso tenemos mucha responsabilidad, redundo en ello, los periodistas y los medios de comunicación en los que trabajamos. Aunque la Comisión Europea insiste, además, en que el éxito de ese código exige que «las políticas y acciones gubernamentales apoyen las acciones individuales». ¿Qué acciones? No fumar y hacer de nuestra casa un hogar sin humo, mantener un peso saludable, hacer ejercicio a diario, comer saludablemente, evitar bebidas alcohólicas, evitar la exposición excesiva al sol... Como digo, de sentido común. Medidas que, según la Agencia Internacional de Investigación de Cáncer de la Organización Mundial de la Salud (OMS), podrían evitar la mitad de casos de la enfermedad.

«El cáncer no va a desaparecer nunca». Con esas rotundas palabras finalizaba hace un par de años una entrevista que le hice en Radio Nacional al prestigioso investigador Mariano Barbacid, uno de los oncólogos más reconocidos del mundo. *A priori*, esa sentencia perturba. Aunque en la afirmación hay un «pero». A pesar de que el doctor Barbacid dice, además, que el cáncer es «consustancial al ser humano», podemos hacer lo posible para prevenirlo, manteniendo unos hábitos de vida saludables. Es más, afortunadamente, y gracias a los avances de la ciencia, la supervivencia ante la enfermedad es cada vez mayor. Si podemos sortearla, evitaremos traumas y tristezas. Eso sí, el «culpable» de padecer un cáncer no es el enfermo. El responsable, entre otros factores, es una mala alimentación publicitada hasta la saciedad y sin escrúpulos por una parte (insisto, una parte) de la industria. Del mismo modo, hay muchos motivos por los que un enfermo no consigue superar el cáncer. Pero nunca, nunca jamás, porque quien lo padece no haya puesto todo su empeño en curarse.

Solo un impresentable, y me viene a la cabeza sobre todo un nombre propio que no voy a pronunciar (un señor que está forrado gracias al engaño), es capaz de afirmar en una entrevista que «la gente debe ser desobediente a la imposición de los fármacos» o que «bajar la quimioterapia mejora la expectativa de vida del paciente». Es una vergüenza que alguien diga eso. Y, además, denunciable. Pero no es el único. Un otrora televisivo naturópata (y el término me asusta un poco, la verdad) le dijo a un periodista, sin despeinarse, que «si la metástasis se da en el pulmón se debe a que el paciente tiene un gran miedo a morir en breve; en el caso del hígado es por el conflicto mental de temer dejar de llevar comida a casa, de alimentar a los hijos». ¿Qué sabrá él? ¿Cómo puede decir esas barbaridades? ¿De verdad alguien puede aceptar lo que dice este señor? Pues sí, aunque cueste creerlo. Y lo cuenta todo con mucha gracia, de forma muy cercana, algo que invita a prestar atención y a sonreír. Es algo así como un monologuista de los remedios caseros. Pero salvo pocas y grandes excepciones, como las científicas y los científicos del colectivo Big Van Ciencia, el humor hay que dejárselo a Eva Hache, a Luis Piedrahita, a Florentino Fernández o a Raquel Sastre, por ejemplo, que son profesionales de la risa.

Como ves, son muchos los motivos que hacen necesario este libro. Por eso, Julio Basulto (dietista-nutricionista) y Juanjo Cáceres (especialista en el estudio de la alimentación desde un punto de vista histórico, social y cultural), con la colaboración del reconocido pediatra Carlos González, han elaborado un trabajo minucioso y con múltiples referencias a estudios científicos rigurosos, que es útil tanto para profesionales de la salud como para profanos como un servidor. Un libro que tiene la intención de ayudar a entender la importancia de una alimentación sana. Simplemente. Cuando concluyas este libro, tendrás toda la información necesaria. Después, toda la libertad para hacer con tu vida lo que te apetezca. Y espero que, aunque este no es un libro de autoayuda ni pretende serlo, actúes en consecuencia. Yo voy a hacer lo posible. Por responsabilidad.

CARLES MESA
Periodista. Director y conductor del programa *Gente despierta,*
de Radio Nacional de España

INTRODUCCIÓN

> «Si tuviéramos que fiarnos del sentido común,
> la Tierra seguiría siendo plana».
>
> CLAIRE DE LAMIRANDE

Si no te preocupa en absoluto el cáncer es poco probable que estés hojeando este libro. Una pena, porque un poquitín sí debería preocuparnos, dado que supone una de las principales causas de mortalidad, y porque podemos reducir el riesgo de padecerlo con un buen estilo de vida. Por eso lo hemos titulado *Dieta y cáncer*. No porque seamos partidarios de dietas de moda, sino porque la palabra «dieta» tiene un significado más profundo del que la gente cree. Se trata de un término que, como explicamos en el libro *Más vegetales, menos animales*, proviene de la Grecia clásica, en concreto del vocablo *díaita* (del que deriva la actual «dieta»), que hacía referencia al estilo de vida, a la manera de vivir.

Tampoco deberías tener este libro en tus manos si lo que buscas es una solución milagrosa. Seguro que encuentras otro en la misma librería que, además, tiene mucho más éxito que el nuestro. Los firmantes somos fieles seguidores de esta máxima de Sófocles de Colono: «Vale más fracasar honradamente que triunfar gracias a un fraude». Cuando una afirmación es demasiado bonita para ser verdad, casi siempre es una vil mentira. Los polvos de Campanilla, que hacen volar a los amigos de Peter Pan, solo existen en los cuentos. Para que entiendas lo que pretendemos explicar, te proponemos un ejemplo: imagina que caminas distraído por tu casa, sin recordar que has dejado en el pasillo un destornillador. Lo pisas, te caes y te das un gran costalazo. Ya en el suelo, sangrando por una fea herida, decides recoger el destornillador y llevarlo a la caja de herramientas. ¿Se curará tu herida gracias a ese gesto? ¡No, desde luego que no!

¿Qué tiene que ver la anterior escena con el libro que tienes entre manos? Mucho. Una alimentación saludable, la lactancia materna y unos buenos hábitos de vida son determinantes para disminuir las posibilidades de sufrir muchos tipos de cáncer. De igual manera, el orden en tu hogar hubiera prevenido el fatal resbalón que acabamos de mencionar. Pero, volviendo al cáncer, una vez que aparece la enfermedad, instaurar un buen estilo de vida no la va a curar, como tampoco sanará nuestras heridas retirar el destornillador del suelo cuando nos hemos caído. Ante el cáncer, lo que no podemos demorar es la visita al oncólogo y seguir a rajatabla sus propuestas. Eso no significa que no sirva de nada tomar medidas preventivas, significa simplemente que no prevenimos los accidentes, los cortocircuitos, los incendios y, por supuesto, el cáncer, de la misma manera que los tratamos.

Por desgracia, nos rodean decenas de falsos terapeutas que creen que «opinión» y «ciencia» son sinónimos. O, también, desalmados pero sonrientes embaucadores que no quieren mejorar nuestra salud corporal sino su salud económica. «Estos individuos son los más temibles, tienen conciencia de su bajeza y perseveran en su indignidad», en palabras del escritor Fiódor Dostoyevski (*Los hermanos Karamazov*). Es importante sonreír al paciente, nadie lo discute, pero siempre que no persigamos dañarle. Lo que nos recuerda el refrán «A mucha cortesía, mayor cuidado», que significa, según el Centro Virtual Cervantes, que conviene «desconfiar de quienes emplean modales excesivamente amables o se deshacen en elogios y obsequios, porque seguramente quieren burlarse o aprovecharse». Por poner un ejemplo de un charlatán camuflado de científico, acabamos de leer que un tal César Vásquez ha escrito lo siguiente en su cuenta de Twitter: «No importa qué enfermedad tengas, puedes mejorar tomando oxígeno, deja tu correo y teléfono».

No hemos escrito, pero estamos seguros de lo que nos encontraremos al otro lado del teléfono: un timo como una catedral. Lo que sí hemos hecho es compartir la respuesta que le ha dado otro usuario de Twitter, @mundoespejo1: «Ya lo hago cada vez que respiro y sin tener que darle dinero a usted».

Los charlatanes querrán, en el caso del cáncer, hacernos creer que comiendo manzanas ecológicas, zumo de limón, cartílago de tiburón o anís estrellado, o bien siguiendo un ayuno desintoxicante y depurativo, una dieta alcalina, cetogénica, macrobiótica o cualquier otra dieta con apellido, recuperaremos la salud perdida. Nos propondrán acudir a falsas terapias sin pies ni cabeza como la aromaterapia, el ayurveda, las constelaciones familiares, la homeopatía, la oligoterapia, la Gestalt, el reiki o la terapia craneosacral. Son solo unas pocas, tienes muchísimas más en la página web de una entidad tan reputada como la Organización Médica Colegial, que nos advierte de lo siguiente:

[Son] propuestas que pueden ocasionar interferencias, retraso o abandono de tratamientos normativos, que no son aceptadas por la comunidad científica de forma generalizada y no forman parte del sistema terapéutico médico.

También realizarán descabelladas afirmaciones, como que el cáncer de piel lo causa el protector solar, una mentira formalmente desmentida por el portal Maldito Bulo. No son más que fraudes disfrazados de ciencia. Hablando de bulos, en varias ocasiones a lo largo de este libro mencionaremos a Odile Fernández, una médico que ha escrito un libro titulado *Mis recetas anticáncer*, repleto de desacertados consejos. La mencionaremos, además de porque servirá de ejemplo de lo que no debemos creer (nuestras críticas son extrapolables a cualquier otro texto similar de cualquier otro autor), porque es un superventas. Y eso significa que puede poner en riesgo a muchísimas personas y que es preciso tomar contramedidas ante su imprudencia temeraria.

Intentaremos que seas crítico, que seas escéptico y, sobre todo, que adquieras criterio. Solo tomamos decisiones verdaderamente libres cuando nos han presentado de forma objetiva toda la información disponible. Por eso nos alegramos tanto el 18 de octubre de 2018, al escuchar en boca de la doctora María Luisa Carcedo, entonces ministra de Sanidad, que su Ministerio y el Ministerio de Ciencia, Innovación y Universidades estaban elaborando un plan de choque contra las pseudoterapias. La doctora Carcedo aseguró ante el Senado que «El Ministerio no va a quedarse impasible ante la actuación de personas que publiciten o fomenten, sin ninguna evidencia, el uso de remedios para la curación de patologías».

Los libros que prometen «recetas anticáncer» suelen posicionarse rápidamente entre los más vendidos. El porqué de esta situación guarda relación con la desesperación de las personas que sufren cáncer, con un generalizado desconocimiento de la relación entre alimentación y salud, con una alarmante incultura científica, con la promoción que en ocasiones hacen de falsas terapias los medios de comunicación y, sobre todo, con la falta de ética de quienes se aprovechan de la debilidad ajena para ganar fama o dinero. Y, ya que mencionamos a los medios de comunicación, queremos aprovechar para agradecer infinitamente que Carles Mesa, un muy admirable periodista, nos haya hecho el prólogo de este libro. El mundo iría mucho mejor con más personas maravillosas como él.

Dar información veraz y rigurosa pasa por afirmar con rotundidad que ninguna dieta, ningún alimento, ningún nutriente, ningún complemento alimenticio o ninguna planta medicinal curan el cáncer. Lo cura, si puede, el oncólogo. El papel de los nutricionistas es importante, sin duda, pero su tarea no es «sanar». Consiste en asegurar un buen estado nutricional del paciente y hacer frente a los posibles efectos secundarios del tratamiento médico o de la enfermedad. También es importante el papel del psicólogo, pero ningún buen psicólogo nos hará creer que «siendo positivos» curaremos la enfermedad. Si lo hace, estará cometiendo una grave negligencia. Vale la pena ser positivos, de igual manera que conviene limpiar la carrocería de nuestro coche. Pero ni la positividad cura el cáncer ni la limpieza del coche repara las averías de su motor. Uno de los mayores peligros con los que convivimos habitualmente es la legión de falsos gurús, charlatanes y embaucadores que se aprovechan de la vulnerabilidad de personas desesperadas.

Creer en terapias alternativas, complementarias o integrativas supone asumir diversos riesgos, algunos de los cuales pueden ser graves. En el libro veremos que los pacientes que utilizan «medicinas complementarias» presentan un mayor riesgo de muerte que los que no lo hacen. Hay quien va más allá, como el profesor Edzard Ernst, quien asegura que el daño que sabemos que ocasionan las falsas terapias no es más que la punta de un iceberg.

Resulta curioso constatar que muchas personas huyen de la medicina por creer que es un negocio de las farmacéuticas, para abrazar las mal llamadas «medicinas alternativas», que son un muy lucrativo negocio. Con la diferencia de que la medicina, aunque mejorable, salva vidas de infinidad de pacientes, mientras que las falsas terapias (que mueven millones de euros cada año) lo único que han demostrado es, en el mejor de los casos, ser inocuas. Si funcionara una «terapia» complementaria, alternativa, integrativa, holística, ancestral o natural, se llamaría «medicina». Y si funcionara, la venderían las farmacéuticas, esas que supuestamente esconden tratamientos «alternativos» para que no se les hunda el negocio. Un argumento falaz: lo que más persigue la industria farmacéutica, que no es estúpida, es encontrar la cura para enfermedades tan prevalentes como el cáncer. Pero es que además las farmacéuticas están compuestas por seres humanos que, tanto ellos como sus familias, padecen cáncer, por lo que sería un sinsentido que dejaran de lado promesas terapéuticas que salvarían su vida o la de sus seres queridos. Sugerir que todos los científicos que trabajan en la industria farmacéutica esconden la cura del cáncer no solo es absurdo, sino ofensivo para todos los investigadores que dedican su vida a la ciencia.

¿Qué tiene de malo pensar que la leche materna, por poner un ejemplo, es una «ayudita» frente al cáncer? Responde a esta pregunta el pediatra Carlos González, quien ha tenido la impagable amabilidad de dedicar todo un capítulo de este libro al tema. Puede que te resulte curioso que Carlos González, un gran defensor de la lactancia materna, o Juanjo Cáceres y Julio Basulto, dos claros defensores de una alimentación saludable, dediquemos horas de nuestra vida a convencer a la población de que ni la leche materna ni una dieta sana tienen propiedades curativas. Te diremos, de nuevo, que prevenir no es curar. Si un buen dentista hubiera escrito un capítulo en este libro, no habría asegurado que la caries se cura dejando de comer azúcar. ¿Por qué? Pues simplemente porque no es verdad. Sí, los dentistas insisten en que el azúcar provoca caries, pero también saben que demorar el tratamiento de un diente con caries, pensando que dejando de comer azúcar se curará, es asumir el riesgo de que la caries se extienda y provoque daños mayores. Creer en falsas promesas contra el cáncer también puede demorar tratamientos médicos de probada eficacia que, en este caso, pueden salvarnos la vida.

Algo similar a lo que ocurre con el azúcar y la caries sucede con la obesidad y el cáncer. Sabemos que el exceso de peso aumenta el riesgo de padecer algunos tipos de cáncer, pero no está nada claro que adelgazar mejore el pronóstico cuando ya está instaurada la enfermedad. En este libro intentaremos que comprendas, sobre todo, tres cosas en relación a la obesidad y el cáncer. La primera es que una persona con obesidad que siga un buen estilo de vida probablemente tendrá menos riesgo de cáncer que una persona con normopeso que fuma, bebe alcohol a menudo, es sedentaria y se alimenta fatal. La segunda es que no es aconsejable perder mucho peso si nos han diagnosticado un cáncer. Y la tercera es que imputar la responsabilidad de la obesidad o de su abordaje únicamente al individuo es culpabilizar injustamente al paciente y cometer una grave injusticia. ¿Acaso decimos a quien padece sordera que es su culpa por no escuchar bien? Pues tampoco deberíamos hacerlo con las personas con sobrepeso u obesidad. Entre otros motivos porque la salud no se mide en kilos, sino en hábitos.

Y ya que mencionamos los hábitos, aprovechamos para comentar que al final de este libro te encontrarás con un último capítulo dedicado a explicar que cuando ya hemos superado un cáncer conviene coger con fuerza el timón de un barco llamado «buen estilo de vida» y aprender a navegar en dicho barco, de forma gratificante, durante el resto de nuestros días.

Tener criterio

«Vivimos en un mundo de sobreinformación,
donde cualquiera puede decir cualquier cosa sobre cualquier tema
y conseguir una enorme audiencia. Creo que es útil aprender a leer las cosas
con sentido crítico, a pedir pruebas de las afirmaciones, a distinguir
entre el que habla con fundamento y el que se lo inventa sobre la marcha».

Creciendo juntos
CARLOS GONZÁLEZ

La importancia de ser críticos y tener criterio

Cuando abordamos temas como la alimentación, el cáncer o muchos otros
relacionados con la salud, los autores somos conscientes de que existen
muchas más creencias que conocimientos sólidos. También sabemos que
permanentemente hemos de confrontar nuestros argumentos con los de
personas especializadas en lanzar mensajes engañosos, de los cuales pueden extraerse conclusiones erróneas e incluso desencadenarse conductas
que pongan en peligro la salud de la población. De ahí que el principal
reto que nosotros nos marcamos no es tanto desmentir los diferentes mitos
que las personas podemos acabar interiorizando (como consecuencia de
la mala información que nos rodea), sino más bien conseguir minimizar
a largo plazo el riesgo de asimilación de creencias erróneas al que nos
vemos expuestos constantemente. Dicho de otro modo, nuestra meta no
es convertir nuestros argumentos en una especie de antibióticos que com-
batan la difusión de nociones erróneas, como si de bacterias se tratase,
sino conseguir dar con una vacuna que contribuya a prevenir la expansión
de prácticas fraudulentas sustentadas en argumentos ajenos al conocimiento científico y ayude a diferenciar los conocimientos sólidos y contrastados de los que no lo son.

De ahí que cuando una y otra vez nos echamos las manos a la cabeza ante la ingente charlatanería nutricional que pulula a nuestro alrededor, no podemos dejar de preguntarnos en dónde radica el éxito social que adquieren determinados mensajes. La recopilación de información, el análisis y la reflexión sosegada nos ha permitido identificar muchos factores que propician el éxito de la desinformación. Abordaremos aquí tales factores, pero antes queremos resaltar algo muy importante: que el principal motivo del éxito de los mensajes distorsionados sobre la salud se encuentra ni más ni menos que en nosotros mismos.

A los seres humanos nos gusta mucho presumir de formarnos libremente nuestros juicios de valor sobre las cosas, pero esa libertad de pensamiento no es excesivamente amplia. En primer lugar, porque dichos juicios dependen de unos conocimientos y creencias asimilados a lo largo de la vida, que pueden ser inexactos o completamente equivocados. Además, se sostienen muy a menudo en nociones irracionales, ya que tenemos cierta tendencia a que nuestra vocación especulativa subsane nuestra ignorancia sobre aquello de lo que sabemos muy poco. Incluso se da el caso, a veces, de que nuestro pensamiento suple con nociones imaginarias nuestra incapacidad para incidir sobre algo que está más allá de nuestras posibilidades. Es un poco lo que nos ocurre, por ejemplo, cuando, ante una sequía extrema, los sacerdotes de nuestro tiempo responden con rogativas *pro pluvia* o cuando en ciertas poblaciones se reacciona sacando en procesión imágenes religiosas, como si ello fuera a tener algún efecto sobre la pluviometría.

No te olvides de esta comparación porque el cáncer también es algo frente a lo que a menudo no tenemos claro qué hacer, cómo va a evolucionar y qué decisiones pueden marcar la diferencia entre un resultado u otro. Es por ello por lo que no tiene nada de extraño que tomemos caminos poco racionales y caigamos en manos de las pseudoterapias ante la aparición de la enfermedad o frente al temor a padecerla. En realidad, entra dentro de nuestras tendencias conductuales esenciales y ampliamente observables a lo largo del tiempo. Esto último nos lleva a un segundo motivo que ayuda a explicar esta propensión, que es el hecho de que nuestra mente tiene una determinada manera de funcionar y no otra. La forma como esta procesa la información nos convierte en seres con grandes competencias cognitivas y capaces de alcanzar impresionantes logros científicos, tecnológicos..., pero también en individuos con una notable predisposición a incurrir en sesgos o en razonamientos inconsistentes, a los cuales haremos alusión luego.

Llegados a este punto, también es importante destacar que la construcción de un método certero y robusto de generación de conocimiento basado en la evidencia, que viene a ser eso que llamamos «ciencia», nos ha llevado siglos. Y que si bien la probada eficacia de dicho método garantiza por el momento su permanencia, ello no implica ni mucho menos que los seres humanos, en general, construyamos nuestros juicios de valor con un rigor semejante, ni que exijamos ese mismo rigor a todos aquellos que lanzan sus ideas y propuestas sobre nosotros. La nuestra es una racionalidad subjetiva y, siendo conscientes de ello, un buen paso para avanzar en la buena dirección es algo que se nos propone continuamente: que seamos críticos. Pero tampoco es suficiente por sí solo.

La invitación a que seamos críticos lleva implícita un aviso. Nos alerta de que no basta con absorber la información que recibimos, sino que hemos de ser capaces de evaluarla y tomar en consideración su coherencia y consistencia antes de darla por válida.

Pero precisamente aquí es donde se encuentra el problema: ¿cómo lograrlo? Si ser críticos nos sirve meramente para cuestionárnoslo todo, lo más probable es que acabemos engullidos por un relativismo cognitivo poco fructífero, en el que nada será verdad ni será mentira, porque todo dependerá del color con que se mire, y eso no es precisamente lo que nos interesa. Lo importante no es convertirnos en alguien que permanentemente «enjuicia hechos y conductas generalmente de forma desfavorable», tal y como define el *Diccionario de la Real Academia Española* (RAE), sino en alguien que es capaz de formarse un criterio mediante el cual tomar decisiones útiles y racionales. Y ello no lo vamos a conseguir con actitudes relativistas, sino mediante otras completamente distintas: siendo escépticos.

«¿Y qué implica ser escéptico?», te preguntarás tal vez. «¿No es otra forma de relativizar la fiabilidad de lo que nos cuentan?». Para nada. Ten muy presente que el escepticismo es la piedra sobre la que se edifica la ciencia, en tanto que lo que esta convierte en conocimiento es aquello que ha sido validado mediante una investigación sistemática y contrastada. Por lo tanto, de lo que se trata aquí es de poner en duda tan solo aquella información que lo merezca, que en el tema que nos ocupa será aquella que no se encuentre bien apoyada por una evidencia suficiente, a la vez que asumimos que todas las verdades científicas lo son en función del conocimiento disponible y que ese conocimiento puede variar a lo largo del tiempo.

Llegados a este punto, queda claro que tener criterio es disponer de una base adecuada en que sustentar un juicio de valor, pero también implica establecer procedimientos para ser capaces de diferenciar lo que puede ser cierto de lo que no lo es. Para hacer ciencia está claro cuáles son los pasos que dan los investigadores: metodologías validadas y fiables para examinar la veracidad de las hipótesis que formulamos y extraer una conclusión correcta. Cuando no se sigue adecuadamente ese método, tenemos otra cosa, a la que vamos a estar citando constantemente: pseudociencia, o falsa ciencia, algo de lo que huir por el bien de tu salud y de la de los que te rodean.

También es importante recordar que en muchísimos casos las pseudociencias ni siquiera recuerdan remotamente a la ciencia en el lenguaje que utilizan. A menudo sus propuestas son completamente arbitrarias, no son más que el fruto de la invención de alguien y carecen de cualquier sustento empírico o verificable. De ahí que podemos recurrir también a definirlas con conceptos más claros para todo el mundo, como, por ejemplo: engaños, supercherías, fraudes, falacias, embustes, charlatanería... ¿Te imaginas una sociedad en la que todo un conjunto de tratamientos fraudulentos proliferase sin control en detrimento de un conocimiento verificable basado en metodologías científicas rigurosas? Pues felicidades, porque ya estás viviendo en ella.

Teniendo en cuenta lo anterior, adoptar una saludable conducta escéptica bastaría para tomar distancia de aquellas propuestas que no vengan con los avales científicos necesarios. Para verlo más claro, tal vez te sirva un análisis del gran investigador y divulgador Edzard Ernst. Al iniciarse 2018, Ernst difundió en su blog un artículo científico de la doctora Heather A. Butler publicado el año anterior. En él, dicha experta diferenciaba con claridad el pensamiento crítico de la inteligencia, describiendo el primero como una colección de habilidades cognitivas que nos permiten pensar racionalmente y con un enfoque orientado a objetivos. Definía asimismo a los pensadores críticos como escépticos amables, como pensadores flexibles que requieren pruebas científicas fiables para apoyar sus creencias y que son capaces de reconocer los intentos falaces de persuadirlos.

No parece, pues, complicado adoptar una conducta escéptica, pero dicha simplicidad no puede ser más engañosa. Volviendo a las pseudoterapias, a veces no es fácil diferenciarlas. A veces sus propuestas son tan insólitas que parece mentira que alguien pueda otorgarles algún crédito, pero, como todos descubrimos alguna vez, el sentido común no deja de ser el menos común de los sentidos. Y otras veces su éxito hay que agradecérselo a quienes las avalan. Las avalan los medios de comunicación, cuando vendedores de pseudoterapias (en ocasiones auténticos profesionales sanitarios) ocupan un generoso espacio en programas de máxima audiencia o cuando promocionan sustancias o métodos sin plantearse si hacerlo vulnera la deontología periodística. Las avalan algunas universidades cuando admiten que se impartan cursos sobre estas materias, a pesar de los enormes esfuerzos que están haciendo divulgadores y profesionales de la ciencia de todos los ámbitos para que las mismas no tengan cabida en ningún tipo de formación universitaria. O las avalan los Gobiernos cuando aplican las leyes con laxitud o cuando permiten que placebos como la homeopatía se comercialicen en farmacias como si tuvieran propiedades terapéuticas (no las tienen).

Considerando lo dicho hasta ahora, no podemos realizar un libro sobre alimentación y cáncer sin tener en cuenta este escenario de fondo, por lo que en este capítulo, además de empezar a hablar del cáncer, debemos hablar también de nosotros, de nuestra credulidad y nuestra vulnerabilidad hacia mensajes engañosos. Sobre todo si tenemos en cuenta que de entre las personas más inclinadas a utilizar falsas terapias contra el cáncer encontramos a individuos con estudios superiores, según revela la literatura científica y según leímos el 13 de octubre de 2018 en una noticia de *Faro de Vigo* titulada «Uno de cada cuatro pacientes con cáncer añaden al tratamiento terapias alternativas». Como ves, nadie esta a salvo de los cantos de sirena de los embaucadores que nos rodean. Empecemos.

¿Qué es el cáncer?

No es nuestro objetivo hacer una larga exposición sobre el cáncer como patología, sus manifestaciones, sus riesgos y sus tratamientos. Existen diversos libros de divulgación sobre el cáncer realizados por investigadores y oncólogos que pueden ofrecerte una perspectiva completa y muy didáctica, como por ejemplo el del doctor Manel Esteller *Hablemos de cáncer. Más de 50 respuestas a las principales dudas.* Pero sí que nos corresponde señalar algunos de sus rasgos claves, a fin de proceder a exponer después cómo se articulan las relaciones entre alimentación y cáncer.

Un nombre, diversas enfermedades

Denominamos cáncer a un conjunto de patologías que tienen en común el hecho de que se produce un desorden en el crecimiento de nuestras células que propicia que estas se reproduzcan de manera acelerada. La diferencia entre células sanas y células tumorales es la siguiente: mientras que las primeras se reproducen de forma controlada mediante estímulos generados por nuestro organismo, las segundas no responden a las señales dirigidas a inhibir su crecimiento. En consecuencia, de no interrumpirse este proceso, las células tumorales acaban invadiendo estructuras vecinas, causan daños a órganos vitales y terminan con la vida de la persona afectada..., excepto si se aplica un tratamiento capaz de frenar el proceso. De ahí que, y es importante ser conscientes de ello, un enfoque fraudulento que no cause efecto positivo alguno u optar por seguir los consejos de algún falso terapeuta que recomiende no actuar sobre el cáncer acabará teniendo probablemente un desenlace fatal.

Hay que tener claro, además, que más allá de estos elementos comunes, la palabra «cáncer» abarca un conjunto de enfermedades diversas y diferentes entre ellas. Cada tumor tiene sus propias características y es por ello por lo que los diferenciamos en tipologías (de pulmón, de piel, de hígado...) y subtipologías. Cada tipo de tumor tiene además factores de riesgo diversos, por lo que algunos elementos controlables, como la forma en que nos alimentamos o nuestros estilos de vida, influyen en nuestras posibilidades de sufrir ciertos tipos de cánceres, mientras que otros aspectos, como la predisposición genética, escapan a nuestro control. La diversidad de situaciones también es la característica clave respecto a sus tratamientos y el pronóstico de la enfermedad. Estos dependerán de cada tipo de cáncer y, también, las posibilidades de intervención sobre los tumores vendrán a su vez determinadas por otras variables, como por ejemplo el momento de la detección.

De lo que acabamos de decir se infiere una idea importante a la que le dedicaremos el próximo capítulo: que un buen estilo de vida contribuirá a reducir el riesgo de padecer la aparición de diversos tipos de cáncer. De ahí que la estrategia más idónea que tenemos los individuos contra esta enfermedad sea adoptar conductas que favorezcan su prevención. Y si el cáncer hace su aparición, el único enfoque que ha demostrado ejercer resultados contra el mismo son los tratamientos oncológicos ofrecidos por la medicina. Estas son dos cuestiones centrales que no nos vamos a cansar de repetir a lo largo de este libro. Tampoco vamos a parar de repetir que las nociones y propuestas que envuelven a las pseudoterapias o falsas terapias constituyen un estorbo para promover todos aquellos estilos de vida saludables que contribuyen a disminuir el riesgo de experimentar un cáncer a lo largo de la vida. No dejaremos de insistir en que tales propuestas pueden acabar siendo una autentica amenaza para las personas enfermas y sus posibilidades de curarse. Por eso mismo, nos hemos esforzado en destacar que solo la medicina basada en la evidencia científica ofrece soluciones reales para curar el cáncer y que esta es una enfermedad en la que es absolutamente aconsejable someterse a un tratamiento adecuado y eficaz.

¿Cuál es su incidencia?

Según la Organización Mundial de la Salud (OMS), el cáncer es una de las primeras causas de muerte en el mundo, a la que en 2012 se le atribuyeron 8,2 millones de fallecimientos. En el continente europeo, según los datos recogidos por la Comisión Europea, la estimación para el año 2018 era que se producirían 3,9 millones de nuevos casos de cáncer y alrededor de 1,9 millones de muertes por esta causa, con una afectación mayor en ambos casos en hombres (53 % de los nuevos casos y 56 % de las muertes) y una incidencia superior en las regiones del norte de Europa. En el caso de España, la estimación de nuevos casos es claramente inferior a la de países como Francia o Reino Unido, similar a otros como Alemania y superior a algunos países nórdicos y del este de Europa. Según estimaciones del National Cancer Institute, una de cada tres personas (en concreto un 38,4 %) sufrirá un cáncer a lo largo de su vida. Es un buen motivo para no despreocuparnos de esta enfermedad y tener bien presente qué podemos hacer para minimizar las posibilidades de padecerla (capítulo 2 de este libro).

El cáncer es, además, tras las enfermedades cardiovasculares, la segunda causa de muerte en los 28 países miembros de la Unión Europea: en 2018 se estimó que causaría 1,4 millones de muertes. Los cánceres de pulmón, de colon, de mama, de páncreas y de próstata serían la causa del 49 % de las mismas.

En el caso de España, según los datos registrados por el Observatorio del Cáncer de la Asociación Española Contra el Cáncer (AECC), en 2017 se estimaron 228.482 nuevos casos de cáncer, con una incidencia claramente mayor en hombres (60 %) que en mujeres. Esto supone una tasa en hombres de 601 casos por cada 100.000 habitantes y de 385 mujeres. Su distribución por grupos de edad apunta una tendencia clara al incremento en proporción a la edad, siendo la población más madura la más afectada, con muchísima diferencia. Así, eran las personas mayores de 75 años los que acumulaban el 32 % de los casos registrados. Entre los 60 y los

75 años se concentraron también el 38,6 % de las detecciones, mientras que solo el 15,2 % de los casos afectaron a población menor de 50 años y el 4 % a menores de 39.

Esto nos indica dos cosas importantes. La primera, que se trata de un conjunto de enfermedades que afectan mayoritariamente a personas de edad avanzada. La segunda, que el hecho de que sobre las mismas se pueda actuar en parte mediante la prevención nos debería iluminar sobre la importancia clave que tiene adoptar estilos de vida saludables durante la juventud y la edad adulta dirigidos a prevenir el cáncer y otras enfermedades evitables. Adoptar unos malos hábitos (fumar, beber, seguir dietas insanas, ser sedentarios, rechazar la lactancia materna, evitar las cremas solares…) significa jugar a aumentar nuestras posibilidades de fallecer o de enfermar gravemente y de forma prematura, como si de una partida de ruleta rusa con revólver se tratase. En el siguiente capítulo volveremos sobre ello.

Respecto a los tipos de cáncer diagnosticados en España, el más frecuente fue el de colon-recto (15 %), seguido del de próstata (13 %), pulmón (12 %) y mama (11 %). Diferenciados por sexo, el más frecuente en mujeres fue el de mama (29 %), seguido del de colon-recto (15 %), pulmón (6 %), cuello uterino (6 %) y ovarios (4 %). En el caso de los hombres, en cambio, el más frecuente fue el de próstata (22 %), seguido del de pulmón (17 %), colon-recto (15 %), vejiga urinaria (9 %) y estómago (4 %).

Asimismo, se estimó para 2017 un total de 109.074 defunciones causadas por cáncer en España, lo que representó el 27 % sobre el total de defunciones y lo convirtió en la primera causa de muerte en hombres y la segunda en mujeres. Ello supone una tasa de mortalidad media anual de 234 por cada 100.000 habitantes. Por sexos, es responsable del 33 % de la mortalidad total en hombres y del 22 % en mujeres. En cuanto a la edad, cabe subrayar que el 75 % de las defunciones se produjeron en población mayor de 65 años. Asimismo, los tipos de cáncer con mayor tasa de mortalidad fueron el de pulmón, el de colon-recto, el de páncreas y el de mama, siendo los de mayor incidencia en el caso de las mujeres el de colon-recto (16 %), el de mama (15 %) y el de pulmón (11 %), y, en el caso de los hombres, el de pulmón (27 %), el de colon-recto (14 %) y el de próstata (9 %).

Aprovecharemos estos datos para destacar que una de las confusiones frecuentes respecto a la evolución en las cifras referidas a la incidencia de esta enfermedad, especialmente en los países occidentales, es la de asociar estrechamente infinidad de elementos de nuestra cotidianeidad, ya sean los teléfonos móviles, el wifi, los microondas, los aditivos, el agua o cualquier otra cosa con el desarrollo del cáncer. Sin embargo, los cambios en las causas de mortalidad poblacional que sitúan actualmente al cáncer en lo alto de la lista obedecen a tendencias más profundas, entre otras:

- el aumento de la esperanza de vida de la población y del envejecimiento de la misma que ello conlleva, que incrementa significativamente el riesgo de sufrir un cáncer;
- el éxito de la medicina y de las sociedades occidentales en general, superando fenómenos y enfermedades que incidían enormemente en la mortalidad en etapas pasadas: la desnutrición, las enfermedades infecciosas (gracias, entre otras cosas, a las vacunas), las muertes violentas...;
- el acceso de la población a los modernos procedimientos de diagnóstico, que, a diferencia de lo que podía ocurrir un siglo antes, ponen nombres y apellidos precisos a las enfermedades que padecemos y nos avisan de ellas cuando aun no son visibles a simple vista.

Ten en cuenta lo anterior antes de confundir conductas que generan factores de riesgo con otras que son inocuas (sobre ello volveremos más adelante) y recuerda que el cáncer es una enfermedad que siempre ha estado ahí y que tenemos ampliamente documentada a lo largo de la historia y en otras especies.

Acabamos esta lluvia de datos con una breve información sobre prevalencia del cáncer. Retomando los datos de 2017, 579.665 pacientes con cáncer continuaban vivos en España cinco años después de ser diagnosticados, que es lo que denominamos «prevalencia». En el caso de las mujeres, el 41 % de la misma se daba en pacientes con tumores de mama, seguidas de afectadas por el cáncer colorrectal (14 %) y el de cuello uterino (5 %). En hombres, en cambio, correspondía el mayor impacto en términos de prevalencia al cáncer de próstata (31 %), seguido del de colon-recto (14 %) y el de vejiga (12 %).

¿Qué hace la ciencia en general y la medicina en particular contra el cáncer?

Jaydip Biswas escribió en 2014 un artículo para la revista *Indian Journal of Medical Research*, denominado «Debunk the myths: Oncologic misconceptions» («Desenmascarando los mitos: ideas falsas sobre el cáncer»), que al comenzar a relatar dichos mitos empezaba por el siguiente: «el cáncer es siempre una enfermedad fatal». Biswas aclaraba que a pesar de la creciente asociación entre cáncer y mortalidad, la mejora en los tratamientos ha permitido a muchísimos pacientes escapar de la enfermedad. En palabras del doctor Manel Esteller, son los avances en la investigación médica los que han permitido pasar de una mortalidad superior al 90 % a una supervivencia cercana en la actualidad a dos tercios de los casos detectados.

En efecto, lo hemos dicho y lo volveremos a repetir hasta la saciedad: el cáncer se convierte en la mayoría de los casos en una enfermedad fatal si no se aplican los tratamientos adecuados para combatirla, y eso es algo que ofrece la medicina basada en la evidencia científica, nadie más. Que su papel se vea sustituido por un mago de las palabras que asegure que los tratamientos médicos no valen nada y que él sí sabe lo que hay que hacer solo puede tener como consecuencia una mala evolución por no haberse aplicado los remedios adecuados o un agravamiento por haber utilizado sustancias o procedimientos que generan efectos indeseados sobre el tratamiento médico. Y vamos a poner varios ejemplos de ello a lo largo de este libro, pero centrémonos primero en lo que la ciencia y la medicina sí que ofrecen contra el cáncer.

El cáncer es un tipo de enfermedad cuyo abordaje presenta una gran complejidad: es precisamente por ello por lo que los logros médicos en este ámbito no son tan absolutos como los conseguidos en el tratamiento de otras enfermedades que antaño provocaban tasas elevadas de mortalidad. No obstante, los esfuerzos realizados a lo largo de varias décadas en la investigación sobre el cáncer han puesto a nuestro alcance un conjunto de estrategias clave en la reducción de la mortalidad asociada al mismo.

Entre las estrategias de respuesta más habituales que la medicina ofrece se encuentran la cirugía, la radioterapia y la quimioterapia. En el caso de la cirugía, se aplica sobre aquellos tumores que pueden resultar operables porque no se han extendido fuera de su zona de origen y existen las condiciones favorables para ello. Por quimioterapia entendemos la utilización de fármacos contra las células tumorales para interferir en su división celular, mientras que la radioterapia consiste en el uso de radiación ionizante sobre tumores radiosensibles para erradicar células tumorales provocando rupturas y otras alteraciones en su material genético.

Respecto a estos dos últimos tratamientos, existen un conjunto de inquietudes y temores que tienen que ver fundamentalmente con sus efectos secundarios (en el caso de la quimioterapia: caída del pelo, náu-

seas, etc.) y con el hecho de que, en ocasiones, el recurso a la radioterapia puede propiciar la aparición de un nuevo cáncer más adelante. Insistimos, es una posibilidad, no una certeza. En relación con todo esto vale
la pena recordar que la reducción de los efectos secundarios constituye
una de las prioridades de los equipos médicos dedicados a aplicar estos
tratamientos y que, también como resultado de la investigación médica,
dichos efectos se han ido atenuando con el paso del tiempo. Hablamos
de los efectos secundarios que guardan relación con la nutrición en el
capítulo 6.

Otras estrategias que la medicina pone a nuestra disposición, en este
caso para prevenir el cáncer, son las vacunaciones. Vacunar a las personas
contra el virus de la hepatitis B o contra el virus del papiloma humano,
cuya incidencia en la aparición, respectivamente, del cáncer de hígado y
del cáncer de cuello uterino es bien conocida, nos puede permitir prevenir
de manera efectiva la aparición de dichos cánceres. Sin olvidar que el virus
del papiloma humano se asocia a muchas otras tipologías de cáncer (oral,
faríngeo, etc.) y que ello hace tomar muy seriamente en consideración el
facilitar el acceso de esta vacuna en menores de ambos sexos antes de su
primera relación sexual.

A todo ello hay que añadir los nuevos enfoques médicos introducidos
contra el cáncer en los últimos años, que aportan prometedoras vías para
su abordaje: la medicina personalizada, la inmunoterapia, fármacos contra el metabolismo de las células tumorales, fármacos epigenéticos… Ello
nos ha de servir para comprender que la acción de la medicina contra el
cáncer se está llevando a cabo mediante enfoques muy diversos y que a
los tratamientos más conocidos se están sumando nuevas aproximaciones
que mejorarán a buen seguro su pronóstico a lo largo de los próximos
años. Nos tiene que permitir darnos cuenta, en definitiva, que la medicina
ha alzado una enorme muralla contra el cáncer y que esta sigue creciendo
continuamente para poner a disposición de los pacientes las mejores estrategias de defensa posibles.

Sin negar los numerosos retos pendientes que existen todavía ni el
impacto que el cáncer tiene aún sobre la mortalidad, la ciencia pone a
nuestra disposición un buen número de herramientas con una eficacia probada para enfrentarse a diferentes tipos de cáncer que convierte a los profesionales de la medicina en las únicas personas a las que cabe otorgar
nuestra confianza en su tratamiento. La investigación médica y dichos
profesionales, por sus logros contrastados y cuantificables, son los dos
pilares en que cabe apoyar nuestras expectativas de curación ante su apa-

rición, no en pseudoprofesionales ni en vendedores de humo, que suelen acusar a los científicos de tener una mente poco abierta. ¿Qué mentalidad puede haber más abierta que la que aplica el método científico, ese método en el que ni siquiera el investigador sabe cuáles son los pacientes que reciben un tratamiento y cuáles reciben un placebo?

¿Qué sabe la población en general sobre el cáncer?

Otra cuestión a destacar sobre el cáncer es que la población tiene unos conocimientos muy limitados sobre el mismo. En el año 2012 el Observatorio del Cáncer de la Asociación Española Contra el Cáncer difundió diferentes resultados del Oncobarómetro, un estudio basado en 8.000 encuestas en el que, entre otras cosas, se analizaban las percepciones y conocimientos existentes entre la población sobre el cáncer. Una de las cuestiones más importantes era determinar, en un escala del 1 al 10, la incidencia de distintos factores de riesgo en el desarrollo de un cáncer. Los encuestados otorgaron la máxima puntuación media al tabaco (8,66), al que seguía el historial familiar (7,77), el contacto con sustancias nocivas o tóxicas (7,7) y la exposición al sol (7,39). Posteriormente se señalaban el consumo de alcohol (7,16), la exposición a rayos X u otras radiaciones (7,11) y la contaminación atmosférica (6,68). Los factores a los que se atribuyó menor importancia fueron la dieta y el tipo de alimentación (6,36), las enfermedades de transmisión sexual (5,51 puntos) y el peso (4,81 puntos). Solo el 53,66 % de los encuestados atribuyó a la dieta y el tipo de alimentación una alta influencia en el desarrollo de un cáncer, mientras que una cuarta parte, el 26,46 %, la atribuyó al peso, cuestión a la que hemos dedicado precisamente el capítulo 4 de este libro.

Igualmente resulta importante destacar que los hombres otorgaron una puntuación menor que las mujeres al consumo de alcohol y que la población menor de 55 años también ofrecía una puntuación media inferior a la influencia de la dieta sobre la posibilidad de desarrollar un cáncer. Asimismo, la población que consideraba tener un mejor estado de salud percibía en menor medida la importancia del alcohol y las enfermedades de transmisión sexual como factores de riesgo. Por el contrario, las personas con un estilo de vida saludable daban una mayor importancia al tabaco y al consumo de alcohol como factores de riesgo de cáncer. Otros aspectos que incrementaban la percepción de asociación entre factores de riesgo y cáncer eran las recomendaciones de prevención por parte de profesionales sanitarios, haber accedido a información sobre el cáncer en los últimos seis meses, el conocimiento de síntomas o la autopercepción de presentar mayores posibilidades de sufrir un cáncer.

Otro detalle revelado en el Oncobarómetro que resulta de interés para el tema que tratamos es que 3 de cada 10 personas tenían una actitud negativa ante la información que recibían sobre el cáncer, o bien porque les era indiferente, o bien porque les preocupaba, desanimaba o atemorizaba. Estas actitudes se daban por encima de la media en adultos jóvenes, en las personas de edad más avanzada, en las de menor nivel educativo, en las de peor estado de salud percibido y en las que creían tener un riesgo mayor de sufrir un cáncer. Esta situación de fondo aconseja a todos aquellos que deben transmitir información sobre el cáncer, incluidos los que hemos escrito este libro, optar por estrategias comunicativas que faciliten el acceso a la misma a población especialmente sensible. Ello es muy importante, tanto si queremos mejorar el conocimiento sobre estas enfermedades entre la población como si perseguimos sensibilizar sobre los mecanismos de prevención e incluso para alertar de los riesgos de las pseudoterapias.

Además, los hallazgos de este Oncobarómetro coinciden en sus líneas maestras con observaciones realizadas con anterioridad. Un estudio coordinado en el año 2003 por la doctora Tania Estapé se centró en el conocimiento del cáncer entre las mujeres españolas pertenecientes a grupos sociales con pocos ingresos. Su investigación alertó sobre el elevado número de mujeres que consideraban que no podían incidir de ninguna manera sobre la posibilidad de desarrollar esta enfermedad (64%), que creían que el cáncer de mama podía ser una enfermedad transmisible (26%) o que atribuían a la lactancia materna la posibilidad de desarrollar un cáncer (14%). Todas estas creencias son erróneas. Hablamos de todo ello a lo largo de este capítulo.

¿Qué condiciones son necesarias para garantizar tratamientos seguros contra el cáncer?

Estamos insistiendo a lo largo de este capítulo en valorar los logros que la medicina ha conseguido en el tratamiento de esta y otras enfermedades, aunque aún no sea suficiente. Pero también hemos señalado que existen numerosos factores, de los cuales nos vemos obligados a hablar, que distorsionan una realidad clara y cristalina, y que favorecen que creencias anticientíficas y vendedores de humo campen a sus anchas. Nos encontramos en un contexto social en el que cualquier propuesta bien sonante que prometa mejoras en nuestra salud, por absurda que resulte desde un punto de vista científico, puede suscitar atención, credibilidad y confianza. La multitud de propuestas «terapéuticas» carentes de cualquier fundamento que se difunden en nuestro entorno aumenta cada día y consigue propagarse por todas partes, alcanzando incluso medios de comunicación presuntamente serios, mientras que otros «menos serios» no encuentran ninguna dificultad ni impedimento ético en lucrarse difundiendo, sin ningún tipo de mesura ni vergüenza, sus falsas promesas.

¿Un ejemplo? Fácil: muchísima gente cree que el zumo de limón (en ayunas y con agua tibia, vaya usted a saber por qué) es algo así como un santo grial que previene (o incluso cura) una larga lista de enfermedades. Lo cree porque algún famoso lo ha puesto de moda en base al llamado «amimefuncionismo». Cuando lo único que ha demostrado científicamente el zumo de limón es que, consumido habitualmente, erosiona el esmalte y las dentinas de nuestros dientes. Nada más. Puedes comprobarlo en la investigación coordinada por el doctor Stefan Zimmer en 2015 y publicada en la revista *PLOS One*.

Por lo tanto, el primer elemento que cabe señalar como clave para garantizar tratamientos seguros contra el cáncer es que dichas terapias no tengan posibilidad alguna de imponerse en el imaginario de los individuos como alternativas a lo que ofrece la medicina convencional. Del mismo modo, no podemos desfallecer en la lucha contra las tendencias contrarias a la vacunación. Existe, lamentablemente, como ya hemos señalado, un contexto propicio para la difusión de las pseudoterapias. Por lo tanto, su éxito entre ciertos sectores de la población como «complemento» o «alternativa» a las propuestas que la medicina basada en la evidencia ofrece para prevenir o tratar el cáncer se explica en primera instancia por motivos parecidos a aquellos que las hacen atractivas para tratar otros problemas de salud, aunque no solamente. Y es que en este caso existen también otras causas más específicas.

Resulta evidente que los principales temores que expresan los individuos respecto a los tratamientos contra el cáncer tienen que ver, por un lado, con las limitaciones percibidas en la medicina para curar varios tipos de cáncer y, por el otro, con los efectos de ciertos tratamientos que esta ofrece. Es eso lo que abre una ventana de oportunidad para lucrarse a aquellas propuestas pseudoterapéuticas al margen de los avances científicos que, en sintonía con ambas preocupaciones, sugieren «alternativas» a lo que la medicina real propone y plantean supuestas soluciones donde aquella reconoce sus limitaciones. Este *modus operandi* es el que a menudo ha llevado a personas enfermas a confiar en esas opciones, con letales resultados.

Pero las condiciones que son necesarias para garantizar tratamientos seguros contra el cáncer no se agotan tras construir un cortafuegos frente a su propagación. A diferencia precisamente de ciertos terapeutas, la medicina necesita recursos, necesita disponer de profesionales suficientes, necesita infraestructuras adecuadas y necesita ser capaz de ofrecer acceso al conjunto de la población a los tratamientos necesarios. Dichos tratamientos, por los fármacos que se utilizan o por las tecnologías necesarias para aplicarlos, pueden destacar a menudo por su elevado coste, lo que podría significar que su difusión se vea frenada y que ciertos procedimientos solo sean accesibles para sectores muy pudientes.

De ahí que el acceso universal a la sanidad, y que esta se eleve sobre un sistema de salud bien financiado y plenamente accesible para las personas enfermas también sea un elemento crucial para el tratamiento del cáncer y tenemos serias evidencias que así lo avalan. Conviene alertar con claridad de que la calidad de la atención sanitaria es un factor de enorme diferenciación entre países respecto a la mortalidad causada por el cáncer. Podemos apreciarlo consultando los resultados del programa CONCORD, cuyo objetivo es analizar los niveles globales de supervivencia al cáncer, con la finalidad de medir la efectividad al respecto de los sistemas nacionales de salud. Recientemente se han dado a conocer a través de la revista *Lancet* los resultados del informe CONCORD-3, que ha analizado el periodo correspondiente a los años 2000-2014.

A pesar de que la supervivencia durante más de cinco años a un diagnóstico de cáncer se ha incrementado de forma general, incluso en los tipos de cáncer más letales, se aprecian diferencias muy importantes entre países en esta variable. Así, para el cáncer de mama, mientras dicha supervivencia alcanza el 89,5 % en Australia y el 90,2 % en Estados Unidos, en la India es tan solo del 66,1 %. Otros ejemplos son el de la leucemia linfoblástica en niños, que presenta unas tasas de supervivencia del 95,2 % en Finlandia y del 49,8 % en Ecuador, o el de los tumores cerebrales en niños, con tasas de supervivencia cercanas al 80 % en Suecia y Dinamarca, pero tan solo del 28,9 % en Brasil.

El informe indica también que el cáncer mata a más de 100.000 niños cada año, pero que ello sucede mayoritariamente fuera de las fronteras de los países occidentales, donde el acceso a los servicios sanitarios es a menudo bajo y el abandono de los tratamientos es un importante problema. Así, en países africanos como Nigeria, no existen oncólogos formados y la disponibilidad de la quimioterapia, administrada por médicos de otras especialidades, se encuentra muy limitada tanto en el sector público como en el privado, lo que obliga a los pacientes a pagarla a un precio prohibitivo y favorece la interrupción del tratamiento. En la misma línea se expresaba una revisión de la doctora Daniela Cristina Stefan publicada en 2015 sobre los recursos contra el cáncer en el continente africano: las insuficiencias en el establecimiento de sistemas de prevención, la falta de acceso a tratamientos y la ausencia de atención sanitaria alcanzaban a capas amplísimas de la población. No hay que olvidar, tampoco, que el cáncer presenta una incidencia menor en otros países en los que la población fallece de forma prematura por causas como la desnutrición o las enfermedades infecciosas, factores superados en los países desarrollados.

Sea como sea, la existencia de estos contrastes es la mejor prueba de que no es igual no acceder que acceder a tratamientos adecuados contra el cáncer para sobrevivir al mismo, ni lo es el tener o no programas de detección precoz. Y es un argumento clave contra las terapias alternativas, porque donde no hay sistemas de salud sólidos y eficaces, no hay alternativa que valga para detener la mortalidad asociada a estas enfermedades. El recién citado informe CONCORD-3 nos ofrece una razón de peso para desconfiar de «lo natural», «lo milenario» o «lo tradicional». En los países donde no llega la medicina moderna, las tasas de curación del cáncer son claramente inferiores, pese a tener a su alcance la «medicina tradicional». Confiar hoy en la medicina tradicional es comparable a dejar de lado los actuales sistemas de comunicación para volver a esculpir en piedra, a las palomas mensajeras, a las señales de humo o al código morse. Cerramos este apartado advirtiéndote que NO es sinónimo de profesional sanitario:

- Acupuntor
- Biomagnetista
- Hipnoterapeuta
- Homeópata
- Kinesiólogo
- Naturópata
- Oligoterapeuta
- Osteópata
- Quiropráctico

- Reflexólogo, o
- Terapeuta antroposófico, cuántico, de reiki, floral, Gestalt u ortomolecular

Tienes más información en el «Análisis de situación de las terapias naturales», publicado en 2011 por el Ministerio de Sanidad, Política Social e Igualdad.

No todo produce cáncer

La aparición del cáncer es un proceso complejo, pero sabemos a ciencia cierta que hay sustancias que incrementan nuestros riesgos de padecer esta patología. Es por ello por lo que en el capítulo 2 vamos a hablar sobre la prevención de algunos tipos de cáncer y trataremos en profundidad aspectos como el tabaco, el alcohol o diferentes productos alimentarios que inciden sobre el riesgo de sufrirlo.

Más allá de eso, tenemos todo un conjunto de factores precursores de los que no vamos a hablar (o que solo vamos a citar de pasada, aludiendo a documentos recientes de entidades de referencia, dado que no es nuestra especialidad), porque no forman parte de la relación entre cáncer y alimentación o estilos de vida. Encontramos ejemplos de tales factores en la exposición a las radiaciones solares, que fundamentan la recomendación de usar cremas protectoras; la radiación ionizante, que vamos a absorber al hacernos una radiografía o un tac, por lo que se aconseja realizar estas pruebas diagnósticas solo cuando es necesario; o los metales pesados y otras sustancias generadas en procesos industriales o presentes en la contaminación del aire.

Las posibilidades de desencadenar un cáncer responden también a factores hereditarios. Se estima que un 10 % de los tumores son debidos a una fuerte predisposición genética a desarrollar algún tipo de cáncer, como consecuencia de una mutación transmitida por vía paterna o materna.

La asociación entre los factores citados y su carácter carcinógeno se sustenta en el hallazgo previo de una evidencia suficiente en humanos y una relación causal establecida, y tienen en común el hecho de que su impacto sobre el riesgo de sufrir un cáncer no es pequeño. Fuera de tales factores, no obstante, existen muchos otros que han sido descartados como causas del cáncer tras serias evaluaciones científicas. Es el caso, por ejemplo, de la radiación no ionizante de los teléfonos móviles. En consecuencia, tampoco tiene ningún sentido preocuparnos por ellos y desviar los esfuerzos que hagamos desde el punto de vista de la prevención de esos otros factores que sí que tenemos identificados. Entre otros motivos porque creer, erróneamente, que las radiaciones de los teléfonos móviles, del wifi o del horno microondas generan cáncer aparta nuestra atención de factores con una relación claramente establecida con el riesgo de enfermedades crónicas.

Finalmente, también existe todo un conjunto de falsas atribuciones que giran alrededor de distintos productos. Puede parecer una obviedad decir que el agua no produce cáncer en nuestro medio (donde existe un estricto control en la calidad de la misma), pero no lo es en absoluto: lamentablemente, se difunden un buen número de falsos rumores sobre el tema. Señalaremos tres de ellos. El primero tiene que ver con el agua del grifo potable: su consumo no presenta ningún tipo de riesgo. Por el contrario, la presencia de cloro garantiza que la recibamos sin microorganismos patógenos. Pero espera, hemos dicho «cloro», ¿eso no es tóxico? Pues no, lo que nos lleva al segundo falso rumor. Bastantes falsos gurús (o, en palabras del pediatra Pepe Serrano, «gurús de la falacia») sostienen que el cloro del agua del grifo es venenoso cual toxina botulínica. No lo es en absoluto en las cantidades que contiene el agua corriente. Puedes leer más sobre ello en este enlace: *www.goo.gl/JgLSEU*. El tercer rumor es el que predica que el agua del grifo tiene cantidades peligrosísimas de arsénico. No es el caso en España. En el siguiente capítulo volveremos sobre el agua y la presencia de arsénico en la misma en algunos países, aunque antes queremos que leas esta cita de uno de los pioneros de la nutrición moderna, Francisco Grande Covián: «Nada más natural, ecológico y biológico que la bacteria del cólera, y nada más artificial, sintético y químico que el cloro. Pero gracias al agua clorada no morimos del cólera».

En un ámbito distinto, también sabemos que los alimentos transgénicos son objeto de todo tipo de cuestionamientos desde el punto de vista de su seguridad para la salud o el medio ambiente, por lo que tampoco han escapado de verse asociados alguna vez al riesgo de sufrir cáncer. Dicha asociación se dio de acuerdo con un estudio publicado por Gilles-Éric Seralini, sobre el que José Miguel Mulet, en su libro *Transgénicos sin miedo*, hace una disección exhaustiva. Puede resumirse en que se trataba de un estudio desarrollado sin la calidad científica y el rigor necesario, y que, tras la polvareda que generó, acabó retirado de la revista que lo había publicado inicialmente. El propio doctor Mulet desvela un elemento adicional que acaba de condenar la fiabilidad de su autor: publicó, posteriormente, un disparatado artículo sobre un «remedio» homeopático para la intoxicación por glisofato. ¡Nada más que añadir!

Como sabrás, el riesgo de cáncer también aparece a menudo asociado a los pesticidas y su presencia en los alimentos, por lo que no escasean las noticias que sitúan alguna relación entre ambos. Por ejemplo, en agosto de 2018 era el mencionado glisofato el que saltaba de nuevo a la escena mediática, después de que la compañía Monsanto, subsidiaria de la gigante alemana Bayer, fuera condenada a pagar cerca de 300 millones de dólares a un jardinero, debido al cáncer terminal que supuestamente había desarrollado tras haber trabajado utilizando herbicidas que contienen glifosato. La sentencia entendía (sin que existiera evidencia científica para ello) que había una relación causa-efecto entre haber manipulado herbicidas y haber desarrollado un cáncer y reforzó la percepción de que los alimentos pueden resultar tóxicos por la presencia de los mismos. Pero lo cierto es que no hay pruebas científicas que nos hagan creer que padeceremos un cáncer por ingerir pesticidas a través de la alimentación.

Para arrojar algo de luz al respecto, hemos de decir que no hay muchos estudios que evalúen de manera precisa el riesgo a la exposición de pesticidas a través de la dieta. Es por ello por lo que en junio de 2018 la revista *Food and Chemical Toxicology* publicó un artículo de Martin Olof Larsson y colaboradores, en que se proponían analizar de forma realista los niveles de residuos observados en 47 productos alimentarios comercializados en el mercado danés. Las conclusiones del mismo fueron que la posibilidad de sufrir trastornos de salud con motivo de la exposición crónica a los pesticidas era remota. Una de las medidas utilizadas para evaluar los riesgos era un índice que medía la toxicidad de cada uno, el *hazard index* (HI) y los valores resultantes apuntaron que el HI de la exposición a pesticidas en un danés adulto eran equivalentes a las que sufriría ese mismo danés consumiendo un vaso de vino cada siete años. En efecto, un riesgo despreciable.

Las percepciones sobre los herbicidas, además, forman parte de un conjunto de creencias relativamente extendidas, según las cuales nuestra alimentación estaría adulterada por un sinfín de sustancias que ponen en peligro nuestra salud. Para seguir quitándole algo de hierro a la cosa, vale la pena recordar, por ejemplo, los resultados de informe de la Autoridad Europea sobre la Seguridad Alimentaria (EFSA), realizado en 2016, sobre la presencia de residuos de productos veterinarios médicos y otras sustancias en animales vivos y en productos de origen animal: de 710.839 muestras, solo el 0,31 % de las muestras se situaba fuera de los parámetros marcados —que a su vez se establecen dejando un amplio margen de seguridad—. El porcentaje era incluso más bajo en algunos grupos, como los antibacteriales, en el que se incluyen los antibióticos (0,17 %).

Considerando estos datos podemos concluir que las sustancias que más deben preocuparnos no son pesticidas o antibióticos, sino las que acompañan a plantas como el tabaco o las que surgen de la elaboración de bebidas alcohólicas. Pero puede que pienses: «Bueno, eso está muy bien, pero mejor si los productos son ecológicos». Sobre esa idea, hay que destacar dos cuestiones: que las estrictas normas europeas en seguridad alimentaria garantizan que los límites de seguridad se cumplan ampliamente tanto en producto ecológicos como no ecológicos y que la presencia de pesticidas también puede darse en productos ecológicos. Para comprobarlo, podemos acudir a la comparativa realizada por la EFSA entre presencia de pesticidas en productos ecológicos y no ecológicos. Tras analizar una muestra de más de 30.000 productos, si bien se detectaba algún residuo en el 44,5 % de los alimentos convencionales y en el 6,5 % de los productos ecológicos, solo un 1,2 % de los productos convencionales presentaba residuos por encima de los límites de seguridad, mientras que el 0,2 % de las muestras ecológicas también superaba dicho límite.

Otro bulo muy repetido es el que sostiene lo siguiente: «Calentar la comida en recipientes de plástico causa cincuenta y dos tipos de cáncer». Afortunadamente, lo desmontó en septiembre de 2018 el portal *Maldita Ciencia*, aclarando que «no hemos encontrado ninguna evidencia que sostenga esa información».

Podríamos elaborar una lista mucho más larga de productos que se han visto asociados al cáncer pero que no lo provocan: el microondas, el gluten, la lactosa, el revestimiento de las sartenes, la piel de las frutas, los aditivos alimentarios, el café, los alimentos irradiados... Si estás pensando «estos señores no han demostrado que tales factores no provocan cáncer» tenemos que explicarte la llamada *falacia ad ignorantiam*, también conocida como «falacia de eludir la carga de la prueba». Se basa en que quien afirma algo es quien debe probarlo, algo que en el ámbito del derecho se denomina *onus probandi*. Aunque hablaremos de esta falacia en breve, traemos ahora un ejemplo: si alguien nos acusa de asesinato, no nos toca a nosotros demostrar que no somos unos asesinos, sino que es quien nos acusa quien debe demostrar, fuera de toda duda, que lo somos. Decía el filósofo Bertrand Russell que si alguien asegurara que hay una tetera orbitando alrededor de la Tierra nadie podría demostrar que no es cierto. ¿Significa eso que de verdad existe dicha tetera? No. Quien afirma que hay una tetera alrededor de la Tierra es quien debe probarlo. Sucede lo mismo en el caso del cáncer: si escuchamos o leemos que tocar la guitarra provoca cáncer, debemos pensar si tal relación es plausible y si existen pruebas científicas sólidas que acrediten semejante relación.

En definitiva, no vivimos rodeados de sustancias preparadas para producir un cáncer, por lo que llegados a este punto siempre nos gusta citar las palabras expresadas por el doctor Joan Massagué en un acto institucional de la Asociación Española Contra el Cáncer celebrado el año 2011: «El cáncer no es una epidemia. Lo epidémico son sus causas prevenibles, como el tabaquismo, la obesidad y el sedentarismo».

Factores de riesgo del cáncer y empujones

Queremos dedicar un breve apartado a algo que genera bastante confusión: el concepto «factor de riesgo». Que se haya demostrado que algo es un factor de riesgo para una enfermedad supone que dicho factor aumenta las posibilidades de padecer dicha enfermedad. Pero no significa que todo el mundo que se vea expuesto a dicho factor sufrirá la enfermedad ni de la misma manera.

El tabaquismo, por ejemplo, es un claro factor de riesgo de sufrir cáncer de pulmón, lo que supone que muchos fumadores fallecerán de forma prematura por dicho cáncer. Pero no todos. La probabilidad aumenta con el número de cigarros fumados, con los años fumando y con la predisposición genética particular del fumador a padecer cáncer. Por desgracia, los ejemplos más notorios que recordamos son los de personas que han fumado durante años y no han muerto a causa del tabaquismo («Mi abuelo fumó hasta los 90 años y no murió de cáncer») mientras que nos olvidamos de datos como este, proporcionado por la Organización Mundial de la Salud:

El tabaco mata cada año a más de 7 millones de personas, de las que más de 6 millones son consumidores del producto y alrededor de 890.000 son no fumadores expuestos al humo de tabaco ajeno.

Por cierto, que un fumador no haya fallecido a causa de un cáncer de pulmón no significa que esté sano como una rosa. La calidad de vida de quien fuma durante muchos años se ve claramente deteriorada a causa del tabaco. Lo dicho para el tabaco podemos aplicarlo a otros factores de riesgo, tales como el sedentarismo, el exceso de peso, el consumo de alcohol y la mala alimentación. Hablamos de todo ello en los capítulos 2 y 4.

Se nos ocurre la siguiente explicación para entender el concepto «factor de riesgo». Si afirmamos que un empujón supone un factor de riesgo de accidente, inmediatamente pensarás: «A mí me empujaron hace poco y bien sano que estoy». Tiene lógica, porque lo cierto es que en nuestro medio un empujón no es un importante factor de riesgo de mortalidad prematura. Pero imaginemos ahora que vivimos en un pueblo de montaña rodeado de barrancos, con decenas de puentes colgantes y con largas escaleras para acceder a las casas. ¿Supone el empujón un factor de riesgo en dicho pueblo? ¡Desde luego! Aunque no todo el mundo que reciba un empujón caerá rodando montaña abajo, sí sabemos dos cosas:

1) que podemos vivir la mar de bien sin empujones;
2) que si mucha gente se dedica a dar empujones en dicho pueblo, buena parte de su población «enfermará» como consecuencia del accidente.

Nuestro «pueblo» (es decir, nuestra sociedad) no está ubicada en una zona montañosa, pero sí sufre una situación similar: presenta un alto riesgo de sufrir enfermedades crónicas y además recibe muchos «empujones» (es decir, se expone a numerosos factores de riesgo). Las enfermedades crónicas no transmisibles son responsables, según la Organización Mundial de la Salud, del 87 % de los fallecimientos en Europa. Las cuatro enfermedades no transmisibles que más muertes ocasionan (causan 3 de cada 10 fallecimientos) son la diabetes, el cáncer, las enfermedades crónicas pulmonares y las patologías cardiovasculares. Muchísimas de tales enfermedades tienen su origen en una mala alimentación y unos hábitos de vida sedentarios. Es decir, en factores de riesgo («empujones») modificables.

Remisión espontánea del cáncer

Si estás leyendo este libro es probable que hayas escuchado o leído que alguien se curó de su cáncer después de que sus médicos diesen su caso por perdido. Ese alguien es muy posible que, además, estuviese siendo atendido por un falso terapeuta (mal llamado «terapeuta alternativo»). ¿A quién se atribuye el mérito de la curación? ¿Al oncólogo que le estaba tratando o al falso terapeuta? Por desgracia, suele atribuirse el «milagro» al segundo. No solo eso, sino que además tales casos tienen mucho más predicamento que los miles de casos que cura la medicina moderna. Así que vamos a dedicar unas líneas a este tema, porque lo creemos necesario para que tengas el criterio que perseguimos que alcances.

Debes saber, para empezar, que eso que parece un milagro, en realidad está más estudiado de lo que parece. De hecho, se estima que la «remisión espontánea» del cáncer, aunque es un fenómeno excepcional, podría ocurrir en aproximadamente uno de cada 100.000 casos de cáncer, según leemos en un trabajo publicado en julio de 2015 en la revista *Oncology Letters*. Ojo, solo el 0,0001 %. ¡Nunca abandones el tratamiento médico!

Aunque esta proporción no es exacta (hay pocos estudios rigurosos y actualizados sobre el tema), vamos a imaginar que es cierta y valorémosla en su justa medida. Recordemos antes un dato que hemos indicado más arriba: en España, en 2017, se diagnosticaron 228.482 casos de cáncer. Redondeemos la cifra a 200.000 casos para hacer unos sencillos cálculos: si damos por válida la proporción 1/100.000 casos de remisión espontánea, eso supondría que cada año dos personas se curarían del cáncer en España sin recibir oncoterapia. Imagina cuatro estadios olímpicos llenos de personas que padecen cáncer y piensa que solo dos individuos de toda esa gente se curarán sin hacer nada. Son pocos, ¿verdad? Muy pocos. Ahora supón que a una de las dos le da por publicar un libro, escribir su experiencia en un blog o conceder entrevistas en radio o televisión. Seguro que habrá algún inocente que piense: «Ah, a mí también me puede suceder, voy a dejar de lado el tratamiento médico», olvidando a las otras 199.998 personas que no se curarían «espontáneamente». Es decir, ese pobre inocente estará cometiendo un error que casi con toda seguridad le costará la vida.

La comunidad científica, por último, no atribuye las curaciones espontáneas a la brujería o a la intervención divina, sino que baraja explicaciones menos mágicas tales como factores hormonales o relacionados con la respuesta inmunitaria, todavía por investigar a fondo.

Lo que no cura el cáncer: engaños y autoengaños terapéuticos

Explicábamos al principio de este capítulo que la mejor manera de frenar la penetración en nuestro cerebro de eso que denominamos «engaños anticáncer» pasa necesariamente por una mejor comprensión del contexto en el que nos movemos, donde los pseudoterapeutas lanzan sobre nosotros numerosos anzuelos para ver si picamos. También por un mejor conocimiento de aquello que nos puede hacer vulnerables ante ellos, ya que la amplia confianza con que la medicina sigue contando entre la ciudadanía ante sus innegables avances no es, lamentablemente, suficiente. Resulta, pues, necesario, echar un vistazo a todo esto antes de seguir avanzando.

Terapias y pseudoterapias en la era de la posverdad

Hace algunos años que el concepto de «posverdad» ha aterrizado sobre nosotros para describir fenómenos, sobre todo políticos, acontecidos en nuestro mundo. Se habla de «posverdad» para referirse a mensajes que no son ciertos y que persiguen ofrecer una imagen distorsionada de la realidad, fundamentalmente recurriendo a la apelación emotiva, por encima tanto de la racionalidad como de la argumentación basada en hechos. Su finalidad es generar una reacción favorable a determinados intereses. Los mensajes engañosos difundidos durante la campaña del *brexit* en 2017 en Reino Unido o durante las elecciones presidenciales de Estados Unidos que coronaron a Donald Trump constituyen ejemplos paradigmáticos del uso de la comunicación política basada en la posverdad. Se trata de mensajes que persiguen formar una idea equivocada de una cuestión en beneficio del que lo comunica y no del receptor del mensaje.

Con las pseudoterapias ocurre algo parecido. Será por eso que la presidenta de la Asociación para Proteger al Enfermo de Terapias Pseudocientíficas (APETP), Elena Campos Sánchez, no dudaba en titular un artículo suyo en un medio de difusión electrónico «Realidad y opinión: evidencia científica frente a la posverdad». En el mismo, lanzaba una alerta sobre las falsas promesas de las terapias pseudocientíficas y sus efectos perversos, por lo que su lectura resulta más que aconsejable. Ahora bien, lo que nos interesa destacar a nosotros respecto a lo que tienen en común las pseudoterapias y el proceso de construcción de la posverdad en otros ámbitos es que los mensajes de la posverdad (sean sobre los supuestos beneficios del *brexit* o sobre las ventajas de cualquier propuesta terapéutica no científica) se difunden con mucho éxito. ¿Por qué? Por la sencilla razón de que no vivimos en un entorno comunicativo en el que la evidencia científica u otras realidades contrastables se impongan sin dificultad. Y eso es altamente preocupante, como bien saben numerosos profesionales del ámbito de la salud.

El mejor exponente de los riesgos de la posverdad aplicada a la medicina lo ofrecen las vacunas. Existe una creciente preocupación entre los profesionales de la salud pública por las consecuencias de la extensión de actitudes contrarias a la vacunación en sectores cada vez mayores de la población. Y no es para menos. A modo de ejemplo, en agosto de 2018 saltaron todas las alarmas sanitarias en Europa ante el recuento de los casos de sarampión registrados en el continente en los primeros seis meses del año: 41.000 casos, el doble que en el año anterior. Las explicaciones más plausibles son la ineficacia de los programas de vacunación en algunos países, las posiciones antivacunas y el movimiento de población posiblemente contagiada. Respecto a las actitudes antivacunas, su existencia es consecuencia precisamente de la difusión de información falsa sobre las mismas. En efecto, durante los últimos años hemos asistido a la circulación de numerosos mensajes que alertan de supuestos riesgos de las vacunas, entre los cuales sobresale su asociación absolutamente desmentida con el desarrollo del autismo. El resultado de la extensión de dichas actitudes es, sin ir más lejos, que diferentes países europeos se encuentren en riesgo de caer por debajo del porcentaje mínimo de inmunización exigible en la población de referencia y, con ello, que sea posible la reaparición de enfermedades controladas como el sarampión o la rubeola o incluso de otras olvidadas como la polio. Y estamos hablando de tendencias crecientes en países tan avanzados como Italia o Alemania.

Para profundizar más en esta cuestión y formarte un criterio sobre la misma, te recomendamos encarecidamente la lectura del libro del pediatra Carlos González, *En defensa de las vacunas*. Pero antes de dejar atrás las vacunas, retengamos dos ideas que se desprenden de esta preocupante situación. La primera es muy clara: recurrir a creencias anticientíficas no es solo un problema para el que las tiene, sino que también va a serlo para su entorno inmediato, en especial sus hijas o hijos, e incluso, como en este caso, puede derivar en un grave problema para el conjunto de la población, ya que no vacunarse es una irresponsabilidad que impacta sobre todo el mundo. La segunda cuestión, en cambio, es más sutil. Una persona que no cree en las ventajas de vacunarse contra el sarampión, la polio o la difteria, ¿en qué cree?, ¿cree tal vez que esas enfermedades no existen?, ¿cree que dichas enfermedades no son graves y que se curan solamente guardando un poco de cama? ¿o tal vez (y aquí viene lo interesante) confía para esas enfermedades u otras en general en algún tipo de solución distinta a la que ofrece la medicina, pongamos por caso, mezclas de hierbas, esencias florales o alguna propuesta que no pase por la ingesta de nada en particular, como por ejemplo una sesión de reflexología? Tomemos en consideración esta última y muy preocupante posibilidad.

La totalidad de los seres humanos reconocemos la enfermedad como un riesgo para nuestro cuerpo, por mucho que no compartamos las mismas opiniones en cuanto a cuáles son las mejores soluciones. De ahí que bajo cada rechazo que hacemos de una solución basada en la evidencia científica subyace la creencia en una solución alternativa, que solo puede ser de tres tipos: una alternativa basada también en la evidencia, una basada en la inacción frente a la enfermedad, o bien una alternativa basada en pseudoterapias. Respecto al primer caso, es una solución perfectamente racional si realmente podemos optar entre dos tratamientos cuya eficacia ha sido verificada y es equivalente. La inacción, el no hacer nada y dejar que la enfermedad haga su proceso, puede tener sentido cuando estamos seguros de cómo va a ser la evolución de la misma y no existe riesgo de complicaciones, como, por ejemplo, si tenemos un buen estado de salud y sufrimos un resfriado. Pero es una decisión potencialmente letal cuando nos referimos, por ejemplo, a un cáncer. Finalmente, la tercera siempre resultará desaconsejable. Por un lado, porque frente a una enfermedad grave, una pseudoterapia no es eficaz y pone en peligro al paciente. Por el otro, porque frente a un trastorno leve, dado que recurrir a una terapia ineficaz equivale exactamente a no hacer nada, solo pueden suceder dos cosas: que el enfermo asuma un pseudotratamiento que le va a resultar más costoso económicamente que no hacer nada, especialmente cuando algún falso terapeuta con afán de lucro sobrevuela los alrededores, o bien que ese leve trastorno que podría tratarse de forma eficaz se vuelva más grave por haber renunciado a combatirlo con las herramientas que proporciona la medicina o por la propia intervención del pseudoterapeuta.

Por lo tanto, y esta es una idea que queremos dejar muy clara, el principal problema que suscita desconfiar de la medicina convencional para tratar nuestras enfermedades es que conduce irremisiblemente a abordarlas desde alternativas ineficaces o contraproducentes. ¿Significa esto que debemos creer cualquier cosa que nos diga alguien con bata blanca en un hospital o que la medicina es infalible? No, significa que el marco donde abordar nuestros problemas de salud se encuentra en nuestros centros hospitalarios y nuestros ambulatorios, no fuera de ellos.

Dicho esto, conviene subrayar también que la fuerza que cobran hoy en día algunos mensajes anticientíficos lógicamente no se explica solo porque consigan penetrar en medios de comunicación, sino por la relevancia que su difusión puede adquirir en las redes sociales. Te rogamos que leas con detenimiento estas consideraciones del periodista Javier Salas:

Hay un lugar en el que el cáncer tiene cura en solo 42 horas y en el que todos los médicos del mundo conspiran juntos para engañar a la población. Donde la lejía cura el autismo y las vacunas no previenen epidemias, sino que las provocan. Es un lugar en el que la respuesta a preguntas complejas son mentiras como las anteriores. Son las redes sociales, donde la lucha contra los bulos sanitarios y la desinformación peligrosa pierde batallas a diario. Internet es la segunda vía de acceso a información sobre pseudoterapias en España y dos tercios de los ciudadanos se informan sobre salud en la red. Todo eso en un contexto en el que buena parte de la información sobre salud que circula en redes es falsa, según numerosos estudios recientes, que observan que en algunos casos la mayoría de lo compartido es desinformación intencionada. Mientras, las grandes compañías de redes sociales mantienen muchos de esos contenidos tóxicos aludiendo a la libertad de expresión y a sus ambiguas políticas de retirada de contenidos [...]. Las redes sociales llevan mucho tiempo completamente intoxicadas por mensajes pseudocientíficos y bulos malintencionados del ámbito de la salud. La mitad de los mensajes publicados en Twitter sobre vacunas contienen creencias contrarias a la vacunación, según un estudio que analizó 550.000 tuits difundidos entre 2009 y 2015. Varios estudios han demostrado que esta exposición a información negativa sobre las vacunas se asocia con un aumento de los recelos y el retraso de la vacunación. Otro ejemplo: el 40 % de los enlaces sobre temas de salud que se compartieron entre 2012 y 2017 contenían bulos o desinformación, según un estudio realizado en Polonia.

Como has podido comprobar, el artículo de Javier Salas (titulado «Donde la berenjena cura el cáncer y la lejía trata el autismo» y publicado en *Materia*, la sección de ciencia de *El País*) revela datos aterradores. Es imposible explicar ningún éxito comunicativo de algunas ideas en la era posverdad sin el papel fundamental que en el mismo desempeñan las nuevas tecnologías de la información y los entornos digitales, cuando estos constituyen cada vez más la única ventana a través de la cual muchas personas contemplan el mundo. Y, aunque no sea así, no es nada raro en el ámbito de la información general o de la información política que sea la relevancia alcanzada por algún mensaje en las redes sociales la que haga que este se traslade a medios de comunicación más convencionales como la televisión, la radio o la prensa. En el ámbito de la salud quizá ello no sucede tan a menudo, pero es innegable el papel activo que los usuarios tienen en la difusión y redifusión de mensajes sobre la materia.

Las redes sociales también tienen un reverso positivo en este sentido, ya que el apreciable crecimiento de la masa crítica contra las pseudoterapias debe mucho a usuarios y expertos concienciados de Facebook o Twitter. Pero, lamentablemente, sobre esas auténticas autopistas de la información surfean también todo tipo de disparates e informaciones tendenciosas. Y los vendedores de pócimas también se encuentran perfectamente acomodados en ellas. Un buen ejemplo son las teorías conspiratorias sobre temas variopintos. Una de las más conocidas es la de las fumigaciones o *chemtrails* o estelas químicas («Nos están fumigando»), que plantea el hecho de que las estelas de condensación dejadas por los aviones en el cielo no son tales ni tampoco son cirrus (un tipo de nube compuesto de cristales de hielo y caracterizado por bandas delgadas), sino productos químicos lanzados sobre nuestras cabezas para causarnos algún tipo de daño. Pese a lo irracional de la hipótesis, no todo es incredulidad, muchos adoptan una actitud al respecto que va desde lo dubitativo («Hombre, algo sí que puede haber») hasta creer firmemente en los complots universales para causar nuestra destrucción.

Como señala el neurocientífico galés Dean Burnett en uno de los textos recopilados en su libro *El cerebro idiota*: «Hoy es más fácil que las personas encuentren "pruebas" de sus teorías sobre el 11-S o que compartan sus descabelladas conclusiones sobre la CIA y el sida con otras de mentalidad parecida y sin ni siquiera salir de casa». En efecto, las redes sociales refuerzan la difusión de mensajes críticos, pero también se utilizan como un instrumento que hace posible crear vínculos entre charlatanes y «charlataneados», así como para generar una atmósfera de normalización de falsas creencias sobre enfermedades y remedios, de la que los medios de comunicación de masas a menudo participan también alegremente.

Teniendo en cuenta todo lo anterior, lo que resulta absolutamente crucial es que, al vivir en el entorno comunicativo en que vivimos, tenemos muchos números de ser engañados, por lo que es necesario reconocer por dónde llegan los engaños, pero también cómo penetran en nosotros o, dicho de otro modo, es básico estar familiarizados con los mecanismos que nos hacen vulnerables a ser engañados.

La puesta en escena

El físico uruguayo Daniel Roberto Altschuler apunta en su recomendable libro *Contra la simpleza. Ciencia y pseudociencia* que existe toda una subcultura que se alimenta de la pseudociencia. Esta genera un sistema de ganancias y de supervivencia del que participan organizaciones y personas a varios niveles, en el que entran autores de *best-sellers* y celebridades que se prestan a avalar sus propuestas. La utilización del famoso para obtener más ingresos es una estrategia comercial de primer orden, ya que, a falta de autoridad, las celebridades tienen notoriedad, lo que en la esfera comunicativa los convierte en buenos vehículos de difusión de cosas. Pero las aventuras pseudocientíficas también permiten a muchas personas poco conocidas ganar notoriedad y obtener una proyección que les haga pasar por expertos en medios que no sobresalgan por su rigor (que lamentablemente son la mayoría).

A todo ello podemos añadir que además trabajan en red, como quedó meridianamente claro, por ejemplo, en la convocatoria del supuesto congreso «Un mundo sin cáncer. Lo que tu médico no te está contando», celebrado en enero de 2018 en Barcelona. En él se dieron cita toda clase de embaucadores del mundo de las pseudoterapias. Afortunadamente, le siguió un expediente sancionador de la Generalitat de Catalunya «porque promocionaron productos que presentaron como útiles para tratar esta enfermedad», según leímos el 12 de febrero de 2018 en el diario *El Mundo*.

Citamos este hecho para señalar que tras el mundo de las pseudoterapias hay un sistema organizado que trabaja para abrir una brecha lucrativa, no curativa, y que utiliza estrategias de captación y de fidelización, como hace cualquier otro sector dispuesto a captar consumidores. Para ello la puesta en escena cuenta, porque una cuidada presentación es lo que hace más probable su aceptación por parte de la sociedad.

Otro elemento fundamental de la puesta en escena es el lenguaje: un buen uso del mismo siempre proporciona grandes oportunidades. Es por ello por lo que uno de los trucos más elementales es añadir la palabra «terapia» a diferentes palabras que no identifiquen ni por asomo una terapia médica. Con este truco podemos generar un sinfín de propuestas terapéuticas sin sentido alguno, desde la grafoterapia, basada en el inefectivo uso de cristales de cuarzo, hasta propuestas aparentemente poco atractivas como la orinoterapia. Pero la mimetización de las pseudoterapias con el lenguaje científico es mucho más intensa. No es casual que conceptos bien establecidos como «energía» o «campo electromagnético», por poner algunos ejemplos, aparezcan con frecuencia en la jerga utilizada en la divulgación de diferentes propuestas. Lo hacen, eso sí, desprovistos de la precisa y rigurosa caracterización que la ciencia hace de ellos. Su objetivo es simplemente dotar de un barniz de cientifismo a propuestas ajenas a cualquier evidencia científica. El uso inadecuado de estos conceptos tiene hasta un nombre: *technobabble* («tecnobalbuceo»).

No hay que olvidar, sin embargo, que, al lado de este uso inadecuado del lenguaje científico, se encuentra la ausencia de metodologías que avalen las propiedades que dichas pseudoterapias se atribuyen, un rasgo que, por lo general, va acompañado de la falta de voluntad de aportar una demostración fehaciente de las mismas. Este rasgo contraviene todo planteamiento científico, en la medida que en el ámbito de la ciencia todo hecho debe estar probado y es responsabilidad del que afirma tal hecho el aportar la prueba que así lo indique. Contrariamente a lo que muchos falsos terapeutas pretenden, es a ellos a los que les corresponde demostrar su eficacia mediante pruebas científicamente sólidas, no a los demás demostrar su ineficacia y, aún menos, cuando las evidencias que sustentan sus proposiciones no pasan de ser meras elucubraciones sin ningún sustento empírico.

El «amimefuncionismo»

La puesta en escena mediante la cual se difunden las terapias alternativas es uno de los dos pilares en que se sustenta su éxito, pero el otro es sin duda nuestra propia manera de pensar. Los sesgos con que analizamos la realidad y las falacias en que incurrimos en nuestros razonamientos a menudo sirven de auxilio para que acabemos creyendo en su eficacia. Esos fallos en el razonamiento incluso pueden aliarse y cristalizar en una de las clásicas actitudes hacia las pseudoterapias, lo que denominamos popularmente «amimefuncionismo». Este es un término mediante el cual se engloba en una sola palabra la frase «a mí me funciona» y el sufijo «-ismo». Ello da lugar a un sustantivo muy útil para enmarcar este fenómeno como lo que es: una extendida tendencia a enunciar un hecho con base en una observación sesgada y exenta de cualquier conato de rigor científico («Podéis decir misa, pero a mí me funciona»). Respecto a dicho «rigor científico», no nos referimos a difíciles cálculos matemáticos ni a complejas variables epidemiológicas, sino a abrir la posibilidad de que existan otras explicaciones para el fenómeno observado, distintas a las que nosotros le atribuimos tras un examen poco minucioso.

Por poner un ejemplo: una persona con exceso de peso acude a la consulta de un «terapeuta alternativo» enfundado en una bata de un blanco nuclear, que le confiere un aire de experto en salud pública de incuestionable reputación. El motivo de la consulta es, pongamos, el exceso de peso. El «terapeuta» atiende, pregunta, escucha y empatiza. También aconseja una hora de ejercicio físico diaria, alejarse de las galletas, de la bollería y de los «refrescos», dejar de consumir embutido y tomar flores de Bach, justo antes de cobrar cien euros del ala. Una semana después, el paciente vuelve a desperdiciar cien euros, o mejor dicho, vuelve a la consulta, y la báscula revela que ha perdido cinco kilos. ¡Maravilloso! Tanto el «terapeuta» como el paciente no dudan de que la clave del éxito radica, cómo no, en las mágicas flores de Bach.

Reflexionemos. ¿No tendrá nada que ver el hecho de que cuando pedimos ayuda para perder peso es que estamos dispuestos a realizar cambios en nuestra vida? Tales cambios, como la hora de actividad física o la eliminación de la bollería, que casualmente ha recetado el «terapeuta», son determinantes para adelgazar. Los cien euros también son importantes, por cierto, porque tras la inversión es poco probable que el paciente se pase la semana «hidratándose» a base de bebidas azucaradas («refrescos») de cola.

No menos importante es, sin duda, el hecho de que el «terapeuta» haya escuchado atentamente al paciente, con una actitud empática. Y es que el apoyo psicológico resulta crucial para abordar tanto la obesidad como cualquier cambio en el estilo de vida. Pero eso no significa que dicho apoyo psicológico «cure» la obesidad (y mucho menos el cáncer).

Pero hay más posibles explicaciones, como una llamada «azar». Porque no sabemos si casualmente el paciente se ha divorciado esa semana o si ha sufrido una pérdida importante de un ser querido, algo que en muchas personas genera importantes disminuciones de peso (al menos hasta que se supera el trauma psicológico). ¿Y si el paciente padece una enfermedad que le ha hecho perder peso justo esa semana? (Por ejemplo, gastroenteritis con diarreas).

Profundizando en el ejemplo hemos sido capaces de identificar un conjunto de variables que pueden haber tenido algún efecto en la pérdida de peso distintas de las flores de Bach y para haber elegido esta última como posible explicación deben haberse producido una serie de sesgos que operen a su favor. ¿Cuáles son esos sesgos? Sigue leyendo.

Las bases de nuestras debilidades analíticas

En nuestra forma de pensar y reflexionar intervienen un buen número de sesgos, entendiendo «sesgo» como el proceso psicológico por el cual realizamos un juicio inexacto con base en la información disponible. Vale la pena detenerse en algunos de ellos, porque pueden incidir en la existencia de una percepción distorsionada sobre las pseudoterapias.

Uno de los mejor estudiados y más importantes es el «sesgo de confirmación», que se refiere a nuestra tendencia natural a dar por buenas las informaciones que avalan nuestras propias creencias y dejar de lado aquellas también relevantes que las contradicen. Precisamente este es uno de los rasgos de nuestro pensamiento que más nos dificulta el hecho de ser críticos, ya que tendemos a aceptar y seleccionar sin crítica aquellos hechos que confirman nuestras ideas, creencias o incluso preferencias y, en cambio, criticamos o ignoramos las evidencias contrarias. Este procedimiento mental, además, aminora de paso el riesgo de sufrir disonancias cognitivas. Las disonancias cognitivas se dan cuando se producen conflictos entre ciertas creencias o hechos nuevos y las creencias preexistentes, de modo que las solemos atenuar reduciendo la importancia de las cogniciones disonantes. Así pues, si creemos que una pseudoterapia nos puede ayudar en algún sentido, nuestra mente va a estar predispuesta a priorizar la interpretación de hechos que parezcan avalar que funciona, en detrimento de los que lancen indicaciones en sentido contrario. Y aquí radica una de las grandes dificultades para hacer cambiar de opinión a aquellas personas convencidas de su eficacia.

Otro sesgo que actúa en una dirección parecida es el «efecto del falso consenso», un sesgo por el cual las personas presuponen que sus creencias, valores o hábitos están más extendidos de lo que realmente están o están apoyados ampliamente por la mayoría, aun cuando estos son minoritarios. Ello es lo que propicia que a un usuario de ciertas pseudoterapias le pueda parecer lo más normal del mundo acudir a ellas en caso de enfermedades graves. La existencia, además, de un entorno social que facilita la difusión de las mismas refuerza más aún la posibilidad de que se dé este sesgo.

Otro sesgo a tener en cuenta es el asociado con la «regresión a la media». La regresión a la media es un concepto estadístico que puede definirse como la tendencia de una medición extrema de una variable con un componente aleatorio a presentarse más cercana al promedio en una segunda medición. Imaginemos que en la fase álgida de un resfriado tomamos una medida de nuestro malestar: este será elevado y nos puede llevar a tomar grandes cantidades de zumo de naranja, a ver si mejora con la vitamina C. Una vez que el ciclo del resfriado avance y nuestro estado de salud mejore, nuestro malestar habrá disminuido y su intensidad estará más cerca de la media. Ello probablemente nos haga establecer asociaciones entre el zumo y dicha mejoría, cuando la diferencia entre las dos medidas responderá meramente al diferente momento del ciclo en que se han tomado. Dicho sea de paso, por si no estaba claro, el zumo de naranja no hace nada contra el resfriado.

Tampoco debemos olvidarnos del «efecto halo». Se trata de un sesgo cognitivo que aparece cuando una característica singular de alguien influye sobre el juicio sobre otras características, a pesar de que no haya relación entre ellas. Es un sesgo que incide fijando percepciones a partir de las primeras impresiones, lo que ofrece buenas oportunidades a promotores de pseudoterapias a generar confianza mediante buenas puestas en escena.

Además de los sesgos propiamente dichos, tenemos las falacias lógicas, que son formas de expresar un argumento que parecen válidas pero que realmente no lo son. Las mismas se encuentran a menudo plenamente integradas en nuestros procesos racionales y tienen como resultado fallos en el razonamiento que nos impiden extraer la conclusión adecuada. Algunas de ellas son:

- Argumento *ad verecundiam*. Cuando aceptamos la veracidad de un hecho de acuerdo con la autoridad de quien lo expone y no basándonos en la evidencia que lo fundamenta. Por mucho que un experto pueda aportar un testimonio fiable, su juicio puede ser erróneo, pero lo peor es que a veces ese hecho puede ser expresado por alguien que ni siquiera es experto: un medio de comunicación, una celebridad o un charlatán.
- Argumento *ad hominem*. Cuando se pretende demostrar la falsedad de una afirmación señalando una característica o creencia impopular sobre el emisor de la misma y no relacionada con el argumento.
- Argumento *tu quoque*. Es una variante de la falacia *ad hominem* en la que lo que se pretende señalar es que la persona que la formula se comporta de manera discordante con su argumento. Es lo que le puede pasar a un médico fumador cuando aconseja a sus pacientes que dejen de fumar en beneficio de su salud: que sus pacientes no le

crean en base a su conducta, cuando ese comportamiento del médico, al fin y al cabo, no aporta evidencia alguna que desmienta o confirme la veracidad del argumento. En cualquier caso, también es por cuestiones como esta que emplazamos a los profesionales de la salud a renunciar a sus malos hábitos.

- Argumento *ad antiquitatem*. Este es un elemento recurrente cuando hablamos de pseudoterapias, ya que consiste en basar la validez del argumento en que algo se viene haciendo o creyendo desde antiguo. ¿Es válido algo por el mero hecho de ser milenario? No, desde luego que no, la esclavitud tiene miles de años de antigüedad y no por ello debemos perpetuarla.

- Argumento *ad ignorantiam*. Se trata de sostener la verdad de una proposición manteniendo que no existen pruebas de lo contrario o de que estas no han sido aportadas. El fallo del razonamiento, como ya hemos comentado anteriormente, reside en que la validez del mismo debe sostenerse en la aportación de evidencias favorables, no en la ausencia de pruebas contrarias.

- Falacias de falsa causalidad (argumentos *cum hoc ergo propter hoc* y *post hoc ergo propter hoc*). Se trata de falacias debidas a una falsa causalidad que establecemos entre hechos que suceden simultáneamente o bien cuando un hecho sigue a otro. Es lo que va a ocurrir si atribuimos eficacia a una terapia simplemente porque con posteridad a ella se produce una mejoría, lo cual no puede ser una condición suficiente sin que se presente una evidencia sólida del mecanismo por el cual se ha producido. Sin dicha evidencia no podemos saber si la mejoría responde a la evolución natural del trastorno o a otra causa no identificada o tenida en cuenta. Un pequeño ejemplo: si alguien te atraca antes de entrar en el examen de una asignatura de una carrera universitaria y apruebas dicho examen, ¿atribuirás el éxito al ladrón o más bien al hecho de haber estudiado? O, al contrario, ¿pensarás que te han robado por culpa de haber decidido estudiar una carrera? Repetimos: que dos circunstancias ocurran a la vez no significa que una sea la causa de la otra.

Sobre la falsa causalidad cabe señalar que precisamente una de las misiones de la ciencia es descartarlas. Las evidencias científicas son precisamente las que tratan de diferenciar la casualidad (la relación entre variables se debe al azar) y la correlación (dos variables están relacionadas, sin que una sea la consecuencia de la otra) de la causalidad (una variable genera la existencia de la nueva variable). Solo cuando se demuestra de manera fehaciente y con un amplio grupo de población que existe una causalidad asociada, por ejemplo, a un fármaco, es momento de revisar otros parámetros, tales como efectos secundarios, coste económico y sanitario, etc.

Tener un mejor conocimiento sobre nuestros sesgos y algunas falacias lógicas nos puede ayudar a minimizar los fallos de razonamiento, pero no por ello a evitarlos totalmente. Nos guste más o menos, los seres humanos no podemos rehuir nuestra tendencia a la credulidad. Los hallazgos sobre el funcionamiento de nuestra mente revelan que estamos más predispuestos a creernos lo que nos dicen que a desconfiar de lo que escuchamos o leemos. También el pensamiento mágico es un rasgo clave de nuestra forma de pensar, que tantas veces nos hace atribuir propiedades a cosas que no las tienen, incluso propiedades tan intangibles como la suerte, a elementos tan poco atractivos como una pata de conejo.

Es por ello por lo que el siguiente y definitivo paso en la formación de criterio es la acumulación de conocimientos, por lo que es hora de adentrarnos en las relaciones existentes y conocidas entre alimentación y cáncer y de desechar los mitos y creencias divulgados con fines espurios.

En resumen

- No basta con absorber la información que recibimos, sino que hemos de ser capaces de evaluarla y tomar en consideración su coherencia y consistencia antes de darla por válida. Es por ello por lo que debes ser crítico, pero, sobre todo, tener criterio.
- Ten una actitud escéptica: pon en duda la información que no se encuentre bien apoyada por una evidencia suficiente, teniendo en cuenta también que dicha evidencia puede variar a lo largo del tiempo. Toma distancia de aquellas propuestas terapéuticas que no vengan con los avales científicos necesarios
- La palabra «cáncer» abarca un conjunto de enfermedades diversas y diferentes entre ellas que tienen en común un crecimiento celular desordenado de células tumorales. De no interrumpirse este proceso, las células tumorales acaban invadiendo estructuras vecinas y terminan con la vida de la persona afectada, excepto si se aplica un tratamiento capaz de frenar el proceso. De ahí que un tratamiento

fraudulento que no cause efecto alguno u optar por seguir los consejos de algún falso terapeuta que recomiende no actuar sobre el cáncer acabará teniendo probablemente un desenlace fatal.

- La estrategia más idónea que tenemos los individuos contra el cáncer es adoptar conductas que favorezcan su prevención. Y si el cáncer hace su aparición, los únicos tratamientos que garantizan resultados contra el mismo son los tratamientos oncológicos ofrecidos por la medicina. En las últimas décadas los avances médicos han permitido pasar de una mortalidad superior al 90 % a una supervivencia cercana en la actualidad a dos tercios de los casos detectados.

- Existe evidencia de que ciertas sustancias como el alcohol o el tabaco incrementan el riesgo de sufrir un cáncer. Creer, erróneamente, que, por ejemplo, los wifi generan cáncer desvía nuestra atención de factores con una relación claramente establecida con esta patología. Podríamos elaborar una lista mucho más larga de productos que se han visto asociados al cáncer pero que no lo provocan: el microondas, el gluten, la lactosa, el revestimiento de las sartenes, la piel de las frutas, los aditivos alimentarios, el café, los alimentos irradiados y un largo etcétera.

- Que se haya demostrado que algo supone un factor de riesgo para una enfermedad supone que dicho factor aumenta las posibilidades de padecer dicha enfermedad. Pero no significa que todo el mundo que se vea expuesto a ese factor sufrirá la enfermedad ni de la misma manera.

- Ojo con lo que circula en redes sociales. A menudo se utilizan como un instrumento de difusión de falsas promesas, así como para generar una atmósfera de normalización de creencias incorrectas sobre enfermedades y remedios, de la que los medios de comunicación de masas suelen participar también alegremente. Contrasta las fuentes antes de dar nada por cierto.

- Rehúye el «amimefuncionismo». Abre la mente a que existan otras explicaciones para el fenómeno observado, distintas a las que puedas atribuir tras una observación poco minuciosa.

- Los sesgos y las falacias lógicas de nuestra mente nos dificultan analizar correctamente los fenómenos observados. Tener un mejor conocimiento sobre nuestros sesgos y algunas falacias lógicas nos puede ayudar a minimizar los fallos de razonamiento.

Prevención del cáncer?

«La prevención desempeña un papel crítico
en la lucha contra el cáncer».

DOCTOR CHRISTOPHER WILD,
director del Centro Internacional de
Investigaciones sobre el Cáncer (CIIC)

Importante: ¡no te saltes este apartado!

Cuando hablamos de «prevenir», no nos referimos a eliminar por completo las posibilidades de sufrir cáncer, sino a disminuir el riesgo de padecerlo. En este capítulo hablaremos de diferentes aspectos relacionados con la prevención del cáncer (excepto el exceso de grasa corporal, que analizaremos en el capítulo 4). Ojo, que nadie espere encontrar aquí «la dieta de la longevidad», esa que te permitirá «vivir sano hasta los ciento diez años». Eso no es más que una falacia intolerable. Tampoco hallarás el método de revertir el cáncer con la dieta, ni tampoco métodos semimágicos de cocción de la comida, terapias naturales, alimentos sanadores, plantas milagrosas, extractos poderosos, regímenes terapéuticos ni ayunos depurativos que supuestamente previenen o curan el cáncer. Utilizar alegremente la palabra «anticáncer», además de resultar engañoso y antiético, es algo que está prohibido (con razón) por el Real Decreto 1907/1996 sobre publicidad y promoción comercial de productos, actividades o servicios con pretendida finalidad sanitaria.

Sí, estamos pensando en los libros *Mis recetas anticáncer, Guía práctica para una alimentación y vida anticáncer, Mi revolución anticáncer* o *Recetas para vivir con salud*, todos de Odile Fernández. Por cierto, no criticamos tales libros por tenerle envidia u ojeriza a la autora, sino porque, a pesar de su contenido, son *best-sellers*. Eso quiere decir que el daño potencial de los flagrantes errores que hay en su interior es elevado. Nos sentimos en la obligación de advertir de tales errores porque una de las responsabilidades y compromisos hacia la sociedad de todo buen profesional es denunciar cualquier mala praxis que pueda suponer un riesgo para la salud de la población. ¿Te comprarías un manual de conducción en el que encontraras consejos como «conducir con los ojos cerrados es una buena manera de relajarte», aunque el resto del libro tuviese buenos consejos? Pues tampoco deberías comprar un libro sobre el cáncer que afirma que «el agua puede curarnos [...], para ello solo tenemos que transmitirle esa intención» (página 219 de *Mis recetas anticáncer*). ¿Cuántas personas con cáncer habrán dejado de lado la quimioterapia, que les habría salvado la vida, para dedicarse a beber agua, que, según promete Odile, tiene «¿Efectos secundarios, cero? Efectos positivos... inimaginables, no hay límites. El límite lo pones tú y tus pensamientos»? ¿Qué charlatanes son más peligrosos? Los que además son sanitarios, por su mayor credibilidad, que amplifica el daño que pueden ejercer sus desacertados consejos. La verdad es que cuesta entender el éxito de dicho libro, incluso teniendo en mente esta frase de Mark Twain «La mentira puede dar media vuelta al mundo mientras la verdad aún se está poniendo los zapatos».

Las dietas «curacáncer», «anticáncer» o similares las empuñan quienes, por diferentes razones, no se preocupan de la salud ajena lo suficiente como para resultar fuentes fiables de información. Aciertan en algunas ocasiones con sus consejos, por supuesto, de igual manera que un reloj parado da bien la hora dos veces al día, como reza una conocida frase. Contra los embaucadores «anticáncer» también es aconsejable empuñar una reflexión que pronunció en una entrevista el catedrático emérito de nutrición Abel Mariné: «[De estas propuestas] cabe afirmar que tienen cosas buenas y originales, pero las buenas no son originales y las originales no son buenas». El cáncer es una enfermedad que supone una de las primeras causas de muerte a escala mundial y que, de seguir así, duplicará su prevalencia en 2030, por lo que resulta imprescindible tomársela en serio. Muy en serio.

¿Quién sabe si podremos modificar la herencia genética que nos han dejado nuestros padres? Pero sí podemos modificar algo que también heredamos de ellos: sus hábitos. Un buen estilo de vida reduce las posibilidades de padecer diversos tipos de cáncer. Mirar al suelo mientras caminamos también disminuye el riesgo de que nos resbalemos con una piel de plátano, lo que no quita para que algún día te resbales, incluso parafraseando a Silvio Rodríguez, mirando «despierto y bien atento a cuanto vas a pisar» (canción *Fábula de los tres hermanos*). Habrá quien te suelte que vivir provoca cáncer, por lo que no vale la pena cuidarse. Siguiendo ese «razonamiento», podríamos contestar que vivir también provoca mal olor, pero bien que te duchas para evitar ir apestando por la vida. Nos duchamos para prevenir el mal olor, nos atamos el cinturón para evitar morir en un hipotético accidente, miramos antes de cruzar una carretera para que no nos atropellen, nos vacunamos para evitar infecciones que antes provocaban dolorosas muertes a miles de millones de personas… y también deberíamos tomar medidas para prevenir el cáncer, dado que supone una de las principales causas de mortalidad prevenible.

¿Hasta qué punto puede ser eficaz esa prevención? Aunque no es fácil responder, datos publicados el 1 de septiembre de 2016 en *JAMA Oncology* apuntaban que entre el 80 y el 90 % de los cánceres relacionados con el tabaco, como el de pulmón o el orofaríngeo, son prevenibles (dejando de fumar, se entiende). También se estimó que, en el caso de las mujeres, el 41 % de los casos de cáncer y el 59 % de las muertes por cáncer son potencialmente evitables. Entre los hombres, el estudio estimó que el 63 % de los casos de cáncer y el 67 % de las muertes por cáncer son prevenibles…

La elevada exposición solar o ciertas infecciones o infestaciones, además de nuestro estilo de vida (y eso incluye el tabaquismo activo o pasivo), influyen sobremanera en nuestro riesgo de padecer esta enfermedad. Pero acudamos ya a una entidad que vamos a citar en numerosas ocasiones en este capítulo: el Fondo Mundial para la Investigación del Cáncer (WCRF, en sus siglas en inglés). Gracias a su más reciente informe, publicado en julio de 2018, sabemos que los cánceres atribuibles a causas genéticas «son inusuales (desempeñan un papel en el 5-10 % de los casos de todos los cánceres)» y que «Muchos casos de cáncer se pueden prevenir». En su opinión, la cifra de cánceres prevenibles ronda el 30 al 50 % de los cánceres. Es una cifra menor que la que hemos expuesto en el párrafo anterior, pero no deja de ser importantísimo entender que cerca de la mitad de los cánceres son prevenibles, porque eso significa evitar el cáncer de miles de millones de personas.

Seguir unos buenos hábitos nos puede proteger contra el cáncer, pero también ayudará a proteger a nuestros hijos. Tal y como expuso en 2007 el WCRF:

Nuestro estado nutricional —lo que comemos y bebemos, lo activos que somos y la cantidad de grasa corporal que tenemos— influye vitalmente en el riesgo de muchos tipos de cáncer en el adulto, pero también desde y antes del nacimiento.

¿Estás pensando «de algo hay que morir»? Pues te aconsejamos vivamente que te pasees por la planta de cualquier hospital en la que estén ingresados pacientes crónicos. Pasar largas temporadas de nuestra vida ingresados en un hospital por enfermedades que podríamos haber prevenido es jugar una mala pasada a las personas (familiares o no) que tendrán que cuidarnos y un flaco favor a uno mismo, del que desgraciadamente mucha gente suele ser consciente demasiado tarde. Cuando nos dicen que «Nos vamos a morir igual, hagamos lo que hagamos» contestamos: «Nos vamos a morir distinto». ¿Sabías que nueve de los primeros factores de riesgo de mortalidad en España están relacionados con el estilo de vida (*www.goo.gl/78vsur*)?

Si somos fumadores, lo primero que debemos hacer es reconocer eso mismo, es decir, que somos fumadores, para a continuación intentar deshabituarnos. Hablamos de ello ahora mismo. Si eres un profesional sanitario, es imprescindible que sigas leyendo. Si no eres fumador o no conoces a nadie a quien ayudar con la lectura de este punto, puedes saltártelo. Dejar de fumar es muy difícil, debido al gran poder adictivo del tabaco, pero lo es mucho menos si se solicita ayuda sanitaria. Hacerlo puede multiplicar por diez las posibilidades de éxito, según cálculos de la Asociación Española Contra el Cáncer.

Si fumas, pide ayuda para dejar de fumar, por favor

Imagina por un momento que tienes que viajar en avión, pero antes de subir te dejan escoger entre dos vuelos. Uno de ellos, te dice quien te está vendiendo el billete, se estrellará y el otro no. ¿Te cabe en la cabeza que la mitad de los pasajeros de ese par de vuelos no estuviera preocupada por el riesgo de morir? No, desde luego, estarían todos muertos de miedo. No dejes de leer la siguiente frase, que emitió el doctor Paco Camarelles (miembro del Grupo de Educación Sanitaria y Promoción de la Salud del Programa de Actividades Preventivas y de Promoción de la Salud) en una entrevista que le realizó el periodista Carles Mesa en la sección «Gente sana» del programa *Gente despierta* de Radio Nacional de España:

El riesgo que tiene de morir por una enfermedad relacionada con el tabaco una persona que ha fumado toda su vida es como tirar una moneda al aire: si sale cara, te mueres, y si sale cruz, no mueres por una enfermedad relacionada con el tabaco.

Impresionante, ¿eh? Más impresionante es lo que reveló una encuesta publicada en 2008 por la Generalitat de Catalunya, coincidiendo con su campaña *El humo es fatal*: en dicho año, el 46 % de los fumadores no estaban preocupados por el riesgo de fumar. Recordamos ese momento con horror, porque la mitad de los fumadores morirá a causa del tabaco. Esperamos que esta cifra haya cambiado con el paso de los años (no hemos encontrado datos más recientes, aunque creemos que hay motivos para la esperanza). Sea como sea, todavía hoy mueren unas 165 personas cada día en España a causa del tabaco. Volviendo a los aviones, y tomando prestada de nuevo una clarificadora comparación del doctor Paco Camarelles, es como si un avión Airbus A320 lleno de pasajeros se estrellase cada día sin dejar supervivientes. Es una espeluznante cifra que debería asustarnos tanto como lo hacen los ataques terroristas. La cifra incluye a los fallecidos por cáncer, pero también a los que lo hacen por otras muchas patologías. Si nos centramos en el cáncer y acudimos a la Organización Mundial de la Salud, leeremos esto:

El tabaquismo es el factor de riesgo evitable que por sí solo provoca más muertes por cáncer en todo el mundo, ya que provoca aproximadamente el 22 % de las muertes anuales por esa causa. […] Alrededor del 70 % de la carga de cáncer de pulmón puede achacarse al tabaquismo como única causa.

Por eso el WCRF insiste en recordarnos, en su más reciente informe (julio de 2018), lo siguiente:

No fumar ni usar ninguna forma de tabaco y evitar otra exposición al humo del tabaco son los medios más importantes de reducir el riesgo de cáncer.

El siguiente medio más importante para reducir el riesgo, y el más importante para las personas que no fuman, es, de nuevo según el WCRF, mantener un peso saludable durante toda la vida, alejarnos de una dieta malsana y ser físicamente activos. Hablaremos de ello tanto en este capítulo como en el 4.

Si no te has saltado este apartado, te diremos también que sabemos desde hace sesenta años que fumar es uno de los factores de riesgo más evitables para el cáncer. Y es que el tabaco aumenta el riesgo de, por lo menos, diecisiete tipos de cáncer en humanos, sea afectando a quien fuma o a quien soporta el humo, es decir, al fumador pasivo. Destaca el cáncer de pulmón, como todo el mundo sabe, pero también causa otros cánceres como los de laringe, de boca, esófago, garganta, vejiga, riñón, hígado, estómago, páncreas, colon y recto, cérvix o cuello uterino y leucemia mieloide aguda. Quien usa tabaco sin humo (rapé o tabaco de mascar) puede padecer cánceres de boca, de esófago y de páncreas. Y por si estás pensando en los cigarrillos electrónicos, su utilización puede causar efectos negativos de diversa índole (intestinales, cardiovasculares, neurológicos, inmunitarios...), a juzgar por la revisión sistemática de la literatura que publicaron en diciembre de 2016 las doctoras My Huaa y Prue Talbot en la revista científica *Preventive Medicine Reports*.

Pero no solo sabemos hace decenios lo peligroso que es fumar, las investigaciones sobre el tabaco han abarcado en estos años muchos otros frentes distintos al conocimiento de los daños provocados por él. Tales estudios también nos permiten proponer con bastante acierto las claves para conseguir la deshabituación. De igual manera que hay mentes inteligentes pero psicopáticas, cuya empatía hacia el daño ajeno es igual a cero, también hay mentes privilegiadas que dedican su enorme potencial a mejorar la vida de los demás.

Cerramos este apartado rogándote, si eres fumador, seis cosas:

1) que entiendas que cualquier nivel de tabaquismo es peligroso;

2) que sepas, si eres madre o padre, que los hijos de padres fumadores son más propensos a fumar y suelen mostrar actitudes más positivas con respecto al tabaco. Es decir, que seas consciente de que dejar de fumar por el bien de tus hijos es una muy buena decisión. ¿Sabías que tres de cada cinco personas que prueban un cigarrillo se convierten en fumadoras?;

3) que reconozcas en qué punto está tu hábito (te recomendamos el test de Fagerström, que encontrarás fácilmente en internet);

4) que no te excuses en la falsa creencia «la contaminación ambiental es peor». La excesiva contaminación es peligrosa, sin duda, pero lo cierto es que aumenta las muertes asociadas al tabaco;

5) que seas consciente de que el tabaquismo es una amenaza para todos, entre otros motivos porque, según la OMS, cada día cerca de 10.000 millones de cigarrillos se desechan al medio ambiente, porque los residuos de los productos del tabaco contienen más de 7.000 sustancias tóxicas y porque en el humo de tabaco se liberan miles de toneladas de productos cancerígenos para el ser humano, sustancias tóxicas y gases de efecto invernadero;

6) que pidas ayuda sanitaria para dejar de fumar. En esta página web del Ministerio de Sanidad aparece información muy útil al respecto: *www.msssi.gob.es/ciudadanos/proteccionSalud/tabaco/ayuda. htm*

Lo que todo ser humano (y algún robot) debería aprender del informe del World Cancer Research Fund

Para preparar este libro era imprescindible que revisásemos las pruebas científicas que relacionan no solo el tabaco, sino también la nutrición y la actividad física, con la prevención del cáncer. Las detalló en mayo de 2017 y en julio de 2018 el WCRF (Fondo Mundial para la Prevención del Cáncer, como hemos citado antes). El documento de 2017 se titula «Sumario de evidencias científicas fuertes sobre dieta, nutrición, actividad física y la prevención del cáncer» («Summary of strong evidence on diet, nutrition, physical activity and prevention of cancer»). Si tecleas su título en Google, lo encontrarás, pero para ahorrarte la búsqueda, te diremos que lo puedes consultar aquí: *www.goo.gl/uM2zyt*. Antes de seguir, debemos aclarar tres cosas:

1. En el informe del WCRF no se evalúa el papel del tabaco y por eso lo hemos analizado más arriba (aprovechamos para repetir que puede causar más de diecisiete tipos de cáncer). Tampoco se revisan otros factores distintos a los relacionados con la alimentación o la actividad física, tales como la exposición solar, la contaminación ambiental, los carcinógenos ocupacionales, ciertas infecciones o las radiaciones. En todo caso, los factores analizados por el informe del WCRF están relacionados con aproximadamente el 80 % de todas las muertes por cáncer en el mundo, que se dice pronto.

2. El informe sí revisa el papel del exceso de peso, pero preferimos no abordarlo en este capítulo, sino dedicarle un capítulo entero («Capítulo 4. Sobrepeso, obesidad y cáncer»).

3. Cuando te digan que un alimento o un factor dietético-nutricional causa o previene el cáncer, ten en cuenta que si no aparece en este capítulo o en el 4 muy probablemente se trata de ciencia infusa.

¿Por qué hay más rojos que verdes? Porque no es más limpio el que más limpia

Creemos que es muy necesario que leas este apartado. Así que empezaremos con una metáfora: quien diga que limpiar el coche es la clave para evitar accidentes miente. Pero no miente quien afirme que pinchar las ruedas favorece los accidentes. De igual manera, quien diga que tomar brócoli es la clave para prevenir el cáncer miente. Pero no miente quien afirme que el tabaco, el alcohol o las carnes procesadas aumentan de forma convincente el riesgo de cáncer. De hecho, para la conducción es mucho más peligroso pinchar las ruedas que beneficioso limpiar el coche. Igual sucede con el cáncer: es mejor dejar de seguir malos hábitos que obsesionarnos con los buenos. O sea, que reza el conocido dicho «No es más limpio el que más limpia, sino el que menos ensucia»; es lo que pretendemos que entiendas en las siguientes páginas.

Al mirar de cerca el informe del WCRF, no hemos podido evitar que nos llamase poderosamente la atención que hay más rojos que verdes. ¿Qué significan para el WCRF tales colores? El verde fuerte es el color utilizado por dicha entidad para señalar los factores de riesgo modificables (podemos actuar sobre ellos, a diferencia de lo que ocurre con los no modificables, como la edad) que han demostrado de forma convincente prevenir algunos tipos de cáncer, mientras que el rojo apunta a los que incrementarían, también de forma convincente, ciertos cánceres. En toda una gran matriz que relaciona diferentes ítems (café, frutas, peso, lactancia, etc.) con cánceres muy frecuentes (pulmón, colon, mama, etc.), el color verde fuerte solo aparece dos veces. Aquí las tienes:

- Caminar disminuye el riesgo de excesivo incremento de peso en la edad adulta, de sobrepeso y de obesidad. Condiciones que, a su vez, aumentan de forma convincente el riesgo de padecer adenocarcinoma de esófago y de sufrir cáncer de colon, endometrio, hígado, mama, ovario, páncreas, recto y riñón.
- La actividad física (sea moderada o vigorosa) previene de forma convincente el riesgo de cáncer de colon.

¿Cuántas veces aparecerá el color rojo? 22 veces, de las cuales 18 (factores de riesgo del cáncer) son modificables. Citaremos en breve los cuatro «rojos» que nos quedan hasta 22, pero ahora queremos destacar la enorme diferencia que suponen 18 factores de riesgo modificables que incrementan claramente el riesgo de ciertos tipos cáncer (sin contar el tabaco), frente a solo dos factores que lo reducen de forma convincente. Eso solo puede significar una cosa: que para prevenir el cáncer vale más la pena fijarnos en lo que no hacemos correctamente que obsesionarnos en buscar talismanes. Cuando no tienes defectos que pulir, el resto solo pueden ser virtudes.

Es curioso que nos sintamos tan atraídos hacia las soluciones rápidas, hacia las promesas de eficacia sin esfuerzo. Quizá nos agarramos a ellas para seguir con nuestros hábitos. Siempre será más fácil creer que el ajo es un «curalotodo» que ponernos a hacer ejercicio. Cambiar nuestros hábitos, como cambiar de trabajo, cambiar de casa o cambiar de pareja, siempre es difícil. Pero a veces resulta imprescindible.

Veamos ahora las 18 de las 22 veces que aparece el color rojo en el informe del WCRF. Tras la enumeración explicaremos por qué nos hemos «saltado» las cuatro veces que faltan hasta 22. En todos los casos, las pruebas científicas que apuntan al aumento del riesgo son «convincentes», es decir, las investigaciones de base son de alta calidad.

1. Las aflatoxinas aumentan el riesgo de cáncer de hígado.

2. La presencia de arsénico en el agua aumenta el riesgo de cáncer de pulmón.

3. Los suplementos con altas dosis de betacarotenos aumentan el riesgo de cáncer de pulmón en fumadores.

4. Las carnes procesadas aumentan el riesgo de cáncer colorrectal.

Las bebidas alcohólicas aumentan el riesgo de:

5. Cáncer de boca, faringe y laringe.

6. Cáncer de esófago de células escamosas.

7. Cáncer de hígado.

8. Cáncer colorrectal.

9. Cáncer de mama en mujeres en la postmenopausia.

El exceso de grasa corporal en la edad adulta aumenta el riesgo de:

10. Adenocarcinoma de esófago.

11. Cáncer de páncreas.

12. Cáncer de hígado.

13. Cáncer colorrectal.

14. Cáncer de mama en mujeres en la postmenopausia.

15. Cáncer de endometrio.

16. Cáncer de riñón.

17. El consumo de bebidas azucaradas aumenta el riesgo de obesidad.

18. El tiempo ante pantallas aumenta el riesgo de obesidad en niños.

Los cuatro «rojos» que nos hemos saltado están en el ítem «Altura conseguida en la edad adulta». El informe del WCRF detalla que una mayor altura en la edad adulta se relaciona con un aumento en el riesgo de padecer cuatro tipos de cáncer: colorrectal, de mama en mujeres en la premenopausia, de mama en mujeres en la postmenopausia y de ovario. Sin embargo, esta entidad explica que no cree que la altura en sí misma sea la causante del aumento del riesgo. Indica que «es improbable que influya en el riesgo de cáncer» y añade que la altura «es un marcador de factores genéticos, medioambientales, hormonales y nutricionales que afectan al crecimiento durante el periodo comprendido desde la preconcepción hasta la finalización del crecimiento lineal». Así, parece más casualidad que causalidad. Pero la razón fundamental por la que no la hemos puesto es porque es un factor no modificable. Como tampoco es modificable la edad, uno de los factores que más influye en el riesgo de desarrollar cáncer. Traemos un fragmento de un texto redactado por el bioquímico José Miguel Mulet el 20 de diciembre de 2017 en *El País* y titulado «El azar del cáncer (y lo que usted puede hacer para no favorecerlo)»:

La causa que origina que una célula normal mute puede estar determinada por diferentes factores. Y uno de los principales es la (mala) suerte de que la mutación afecte a un gen determinado que controla su crecimiento. Asumir esta circunstancia ayuda a explicar ciertas cosas, como que a medida que envejecemos tenemos más papeletas de sufrirlo, ya que jugamos a la lotería más tiempo, o que una persona alta tenga más probabilidad que una de menor estatura, ya que tiene más células.

Podemos intentar que quien lea este libro no gane mucho peso, beba menos alcohol o evite los suplementos de betacarotenos, por poner tres ejemplos, pero no podemos pretender que nuestros lectores sean menos altos o no envejezcan. Dicho esto, vamos a analizar lo que podemos hacer, según el informe del WCRF, para reducir el riesgo de sufrir algunos tipos de cáncer (no, no hemos dicho «todos los tipos de cáncer», de igual manera que no es correcto decir que unos frenos en buen estado, el cinturón de seguridad y el airbag previenen todos los accidentes). Es decir, analizaremos los dos factores que previenen de forma convincente algunos tipos de cáncer (los dos «verdes»), y también los factores que incrementan el riesgo, también de forma convincente, de determinados tipos de cáncer (los «rojos»)... excepto los relacionados con el peso corporal, ya que preferimos hablar de ellos en un capítulo, el 4.

Actividad física y cáncer de colon. Siéntate menos, muévete más

Para el WCRF, las pruebas científicas del tipo «convincente» apuntan que la actividad física (sea moderada o vigorosa) previene el riesgo de cáncer de colon, uno de los más frecuentes en nuestro medio. También encuentra pruebas convincentes de que caminar disminuye el riesgo de obesidad, que, a su vez, aumenta el riesgo de diferentes tipos de cáncer. No podemos dejar de comentar, por si algún lector cree que caminar es una pérdida de tiempo, las conclusiones del estudio publicado en enero de 2018 por la doctora Alpa V. Patel y sus colaboradores (*American Journal of Preventive Medicine*): caminar, aunque sea un poco, se relaciona con un menor riesgo de mortalidad si se compara con la inactividad. Caminar más redujo todavía más el riesgo. Cierran su estudio señalando que caminar es simple, gratuito y no requiere ninguna clase de entreno, por lo que resulta una actividad ideal para toda la población, en especial a medida que envejecemos.

Pero centrémonos en el papel de la actividad física en el cáncer de colon. Es cierto que a más actividad física, menor riesgo de padecer cáncer de colon, pero también podemos pensar al revés: que la inactividad física supone un importante riesgo. Tanto es así, que vamos a rogarte que dejes este libro un momento y subas y bajes las escaleras más cercanas, saltes a la comba un rato o hagas unas cuantas sentadillas. Lo ideal es que cada media hora nos levantemos (si es que trabajamos sentados) y demos un pequeño paseo.

¿Ya? Pues ha llegado el momento de leer esta frase:

Las intervenciones centradas exclusivamente en reducir el comportamiento sedentario parecen ser más efectivas [...] que aquellas que incluyen estrategias para aumentar la actividad física y reducir los comportamientos sedentarios.

Aparece en el consenso de la Asociación Americana del Corazón denominado «Sedentary Behavior and Cardiovascular Morbidity and Mortality». Así que podemos enfocar este apartado más o menos de la misma forma que lo hacíamos en el anterior: insistiéndote en que no pienses tanto en hacer las cosas bien, sino sobre todo en no hacerlas (a menudo) mal. Y, sí, estar mucho rato sentado es «mal»... y no solo para el riesgo de cáncer de colon.

Antes de seguir leyendo, revisa si tienes instalado en tu móvil una app que contabilice los pasos que haces a diario. ¿La tienes? Perfecto, pues intenta superar cada día los 10.000 pasos. Atención: es un mínimo, no un máximo. Bien, ya puedes leer:

La relación entre el número de pasos [realizados por la población] y los beneficios para la salud sigue una escala lineal continua.

Ya lo ves: a más pasos, más salud. La frase la hemos tomado del artículo científico que Ross Arena y Amy McNeil publicaron en el número de marzo-abril de 2017 de la revista *Brazilian Journal of Cardiovascular Surgery*, en el que también leemos que quien pasa diez o más horas sentado al día incrementa su riesgo de morir en un 65 % en comparación con quien está cuatro horas o menos sentado al día. De ahí el lema de la Asociación Americana del Corazón «Siéntate menos, muévete más», del que nos hemos apropiado para titular este apartado y que aparece en el consenso que acabamos de citar. Estarás pensando que quienes tecleamos estas palabras lo hemos hecho sentados…, pero te equivocas, la mayor parte del tiempo tenemos el teclado y la pantalla elevados, escribimos de pie… y hacemos alguna sentadilla cada pocos minutos, además de unas cuantas visitas a las escaleras y bastantes brincos en la cuerda de saltar.

Ha llegado un momento crucial: el de mencionar el importantísimo documento «Actividad física para la salud y reducción del sedentarismo». En él leemos esto:

Se ha comprobado que llevar una vida activa alarga la vida. Si además tenemos en cuenta que aumenta el bienestar, significa que siendo activos podemos disfrutar de una mejora en la esperanza y calidad de vida. Es decir, vivir más y mejor.

Y en él tenemos las recomendaciones sobre actividad física emitidas por el entonces Ministerio de Sanidad, Servicios Sociales e Igualdad y el Ministerio de Educación, Cultura y Deporte españoles. Se trata de un trabajo en el que participó como coordinadora una persona a la que admiramos mucho: la doctora Victoria Ley (en Twitter: @victoria_ley).

A continuación, transcribimos una tabla que aparece en dicho documento y que nos encanta. Hasta el punto de que te aconsejamos encarecidamente que le hagas una foto y la compartas donde quieras o puedas… siempre mencionando la fuente (que no es este libro, sino el documento que aparece citado en el pie de la tabla).

Tabla 1. Recomendaciones sobre actividad física, sedentarismo y tiempo de pantalla				
Grupos de edad	Recomendaciones de actividad física	Observaciones	Reducir el sedentarismo	Limitar el tiempo de pantalla[1]
Menores de 5 años que no andan	Varias veces al día. Cualquier intensidad.	Fomentar el movimiento, el juego activo y disfrutar.	Minimizar el tiempo que pasan sentados o sujetos en sillas o carritos, cuando están despiertos, a menos de una hora seguida.	<2 años: No se recomienda pasar tiempo delante de una pantalla. 2 a 4 años: el tiempo de pantalla debería limitarse a menos de 1 hora al día.
Menores de 5 años que sí andan	Al menos 180 minutos al día. Cualquier intensidad.	Realizar actividades y juegos que desarrollen las habilidades motrices básicas (correr, saltar, trepar, lanzar, nadar...) en distintos ambientes (en casa, en el parque, en la piscina, etc.).		
De 5 a 17 años	Al menos 60 minutos al día. Intensidad moderada y vigorosa.	Incluir, al menos 3 días a la semana, actividades de intensidad vigorosa y actividades que fortalezcan músculos y mejoren masa ósea.	Reducir los periodos sedentarios prolongados. Fomentar el transporte activo[2] y las actividades al aire libre.	Limitar el tiempo de uso de pantallas con fines recreativos a un máximo de 2 horas al día.
Adultos	Al menos 150 minutos de actividad moderada a la semana o 75 minutos de actividad vigorosa a la semana o una combinación equivalente de las anteriores. Estas recomendaciones pueden alcanzarse sumando periodos de al menos 10 minutos.	Realizar, al menos 2 días a la semana, actividades de fortalecimiento muscular y mejora de la masa ósea y actividades para mejorar la flexibilidad. Los mayores de 65 años, especialmente con dificultades de movilidad: al menos 3 días a la semana, realizar actividades de fortalecimiento muscular y para mejorar el equilibrio.	Reducir los periodos sedentarios prolongados de más de 2 horas seguidas, realizando descansos activos cada 1 o 2 horas con sesiones cortas de estiramientos o dando un breve paseo. Fomentar el transporte activo.	Limitar el tiempo delante de una pantalla.

[1] El término «tiempo de pantalla» se refiere al tiempo que se pasa frente a una pantalla (televisión, ordenador, teléfonos móviles, tabletas, consolas de videojuegos, etc.) y se identifica como un periodo sedentario, ya que se utiliza muy poca energía durante el mismo.
[2] El término «transporte activo» se refiere a sustituir el desplazamiento en transporte motorizado por caminar o ir en bici, lo que conlleva un gasto energético mayor y contribuye tanto a alcanzar las recomendaciones de actividad física como a reducir el sedentarismo.

Fuente: «Actividad física para la salud y reducción del sedentarismo». Ministerio de Sanidad, Servicios Sociales e Igualdad y Ministerio de Educación, Cultura y Deporte. 2015 (*www.goo.gl/HvRtDr*).

Además de la tabla, en el documento hay auténticas perlas, como esta:

Es importante señalar que las recomendaciones de actividad física proponen el mínimo necesario para obtener beneficios para la salud; no obstante, un nivel mayor de actividad física puede producir beneficios adicionales. Para los muy inactivos aumentar el nivel, aun por debajo de estas recomendaciones, también puede producir beneficios, aunque es recomendable que, de forma gradual, se alcancen los mínimos propuestos.

Es cierto que habrá personas con discapacidades o circunstancias especiales, que no podrán seguir las recomendaciones que aparecen en la tabla.

En estos casos, se recomienda consultar en el Centro de Salud, donde podrán darle información de cómo adaptar las recomendaciones de forma individualizada o derivarle al recurso que proceda.

En el mismo documento encontramos los beneficios asociados a la realización de actividad física en menores de 17 años, que son:

- Mejora la forma física, la función cardiorrespiratoria, la fuerza muscular y la masa ósea y, además, disminuye la grasa corporal y ayuda a mantener un peso saludable.
- Mejora la salud mental: mejora la autoestima, reduce los síntomas de ansiedad y depresión y disminuye el estrés. Además, es divertido y ayuda a sentirse más feliz.
- Ofrece oportunidades de socialización y el aprendizaje de habilidades.
- Aumenta la concentración, lo que contribuye a tener mejores resultados académicos.
- Favorece un crecimiento y desarrollo saludable.
- Mejora las habilidades motrices, la postura y el equilibrio.
- Disminuye el desarrollo de factores de riesgo asociados a enfermedades crónicas en la vida adulta como enfermedades del corazón, hipertensión, diabetes tipo 2, hipercolesterolemia (colesterol elevado), obesidad u osteoporosis, ya que muchos de estos factores pueden desarrollarse en las primeras etapas de la vida.

Además, reducir el sedentarismo en menores de 17 años puede contribuir a:

- Mejorar la forma física y mantener un peso saludable.
- Facilitar un mayor desarrollo de habilidades sociales.
- Mejorar el aprendizaje y la atención, el comportamiento y el rendimiento escolar.
- Mejorar las habilidades del lenguaje.
- Mejorar la autoestima.
- Al no pasar tanto tiempo sentados, en casa o jugando solos con tabletas, consolas u otras pantallas tienen más tiempo para divertirse con sus amigas o amigos y aprender nuevas habilidades.

Estamos en un apartado sobre el cáncer de colon y el ejercicio físico, así que es preciso que añadamos a los beneficios de la actividad física (o a los riesgos del sedentarismo) la prevención de este tipo de cáncer. Si seguimos con el documento del Ministerio, leemos un «¡IMPORTANTE!», así en mayúsculas y con signos de admiración, así que vamos a transcribirlo:

¡IMPORTANTE!

Los padres, madres o tutores tienen que ser conscientes de que, al llegar a la adolescencia, los niños y niñas, por lo general, reducen su actividad física. Esto es muy importante, sobre todo en las adolescentes, que tienen niveles de actividad física muy por debajo de los chicos y de lo recomendado para su edad. Por lo tanto, los padres, madres o tutores juegan un papel de vital importancia en promover y facilitar oportunidades para la realización de actividad física apropiada para cada edad. Al hacerlo, ayudan a sentar una base importante para la actividad física que promueve la salud de toda la vida.

Nos permitimos añadir un consejo más: dar ejemplo. Aunque nos parece bien que los padres, madres o tutores promuevan y faciliten «oportunidades para la realización de actividad física apropiada para cada edad», nos parece mejor que ellos mismos aumenten su actividad física. No hay mejor consejo que aparcar las palabras y educar con la larga película diaria de nuestro propio ejemplo.

Además de ser útil para dar ejemplo y para prevenir el cáncer de colon, enumeramos a continuación algunas de las razones por las que los adultos deberíamos practicar todos o casi todos los días de la semana actividad física (tomadas del mismo documento del que venimos hablando):

- Ayuda a mantenerse ágil físicamente: fortalece los músculos mejorando la capacidad funcional y disminuyendo el riesgo de sufrir caídas. También previene la pérdida de masa ósea (osteoporosis).
- Mejora el bienestar mental, reduce los síntomas de ansiedad y estrés, mejora el sueño y reduce el riesgo de depresión. Además, aumenta la percepción de bienestar y satisfacción con el propio cuerpo.
- Mejora la función cognitiva.
- Mejora el bienestar social. Fomenta la sociabilidad y aumenta la autonomía y la integración social, especialmente en personas con discapacidad.
- Ayuda a disfrutar de una buena calidad de vida.
- Contribuye a mantener un peso adecuado; la actividad física es un factor determinante en el consumo de energía, por lo que es fundamental para conseguir el equilibrio energético y el control del peso.
- Reduce el riesgo de padecer obesidad.
- Reduce el riesgo de desarrollar ciertas enfermedades como:
  — Diabetes tipo 2.
  — Enfermedades cardiovasculares.
  — Hipertensión arterial.
  — Hipercolesterolemia (colesterol elevado), aumentando el colesterol «bueno» (HDL) y disminuyendo el «malo» (LDL).
- Mejora la evolución de algunas enfermedades crónicas como diabetes (ayudando a controlar los niveles de azúcar en los que ya son diabéticos), hipertensión, hipercolesterolemia u obesidad, una vez se han desarrollado.

Y reducir el sedentarismo en adultos:

- Disminuye el riesgo de desarrollar enfermedades cardiovasculares y diabetes tipo 2.
- Parece proteger frente a muchos de los factores de riesgo de desarrollar enfermedades cardiovasculares, como la hipertensión o la obesidad.

¿Quién da más? Si te interesa el tema (y te interesa, seguro), no dejes de leer el documento completo, disponible en este enlace: *www.goo.gl/ HvRtDr*. Además de uno de nuestros libros, titulado *Comer y correr*.

Aflatoxinas y cáncer de hígado

Entramos ya en el primero de los 18 ítems «rojos», en concreto al que corresponde a las aflatoxinas. El informe del que proceden las pruebas científicas que señalan que las aflatoxinas incrementan de forma clara el riesgo de padecer cáncer de hígado proviene del análisis de 34 sesudos trabajos científicos. Tales investigaciones evaluaron a un total de 8,2 millones de personas (¡cerca de cuatro veces la población de Barcelona!). Y el total de casos de cáncer hepático en dichos estudios ascendió a 24.500. Vamos, que los científicos del WRCF no hicieron su trabajo consultando el horóscopo. Lo hicieron, en sus palabras, de forma «rigurosa y sistemática».

Las aflatoxinas son un tipo de micotoxinas (o toxinas fúngicas), que a su vez son sustancias producidas por centenares de especies de mohos que pueden crecer sobre algunos alimentos. Los alimentos más afectados por aflatoxinas, según el WCRF, son: los cereales, las especias, los cacahuetes, los pistachos, las nueces del Brasil, los chiles, la pimienta negra y la fruta desecada (pasas, orejones, higos secos, etc.).

Su crecimiento es máximo si la humedad es alta y las temperaturas ambientales rondan entre los 24 y los 28°C, algo más común en ambientes tropicales. Por eso, los problemas derivados de las micotoxinas son más habituales en las regiones más cálidas del mundo. En refrigeración, el crecimiento de los hongos y la producción de micotoxinas es mucho menor. Las principales áreas afectadas por la elevada exposición a aflatoxinas son África y Asia.

En España existe un estricto control de los niveles de aflatoxinas, tanto en alimentos producidos aquí como en los importados. La legislación detalla condiciones específicas en cuanto a los niveles de micotoxinas que puede haber en productos importados susceptibles de contener esta toxina, tales como nueces de Brasil o determinados tipos de cacahuetes, pistachos, higos secos, avellanas, almendras o mezclas de frutos secos de cáscara, entre otros, hasta el punto de que se inmovilizan partidas de alimentos provenientes de otros países si se detectan niveles de estas sustancias que podrían suponer un riesgo para la población.

En resumen, más allá de tomar medidas lógicas de conservación (no deberíamos conservar los alimentos arriba citados por varios meses, ni en lugares calientes y húmedos) no es un problema del que debamos preocuparnos en España los ciudadanos, sino más bien los investigadores y las autoridades (que intensifican cada vez más las medidas de control y los análisis de alimentos), y por eso le hemos dedicado un apartado tan pequeño. Y hablando de investigadores, diversos científicos están tratando de conseguir reducir la presencia de aflatoxinas mediante ingeniería genética en alimentos como el maíz o los cacahuetes, algo que ejercería sustanciales beneficios de salud en países empobrecidos. Si te inquieta la palabra «transgénico», debemos insistirte en que leas un libro que ya hemos recomendado: *Transgénicos sin miedo*, de José Miguel Mulet.

Arsénico en el agua (y —añadimos— en el arroz) y cáncer de pulmón

El cáncer de pulmón es el que presenta una mayor tasa de mortalidad en España. La inmensa mayoría de casos (entre el 85 y el 90 %) están causados por el tabaco, tanto por el tabaquismo activo como por el tabaquismo pasivo, pero hay otros factores que pueden causar cáncer de pulmón, como la exposición a ciertas sustancias químicas de origen industrial (por ejemplo: amianto, gas mostaza, cloruro de vinilo, etc.). De entre los factores dietéticos posiblemente implicados en este cáncer, el único que ha mostrado pruebas convincentes, según el WCRF, es el arsénico en el agua. El arsénico es un metaloide porque tiene propiedades intermedias entre los metales y los no metales. Aunque es una sustancia tóxica, su toxicidad en humanos dependerá de la dosis. Está muy presente en la naturaleza y se halla en forma orgánica e inorgánica, pero es la inorgánica la que tiene mayores niveles de toxicidad. Pese a que no está claro qué niveles de arsénico son seguros, en el ámbito científico nadie duda de que una exposición alta y continuada a niveles de arsénico inorgánico aumenta el riesgo de padecer diferentes enfermedades, incluido el cáncer.

Afortunadamente, las agencias de seguridad alimentaria controlan los niveles para que este riesgo sea mínimo. En el caso de España, la Agencia Española de Consumo, Seguridad Alimentaria y Nutrición (AECOSAN) trabaja intensamente en ello desde el año 2010.

Hemos querido añadir nuestro granito de arroz a lo que aparece en el informe del WCRF, porque en 2014 el Comité de Nutrición de la Sociedad Europea de Gastroenterología, Hepatología y Nutrición Pediátrica (ESPGHAN) aconsejó evitar ofrecer a bebés y niños pequeños las bebidas de arroz. Estas se elaboran a partir del grano de arroz y su dulzura característica se debe a un proceso enzimático que se produce durante su preparación. Los niveles de arsénico en el arroz pueden llegar a ser preocupantes en lactantes y niños pequeños, porque es un alimento muy utilizado en el periodo de alimentación complementaria, que se inicia alrededor de los seis meses de edad. Los altos niveles de arsénico encontrados en varias muestras de arroz (que dependen de dónde y cómo se cultiva) se justifican por la particular fisiología de este cereal. Pues bien, los análisis evaluados por la ESPGHAN detectaron altas concentraciones de arsénico inorgánico en estas bebidas, sobre todo cuando se elaboran con arroz integral, ya que hay más arsénico en la cáscara del grano. Su consejo fue el siguiente: «Para evitar la exposición [al arsénico inorgánico] aconsejamos que los bebés y los niños pequeños eviten las bebidas de arroz».

Su recomendación no se aplicó a adultos porque la exposición de los lactantes y de los niños pequeños al arsénico inorgánico es de dos a tres veces mayor que la de los adultos. Es importante destacar que el informe no desaconseja ni el consumo de arroz ni de otros derivados. Se centra solo en las bebidas elaboradas a partir de este cereal.

Poco después, la Agencia Nacional Alimentaria de Suecia (NFA), recomendó no dar tortas de arroz a los menores de seis años, también por los niveles de arsénico. Hoy, la Generalitat de Catalunya también desaconseja tanto las bebidas como las tortas de arroz en niños pequeños. Ambos alimentos tienen en común que acumulan más arsénico que el arroz hervido. Hervirlo reduce a la mitad los niveles de este compuesto (porque se evapora o pasa al agua de cocción, que es mejor descartar, por cierto). Pero, importante, la NFA insistió en que si un niño ya ha tomado notables cantidades de tortitas de arroz (y nosotros añadiríamos «o bebidas de arroz») eso «no supone que su vida corra peligro, ya que haría falta una exposición de niveles muy altos de arsénico durante mucho tiempo para eso».

Por nuestra parte, hemos revisado la literatura científica y hemos ido a parar a dos importantes investigaciones: la publicada en enero de 2015 por Muraki y colaboradores y la publicada en febrero de 2016 por Zhang y colaboradores. De ambas se puede concluir que no tenemos motivos para alarmarnos, pero que tiene sentido que las entidades de referencia emitan mensajes para disminuir el consumo de bebidas o tortas de arroz en niños. Así, en base al principio de precaución y máxime sabiendo que tanto las bebidas como las tortitas de arroz son perfectamente prescindibles, lo más sensato es evitar su consumo por niños. Este consejo no se aplica a otras preparaciones a base de arroz (por ejemplo: arroz hervido), aunque conviene saber que es aconsejable lavar el arroz integral antes de cocinarlo (desechando el agua), y hervirlo en abundante agua.

Si te estás preguntando si los alimentos «orgánicos» tendrán menos arsénico, la respuesta es que la presencia es la misma «independientemente de si se cultivan en las prácticas agrícolas convencionales u orgánicas», en palabras de la entidad Food and Drug Administration (FDA), de Estados Unidos. Esto es así porque el arsénico no va a parar a la planta por mano del hombre, sino que se encuentra de manera natural en el suelo y en el agua; las plantas lo absorben, sean del tipo que sean. Un alimento que retiene bastante arsénico, por cierto, son las algas. Ello unido a su elevadísimo contenido en yodo justifica algo que hemos repetido en todos nuestros libros: cuantas menos algas, mejor. Y eso incluye al alga espirulina, que mucha gente cree, erróneamente, que es un «superalimento».

Tras esta breve exposición, pensamos que podemos acabar este apartado con conclusiones similares a las expresadas en el anterior: la preocupación por el arsénico recae en las autoridades sanitarias, que, por suerte, están en ello, al menos en España. Sin olvidar la importancia de no ofrecer a bebés y niños pequeños bebidas o tortas de arroz. Y sin olvidar, tampoco, que una de las principales fuentes de arsénico en nuestro medio no es la alimentación, sino el tabaco.

Suplementos de betacarotenos y cáncer de pulmón

Fumar es peligroso, pero si a la vez que fumamos tomamos suplementos dietéticos (o, tal y como los denomina la legislación, «complementos alimenticios») de betacarotenos, fumar es todavía más arriesgado. Los betacarotenos son unos precursores de la vitamina A que podemos encontrar, sobre todo, en alimentos de origen vegetal, pero que también podemos consumirlos a partir de suplementos. No está del todo claro por qué suplementarse con comprimidos, cápsulas, pastillas, grageas, viales o cualquier otra presentación que contenga betacarotenos aumenta el riesgo de cáncer de pulmón en fumadores. Pero sí está claro, en palabras del WCRF, que «la evidencia de que los suplementos con altas dosis de betacaroteno causan cáncer en los fumadores es convincente». Así que si fumas, además de pedir ayuda para dejarlo, es mejor que no tomes suplementos de betacarotenos (los encontrarás con nombres como «carotenos», «carotenoides» o «provitamina A»).

Antes de pasar al siguiente apartado, debemos añadir que en la sección «Cáncer de pulmón» de la página web del WCRF aparece hoy un estudio relevante sobre este cáncer, del que hablamos en 2015 en un texto denominado «Frutas, hortalizas y cáncer de pulmón» (*www.goo.gl/NpthSQ*). Fue en esa fecha cuando el Continuous Update Project Expert Panel (Panel de Expertos para la Actualización Continua del Proyecto) añadió la citada investigación a su proyecto. El objetivo de dicho panel es revisar de forma continuada la validez de las conclusiones de los informes del WCRF. La nueva investigación tiene por título «Frutas, verduras y riesgo de cáncer de pulmón: revisión sistemática y metaanálisis» («Fruits, vegetables and lung cancer risk: a systematic review and meta-analysis»). Es un riguroso examen de las pruebas científicas disponibles hasta hoy en relación a frutas, hortalizas y la prevención del cáncer de pulmón, coordinado por la doctora Rita Vieira en la revista *Annals of Oncology*. Se concluye que el consumo de frutas y hortalizas podría proteger de la aparición del cáncer de pulmón. Este beneficio se observó ante ingestas de hasta 400 gramos de estos alimentos y se constató que la protección no fue mayor al superar dicha cifra. El consumo medio de frutas y hortalizas en España asciende a unos 489 gramos diarios, según la encuesta ENIDE (Encuesta Nacional de Ingesta Dietética Española). Así, a pesar de que la ingesta de estos alimentos en nuestro país está por debajo los 600 gramos al día recomendados por el WCRF, el motivo para que se tome más no es tanto la prevención del cáncer de pulmón, sino la prevención de otras enfermedades crónicas como la diabetes.

En cualquier caso, los autores insisten en lo siguiente: «Eliminar el tabaquismo es la mejor estrategia para prevenir el cáncer de pulmón».

Por cierto, hablando de betacarotenos, no tenemos nada claro que suplementarse con betacarotenos o con vitamina A, salvo estricta y justificada prescripción médica, sea útil para prevenir o tratar enfermedades. Lo decimos por si piensas: «Bueno, yo, que no fumo, puedo seguir tomándolos con tranquilidad».

Carnes procesadas y cáncer colorrectal

El consumo de carnes procesadas se relacionó de forma lineal con un mayor riesgo de morir de forma prematura en el estudio de Lukas Schwingshackl y colaboradores publicado en junio de 2017 en la revista *American Journal of Clinical Nutrition*. Es decir, a más carnes procesadas, más riesgo de mortalidad prematura. Sucedió lo mismo en el estudio (metaanálisis) de Larsson y Orsini (Am J Epidemiol. 2014;179(3):282-9). De ahí que no sorprenda que el último informe del Centro Internacional de Investigaciones sobre el Cáncer (CIIC) sobre carnes rojas y procesadas clasifique estas últimas como cancerígenas en humanos. En ocasiones, este organismo aparece citado como Agencia Internacional de Investigación sobre el Cáncer, es decir, con una traducción literal de su denominación en inglés (International Agency for Research on Cancer). El CIIC es el organismo de la OMS especializado en las investigaciones oncológicas (un instituto que cuenta con especialistas en epidemiología, ciencias de laboratorio, bioestadística y bioinformática).

El término «carne procesada» hace referencia, según la OMS, a cualquier carne «que ha sido transformada a través de la salazón, el curado, la fermentación, el ahumado u otros procesos para mejorar su sabor o su conservación». La mayoría de las carnes procesadas se elaboran con carne de cerdo o carne de res, aunque también pueden contener «otras carnes rojas, aves, menudencias o subproductos cárnicos, tales como la sangre». Detallamos las principales carnes procesadas a continuación:

- Bacón
- Butifarra
- Cabeza de jabalí (fiambre)
- Carne en conserva
- Cecina o carne seca
- Chistorra
- Chorizo
- Fuet
- Jamón cocido
- Jamón curado
- Lomo embuchado
- Morcilla
- Mortadela
- Pechuga de pavo (fiambre)
- Preparaciones y salsas a base de carne
- Salami
- Salchicha tipo Frankfurt
- Salchicha tipo país
- Salchichón
- Sobrasada

El listado anterior proviene del documento: «Preguntas y respuestas sobre la carcinogenicidad del consumo de carne roja y de la carne procesada» del CIIC.

Sí, el jamón curado (o jamón serrano) también está en la lista. ¿Cómo puede ser si todo el mundo cree que es sanísimo? También dicen que una copita de vino es sana, cuando es una mentira ampliamente desacreditada (lo demostramos más adelante). Pero volvamos al cáncer. La entidad Cancer Research UK, cuya reputación es comparable a la del WCRF, estimó en octubre de 2016 que el 21 % de los cánceres intestinales son atribuibles al consumo de carnes rojas y procesadas. En total, calculan que estos productos causan el 3 % del total de cánceres que se producen en su país.

Su cálculo coincide con el que aparece en el libro *Nutrición y cáncer. Lo que la ciencia nos enseña*, recién publicado en España y coordinado por el doctor Carlos A. González Svatetz (Instituto Catalán de Oncología). En él leemos que la carne procesada, por sí sola (es decir, sin unir su efecto al que ejercen las carnes rojas), es responsable del 1,8 % de todos los tumores. Se trata de una cifra muy inferior a la cantidad de cánceres que genera el tabaco (20 %) o el alcohol (11 %), pero que 2 de cada 100 tumores se atribuyan a las carnes procesadas es algo a tener muy en cuenta. Si te estás preguntando: «¿Qué pongo ahora en el bocadillo?», te diremos que cualquier cosa que pongas en él muy probablemente será mejor que el embutido. Y te recordaremos que tener una buena salud, como mantener una buena vida en pareja, no consiste tanto en lo que hacemos bien, sino más bien en lo que no hacemos mal.

Nadie va a morir por tomar de vez en cuando jamón, desde luego, pero como este libro lo leerá mucha gente, con diferentes vulnerabilidades, nuestra obligación es transmitirte la opinión del CIIC que es la siguiente: «avoid». Que en castellano significa «evitar». En la página web del WCRF leemos: «Las pruebas científicas que relacionan las carnes procesada con el cáncer son claras». Es más, se apunta que cualquier nivel de ingesta aumenta el riesgo de cáncer colorrectal.

O sea, lo idóneo es que evitemos en el día a día el consumo de estos productos. Opina de igual manera el Departamento de Nutrición de la Universidad de Harvard. ¿Por qué? Porque no existe una cifra que no aumente el riesgo de cáncer de colon, muy frecuente en la población (es uno de los tres cánceres más frecuentes, junto al de pulmón y mama).

No olvides que la industria cárnica es muy poderosa y eso significa que intentará hacerte creer mediante noticias (patrocinadas) o estudios (sesgados y con conflictos de interés) que comer ternera y jamón es sinónimo de salud y prosperidad. Ha sucedido mientras escribíamos estas líneas, como puedes comprobar en el texto «¿Jamón para el corazón? No», que puedes consultar aquí: *www.juliobasulto.com/jamon-corazon-no.*

Alcohol y cáncer (atención: no hablamos solo del whisky)

En agosto de 2017, mientras preparábamos este libro, nos tomamos un pequeño descanso. Como el concepto «descanso» no es incompatible con caminar, nos dedicamos a pasear por Barcelona mientras hablábamos sobre lo divino y lo humano. Pero un anuncio nos detuvo. En el inmenso cartel que cruzaba nuestro camino, una sonriente pareja joven, feliz (incluso radiante) y vestida con ropa cara, empuñaba una grandísima copa con Martini, una bebida alcohólica. Puedes comprobar que no mentimos en este link: *www.goo.gl/ecjCeY*. Debajo, en letra pequeña, este mensaje: «Disfruta de un consumo responsable». No nos gusta que nos hablen de responsabilidad, entre otros motivos porque: «Es absurdo hablar de consumo responsable de sustancias adictivas, poniendo dicha capacidad adictiva a prueba el ejercicio de la responsabilidad». Son palabras de las doctoras Alicia Rodríguez-Martos y Beatriz Rosón, recogidas en el documento, «Prevención de los problemas derivados del alcohol», publicado en 2008 por el Ministerio de Sanidad y Consumo.

Pero menos todavía nos gusta la clara manipulación que se esconde detrás de la palabra «disfruta». Cuando acabes de leer este apartado esperamos que:

1. Entiendas nuestro disgusto.
2. Comprendas la importancia de esta frase de la Organización Mundial de la Salud: «Las pruebas científicas muestran que la solución ideal para la salud es no beber nada de alcohol».
3. Seas consciente de que existe una clara relación entre estas dos palabras: «alcohol» y «cáncer». Si te parece que dicha relación es obvia, es que perteneces a una minoría de la población: una investigación llevada a cabo en Reino Unido y publicada en la revista *BMC Public Health* en noviembre de 2016 constató que solo el 12,9 % de los 2.100 adultos encuestados identificaba una posible correlación entre el consumo de alcohol y el cáncer.
4. Te escandalices cuando veas la impunidad con que los vendedores de bebidas alcohólicas intentan que bebamos más utilizando un *marketing* que persigue que asociemos el alcohol con la felicidad, con la juventud, con el triunfo social, con la belleza, con la fuerza física, con el atractivo sexual o con el éxito deportivo o económico. Hoy por hoy, tras el alcohol se esconden grandes tragedias, no grandes triunfos.

5. Pienses en con qué alegría se anunciaba años atrás (no demasiados) el tabaco, incluso atribuyéndole beneficios para la salud. De igual manera que hoy nos parecería una aberración ver publicidad de una marca de cigarrillo en cualquier medio, llegará el día en que suceda lo mismo con las bebidas alcohólicas, cuya publicidad nos rodea como el aire que respiramos.

Hemos visto hace unas páginas que las pruebas científicas disponibles muestran de forma convincente, según el WCRF, que el consumo de alcohol aumenta el riesgo de padecer (o, en otras palabras, es un factor de riesgo causal de):

- Cáncer de boca, faringe y laringe
- Cáncer de esófago de células escamosas
- Cáncer de hígado
- Cáncer colorrectal en varones
- Cáncer de mama en mujeres en la postmenopausia

¿Por qué produce cáncer? Existen varios mecanismos, pero el más consensuado es el siguiente: el cetaldehído, que se produce en nuestro cuerpo cuando metaboliza el alcohol, daña el ADN (ácido desoxirribonucleico: molécula que almacena información necesaria para construir otros componentes de las células), causando en dicha molécula mutaciones que conducen al cáncer.

¿En qué cantidad? Cualquier cantidad. A más consumo, más riesgo. El Instituto Nacional del Cáncer de Estados Unidos afirma que consumir cada día unos 10 gramos de alcohol (el equivalente a una cerveza o una copa de vino) aumenta el riesgo de cáncer de mama entre un 7 y un 12 % y el de colon un 7 %. Para otros tipos de cáncer, como el de boca o faringe, el riesgo es superior. Por eso la OMS predica desde 1996 que «cuanto menos alcohol, mejor». Frase a la que nosotros añadiríamos «y cuanto más, peor». ¿No te lo crees? Pues presta atención al consejo del WCRF: «Para la prevención del cáncer lo mejor es no beber alcohol». La opinión del CIIC es casi igual: «Lo mejor para la prevención del cáncer es evitar las bebidas alcohólicas». Y eso incluye vino o cerveza, como podemos constatar si leemos a fondo el documento del WCRF:

[...] *teniendo en cuenta las evidencias relacionadas con el cáncer, deben evitarse incluso pequeñas cantidades de bebidas alcohólicas* [...] *las evi-*

dencias muestran que todas las bebidas alcohólicas tienen el mismo efecto. Los datos no sugieren diferencias significativas en función del tipo de bebida. Por lo tanto, esta recomendación cubre todas las bebidas alcohólicas, sean cervezas, vinos, licores u otras bebidas alcohólicas.

De ahí que el doctor Antoni Gual, uno de los más importantes investigadores sobre el tema, declarase, en la entrevista que le hizo el periodista Mikel López Iturriaga el 30 de agosto de 2017, lo siguiente: «El alcohol es un cancerígeno muy potente». Otro periodista, Javier Salas, dedicó en «Materia», la sección de ciencia de *El País*, un artículo sobre esta cuestión, titulado «La mayoría de los europeos multiplica su riesgo de cáncer por beber alcohol». En él incluyó datos tomados del informe «Alcohol and Digestive Cancers. Time for Change», firmado por expertos de la Unión Europea de Gastroenterología, tales como:

- El consumo de alcohol, incluso moderado, multiplica las opciones de sufrir cáncer.
- Una sola bebida alcohólica al día eleva el riesgo de cáncer de esófago.
- Las mujeres que toman más de un vaso de vino o de cerveza al día aumentan su riesgo de cáncer de mama.
- Tomar dos bebidas alcohólicas al día aumenta un 21 % las opciones de sufrir cáncer colorrectal.
- Tomar de dos a cuatro bebidas alcohólicas al día se relaciona con siete tipos de cánceres digestivos
- El abuso de alcohol es responsable de la mitad de los cánceres de hígado de Europa.
- Los grandes bebedores (superan las cuatro o cinco bebidas diarias), «se exponen de forma alarmante a sufrir cáncer de páncreas».

Ya hemos indicado que el 11 % de todos los cánceres en España son atribuibles al alcohol. Sí, vale, es la mitad de los que causa el tabaco, pero siguen siendo muchos, muchísimos casos. El dato proviene del libro *Nutrición y cáncer. Lo que la ciencia nos enseña*, antes citado y firmado por reputadísimos científicos españoles especializados en la investigación del cáncer. Si nos centramos en hombres (en mujeres la cifra es inferior), veremos que el 15 % de los tumores diagnosticados a varones en España podemos atribuirlos al alcohol. La cifra supera a la media europea, que se sitúa en un 10 %, según una investigación publicada en 2011 en la revista científica *British Medical Journal* (BMJ. 2011;342:d1584). Más recientemente, un estudio basado en población francesa, y publicado en 2017 por Shield y colaboradores en la revista *Addiction*, concluyó que el 8 % de todos los casos de cáncer son atribuibles al alcohol. La cifra es un poco inferior a la observada en España, pero sigue siendo una barbaridad. El cáncer más frecuente de entre los atribuibles al alcohol es el cáncer de esófago de células escamosas (57,7 % de los casos de cáncer causados por el alcohol). En el estudio, de nuevo, leemos que incluso el bajo consumo de alcohol está implicado en el cáncer. En concreto, un 1,5 % de los casos de cáncer son atribuibles al consumo «leve». Es una cifra inferior a lo que sucede ante un consumo «alto» (4,4 %), pero no es un 0 %. Hay un par de frases en el estudio que deberíamos marcar con rotulador fluorescente:

Si se hubiera reducido en un 10 % el consumo de alcohol, se habrían prevenido 2.178 casos de cáncer.

y

El consumo de alcohol en Francia parece causar casi el 8 % de los nuevos casos de cáncer, dentro de los cuales el consumo leve y moderado contribuyen de manera apreciable a este problema.

Tras leer todo lo anterior, te invitamos a que preguntes a tus amigos sobre este particular (a los que no se hayan leído este libro, queremos decir) y verás que la mayoría sabe que el tabaco provoca cáncer, pero casi nadie piensa que el alcohol también lo hace. Sobre esta falta de conciencia habla también el texto de Javier Salas, recién citado. En él leemos que «9 de cada 10 británicos desconoce que existe relación entre el consumo de alcohol y el cáncer; y 1 de cada 5 europeos niega que pueda haber esa conexión». De ahí la importancia de que los sanitarios, los investigadores, los periodistas, los divulgadores científicos, los blogueros o quien sea que hable de alcohol insista en esta cuestión.

«Esperen», estarás pensando, «pero... ¿no es acaso el vino bueno para el corazón?». No, no lo es. Y aunque lo fuera: sugerir, directa o sibilinamente, que el vino o cualquier otra bebida alcohólica beneficia al corazón (algo muy discutible, como detallamos en un santiamén) y omitir que aumenta el riesgo de cáncer, ¿no es engañar? Nosotros creemos que sí, que es engañar vilmente, lo diga quien lo diga.

Lo que nos lleva al falso dogma: «La copita de vino es buena para el corazón». Decimos «falso» porque cada año mueren nada menos que 780.381 personas por enfermedades cardiovasculares atribuibles al consumo de alcohol, según supimos en abril de 2016 en la revista *BMC Public*

Health. Si te preguntas: «¿Por qué lo dicen los cardiólogos?», te responderemos que no hemos encontrado ningún estudio científico serio que justifique que «los cardiólogos» (es decir, la mayoría de los cardiólogos) recomienden que tomemos una copita de vino en las comidas. Así que cuando alguien nos asegura que «Mi médico me lo recomendó», pensamos que quien hace dicha afirmación:

1. Malinterpretó al médico (quizá le dijo: «En vez de beber una botella al día, es mejor que tome una copita», que no es lo mismo que «recomendar el vino»).
2. Miente (el médico jamás dijo eso, pero él ya tiene una excusa perfecta para beber vino).
3. No miente (al médico podemos aplicarle el feo adjetivo de «negligente»).

Aprovechamos para advertir a cualquier profesional sanitario que lea esto que las malas interpretaciones en el ámbito del alcohol pueden llevar al paciente a acabar abusando de dicha sustancia. No se debería permitir que un paciente salga de la consulta sin tener claro que ha entendido bien el mensaje que se le ha transmitido, sea cual sea.

Traducimos ahora lo que opina una de las entidades mundiales de referencia en cardiología, la American Heart Association (Asociación Americana del Corazón). Como verás, no recomienda precisamente el vino, como puedes comprobar en estas frases tomadas de su documento «Alcohol and Heart Health»:

No es posible predecir en qué personas el alcoholismo se convertirá en un problema. A causa de este y de otros riesgos, la Asociación Americana del Corazón advierte a la población de que NO empiece a beber alcohol... si no está bebiendo alcohol [...].

En las últimas décadas, se han publicado muchos estudios en revistas científicas que han evaluado cómo el consumo de alcohol puede estar asociado con una reducción de la mortalidad por enfermedades del corazón en algunas poblaciones. Algunos investigadores han sugerido que el beneficio puede ser debido al vino, especialmente al vino tinto [...]. La asociación observada en muchos de estos estudios puede deberse a otros factores de estilo de vida en lugar de al alcohol. Tales factores pueden incluir un mayor nivel de actividad física o el hecho de con-

sumir una dieta con una alta cantidad de frutas y verduras y menor en grasas saturadas [en las personas que beben alcohol con moderación]. *No se han realizado ensayos de comparación directa para determinar el efecto específico del vino o de otras bebidas alcohólicas sobre el riesgo de desarrollar enfermedad cardíaca o accidente cerebrovascular* [...].

La forma en que el alcohol o el vino afectan al riesgo cardiovascular precisa más investigación, pero en este momento la Asociación Americana del Corazón no recomienda beber vino ni cualquier otra forma de alcohol para obtener estos supuestos beneficios [...].

Vaya, pues parece que no, que no recomiendan que tomemos el vino para salvarnos de las siete cosas. Por si te has saltado los anteriores párrafos, vamos a transcribir de nuevo lo que es, en nuestra opinión, lo más relevante: «No es posible predecir en qué personas el alcoholismo se convertirá en un problema». Alguien muy admirable, el abogado Francisco José Ojuelos (no dejes de leer su fantástico libro *El derecho de la nutrición*), transmitió algo similar en un texto denominado «¿Qué tienen que ver el alcohol, el film *El amigo de mi hermana* y *JAMA Pediatrics*?»:

Incluso el consumo llamado «moderado» acaba derivando a veces, según demuestran estudios, en un consumo que excede la moderación.

Suya también es esta frase, que compartió en su cuenta de Twitter (@fojuelosdotcom) «Un sanitario recomendando el consumo de alcohol para la salud es como un jurista recomendando solucionar un conflicto a puñetazos». No es el único que piensa así, por supuesto. En el texto «El alcohol no es saludable. No, el vino tampoco» (*www.goo.gl/Ucc2rb*) verás que opinan de similar manera Aitor Sánchez (@Midietacojea), Juan Revenga (@juan_revenga), Laura Saavedra (@laurascasanova), Lucía Martínez (@Dimequecomes), Silvia Romero (@Silvia28282) y Virginia García (@virginut), seis conocidos (y reconocidos) dietistas-nutricionistas. Hemos detallado sus cuentas de Twitter entre paréntesis porque te aconsejamos encarecidamente que sigas de cerca su labor. Otro gran nutricionista al que te aconsejamos seguir es Luis Cabañas (@comocuandocomo), que escribió en su blog un gran artículo sobre esta cuestión titulado: «La mejor cantidad de alcohol: ninguna» (*www.goo.gl/9FCLxQ*).

Pero por si no te fías ni de la American Heart Association, ni de los abogados reputados, ni tampoco de reconocidos nutricionistas, aquí tienes una frase pronunciada por el Instituto Nacional sobre el Abuso del Alcohol y el Alcoholismo de EE. UU. (NIAAA, en sus siglas en inglés), que a su vez pertenece a los Institutos Nacionales de la Salud del país (uno de los centros más grandes del mundo en investigación médica):

La susceptibilidad a la dependencia del alcohol es variable; algunas personas se vuelven dependientes a niveles mucho más bajos de consumo que otros […].

Hemos dejado la cita a medias, porque a veces nos sugieren, cuando hablamos de estos temas, que lo que dicen los estadounidenses no es extrapolable a España. Si bien es cierto que allí, hoy por hoy, la situación es más dramática (uno de cada ocho estadounidenses padece alcoholismo, y la cifra va en aumento), no podemos pasar por alto cuatro cosas:

1. Que la susceptibilidad a la dependencia del alcohol es exactamente igual en Estados Unidos, en España, en el país desde el que estés leyendo estas líneas o en la otra punta del mundo.
2. Que el alcohol causó 2,8 millones de muertes en el mundo en 2016 y fue la primera causa de muerte y discapacidad en personas de entre 15 y 49 años. El dato se publicó en la revista *Lancet* el 23 de agosto de 2018. En el estudio, los autores señalaron lo siguiente «The safest level of drinking is none», es decir, «El nivel seguro de consumo de alcohol es ninguno».
3. Que de cada 100 accidentes de tráfico mortales, el alcohol está implicado de uno u otro modo en entre 30 y 50 de ellos, según el informe «El alcohol y la conducción», publicado en 2014 por la Dirección General de Tráfico (DGT). En él leemos que «cualquier alcoholemia, por pequeña que sea, puede alterar tu capacidad de conducir, incrementando el riesgo de accidente». Como dijo Stevie Wonder en 1985: «Si bebes, no conduzcas». Aunque nosotros lo enfocaríamos más bien así: «Bebas la cantidad que bebas, no conduzcas».
4. Que si el consumo de alcohol en España disminuyera, el riesgo de mortalidad se reduciría en aproximadamente un 60 % al cabo de nueve años, según justificaron Rehm y colaboradores en 2018 en la revista científica *Adicciones*.

Ahora sí, seguimos con la frase que habíamos dejado sin finalizar:

Es difícil especificar los niveles de consumo de alcohol que probablemente causen daño cerebral inducido por alcohol.

Sí, han dicho «daño cerebral». Aunque estábamos hablando de que no sabemos qué personas acabarán desarrollando alcoholismo, hemos creído importante poner en la mesa algo que va más allá del cáncer, del riesgo cardiovascular o del alcoholismo. Sobre todo, porque el 6 de junio de 2017 la doctora Anya Topiwala y sus colaboradores publicaban en la revista *British Medical Journal* uno de esos estudios que hacen contener el aliento a cualquier persona preocupada por la salud pública. Su conclusión es fácil de resumir. Qué hacemos con ella es más complicado. Aquí la tienen: «El consumo de alcohol, incluso a niveles moderados, se asocia con resultados cerebrales adversos, lo que incluye la atrofia del hipocampo», parte importantísima del cerebro, que desempeña una crucial misión en la formación de memorias nuevas y en la detección de entornos desconocidos, sucesos y estímulos emocionales; de hecho es la primera estructura cerebral que se afecta en la enfermedad de Alzheimer.

Casi acabamos este apartado, pero sería irresponsable por nuestra parte no indicar que los trastornos por el consumo de alcohol (JAMA Psychiatry. 2015;72(8)):

- están entre los trastornos mentales más frecuentes en todo el mundo;
- son muy incapacitantes;
- están relacionados con muchas comorbilidades físicas y psiquiátricas;
- contribuyen sustancialmente a la morbimortalidad global;
- afectan la productividad y el funcionamiento interpersonal;
- colocan cargas psicológicas y financieras a quienes abusan del alcohol, a sus familias, amigos y compañeros de trabajo;
- afectan a toda la sociedad, dado que el consumo de alcohol se relaciona de forma clara con accidentes de tráfico, violencia y delitos contra la propiedad.

Nos permitimos añadir que 1 de cada 67 mujeres que beba alcohol durante el embarazo (y muchas lo hacen, algunas sin ser conscientes de que están embarazas) dará a luz a un bebé con una grave enfermedad crónica llamada «síndrome alcohólico fetal» (Lancet Glob Health. 2017;5(3)).

Tienes más información sobre la alimentación de la mujer embarazada en el libro *Mamá come sano*, de Julio Basulto.

Lógicamente, cualquier investigación seria sobre esta cuestión recomienda a los Gobiernos del mundo que incrementen sus esfuerzos para reducir el consumo de bebidas alcohólicas, dado que los costes sociales y las consecuencias sanitarias atribuibles al alcohol son enormes. De entre dichos esfuerzos, los expertos en el tema siempre destacan tres, por su clara utilidad (Lancet. 2009;373(9682)):

- Elevar su precio.
- Dificultar su disponibilidad.
- Prohibir su publicidad.

Las anteriores medidas son imprescindibles en nuestra sociedad, dado que la mayoría no somos conscientes de la relación entre alcohol y cáncer (*www.pubmed.gov/29615419*). Por si lo estás pensando, te diremos que no perseguimos con este apartado volver abstemia a toda la humanidad. Simplemente queremos que seas consciente de lo mucho que *no* te han contado sobre el alcohol, que entiendas que buena parte de la información que has recibido es falsa o tendenciosa y que conozcas los graves perjuicios que produce, a escala poblacional, nuestro actual consumo de alcohol. También perseguimos que afiles tu escepticismo cuando leas frases como «El vino es la única bebida alcohólica que nos protege frente a las enfermedades» (página 118 del —nada recomendable— libro *Guía práctica para una alimentación y vida anticáncer,* de Odile Fernández), o «El consumo de una copa de vino al día proporciona protección a nuestro corazón y nuestras neuronas» (página 325 del —también desaconsejable— libro *Mis recetas anticáncer*, de la misma autora).

Si tienes dudas sobre si sufres o no alcoholismo, lo primero es acudir al médico. Como en el tabaquismo, la ayuda sanitaria en casos de alcoholismo resulta crucial. Por nuestra parte te aconsejamos que acudas al texto «¿Sabes si eres alcohólico?» del reputado dietista-nutricionista y biólogo Juan Revenga (*www.goo.gl/wWX6M6*).

Retomemos el estudio publicado en agosto de 2018 en la revista *Lancet*. Constató que el alcohol causó 2,8 millones de muertes en 2016 y que fue la primera causa de muerte y discapacidad en personas de 15 a 49 años. No sorprende, por tanto, su recomendación: «El nivel seguro de consumo de alcohol es ninguno» («The safest level of drinking is none»). Lo que se aplica a cualquier bebida alcohólica, aunque sea artesanal. En palabras del nutricionista Nico Haros (en Twitter: @nutriniko):

Pensar que las bebidas alcohólicas «artesanales» no perjudican la salud mientras que las industriales sí es como creer que si te cae en la cabeza una maceta hecha a mano no te hará daño, mientras que si te cae un ladrillo de producción industrial, sí.

Y si todo lo anterior te ha dejado la boca seca, nada mejor que saborear el texto del (conocido y reconocido) abogado Francisco José Ojuelos, el (muy buen) dietista-nutricionista Eduard Baladía y el (humilde) dietista-nutricionista Julio Basulto, titulado «Consumo de alcohol y recomendaciones de salud: ya basta». Con él pretendemos cerrar este asunto para siempre. Lo tienes en el blog *Crítica procesal y sustantiva*, pero puedes leerlo tecleando esto en la barra de direcciones de tu navegador *www.goo. gl/TNePjY*.

Cereales integrales, carne roja y cáncer colorrectal

Cereales integrales y alimentos ricos en fibra

Para el WCRF los cereales integrales y los alimentos que contienen fibra dietética probablemente previenen el riesgo de cáncer colorrectal (suma de cánceres de colon y recto). El cáncer colorrectal es uno de los más habituales hasta el punto de que en España es el segundo más frecuente. Y también es uno de los más prevenibles. Para el American Institute for Cancer Research (AICR), el 47 % de cánceres colorrectales están relacionados con la alimentación, el ejercicio y el peso corporal.

Así que vale la pena, sin lugar a dudas, recordar que debemos comer «Más vegetales, menos animales». La frase entrecomillada, por si no lo sabes, coincide con el título de nuestro anterior libro. Frase que está incompleta, ya que en cuanto uno abre el libro se encuentra con la frase ampliada: «Más vegetales, menos animales y nada o casi nada de carnes procesadas y alimentos superfluos». Intenta memorizarla, porque la mencionaremos en breve.

En dicho libro encontrarás amplia información sobre los alimentos de origen vegetal. Son alimentos que, resumiendo mucho, contienen esa «fibra dietética» de la que habla el WCRF. ¿Son beneficiosos por la fibra dietética... o más bien la fibra, como casualmente está en alimentos saludables, es un mero marcador que señala que quien toma mucha cantidad de ella está siguiendo una dieta sana? No es una pregunta absurda. Sea como sea, en fecha posterior a la publicación de *Más vegetales, menos animales*, en concreto el día 8 de septiembre de 2017, la Universidad de Harvard publicaba un texto en el que también hablaba de este tema: «PURE study makes headlines, but the conclusions are misleading» («El estudio PURE genera titulares, pero las conclusiones son engañosas»). PURE son las siglas de «Prospective Urban Rural Epidemiology (Epidemiología Prospectiva Rural Urbana»). Vamos a destacar de su texto unas declaraciones del doctor Frank Hu, presidente del Departamento de Nutrición de la Escuela de Salud Pública Harvard T. H. Chan:

Los principales mensajes para el consejo nutricional no han cambiado: siga un patrón dietético saludable que incluya abundantes cantidades de verduras, frutas, granos integrales, legumbres y frutos secos; cantidades moderadas de productos lácteos bajos en grasa y pescado; y cantidades más bajas de carne procesada y roja, alimentos y bebidas endulzadas con azúcar y cereales refinados. Dicho patrón dietético no necesita limitar la ingesta total de grasa, pero los principales tipos de grasa deben ser grasas insaturadas de origen vegetal en lugar de grasa animal.

¿A que se parece bastante al consejo de nuestro último libro, o sea, esa frase que te hemos recomendado que memorices hace unas líneas? Si alguien está pensando: «Qué copión el tal Frank Hu», que sepa que eso es imposible. Es más bien que tanto él como nosotros revisamos la misma bibliografía científica. Hay alguien que también ha revisado tales estudios: la doctora Marion Nestle (sin tilde en la última «e»), que, además de ser una reputada investigadora, es una muy activa bloguera (tenlo en cuenta para cuando alguien trate con prepotencia o desprecio a los blogueros). En su muy recomendable blog *Food Politics* leímos el 5 de septiembre de 2017 lo siguiente (texto titulado «The PURE study warrants some skepticism»):

Los estudios bien diseñados sobre patrones dietéticos realizados hasta la fecha sugieren que las dietas basadas principalmente en alimentos de origen vegetal se relacionan con una excelente salud y longevidad.

Estarás pensando que ahora vamos a aconsejarte alimentos concretos, o fuentes concentradas de fibra dietética, pero no. Porque el WCRF no habla (ni nosotros tampoco) de alimentos «enriquecidos con fibra dietética», de pastillas de fibra, de salvado o de productos similares. Habla de alimentos enteritos tales como:

- Frutas frescas (cualquiera: manzanas, naranjas, cerezas, melones…)
- Hortalizas (cualquiera: calabacín, zanahoria, brócoli…)
- Legumbres (cualquiera: lentejas, garbanzos, judías…)
- Granos integrales (cualquiera: arroz, trigo, maíz…)
- Frutos secos (también cualquiera: avellanas, almendras, nueces…)

Repetimos como loros el «cualquiera» porque el WCRF no hace distinción alguna entre diferentes alimentos. Es decir, no afirma: «Los pimientos rojos son mejores que los verdes» ni «Los ecológicos son mejores» (no lo son) ni tampoco «Los transgénicos son peligrosos» (tampoco lo son).

Ah, y que quede claro, NO son frutos secos productos como:

- Boca Bits
- Conguitos
- Cortezas de cerdo
- Garrapiñadas
- Gusanitos
- Kikos
- Palomitas de colores
- Pipas Tijuana
- O cualquier cosa «sabor barbacoa»

Y tampoco consideramos «cereales integrales» las galletas «integrales» o cualquier producto de bollería que perjure que es integral o la inmensa mayoría de los mal llamados «cereales de desayuno», aunque en su etiqueta presuman de integrales. Hay quien desaconseja los verdaderos cereales integrales (como arroz integral, pasta integral o la harina integral) porque tienen gluten. No dice ni una palabra al respecto el WCRF, simplemente porque no tiene sentido. De hecho, el último estudio disponible sobre el gluten, publicado en octubre de 2018 por el doctor Geng Zong y sus colaboradores en la revista *Diabetologia*, concluyó que «Limitar el gluten en la dieta se asocia con una menor ingesta de fibra de cereales y posiblemente de otros nutrientes beneficiosos que contribuyen a la buena salud». En este estudio, a más gluten, menos riesgo de diabetes tipo 2. El estudio impide inferir causalidad, por ser observacional, pero sí nos permite corroborar que el gluten no es responsable de los siete males, como muchos falsos gurús perjuran.

Conocerás, suponemos, la recomendación de ingerir un mínimo (que no «un máximo») de cinco raciones de frutas y hortalizas. Es decir, la famosa campaña *5 al día*. Nos gusta mucho, desde luego, pero cada día estamos más convencidos de que «No es más limpio el que más limpia...». Lo acabamos de decir, sí, pero es preciso insistir. Porque mucha gente cree que por el hecho de haberse comido dos plátanos, un plato de lentejas y una ensalada ya se ha ganado el derecho a meterse entre pecho y espalda un cruasán, dos bistecs con crema de leche y una Coca-Cola. Y no funciona así. ¿Verdad que el dolor de una importante lesión deportiva no se compensa con una caricia? Pues el daño de consumir a menudo productos malsanos no se compensa por haber ingerido pocos o muchos alimentos saludables. Ya sabemos que el daño de la patada es inmediato y el de la mala dieta no, porque se produce a largo plazo... pero también debe denominarse «daño». Traemos, para finalizar este punto, un fragmento del texto «No comas mejor, deja de comer peor» (*www.goo.gl/6LBz3h*):

> [...] *el riesgo de mortalidad podría disminuir un 56% elevando la ingesta de alimentos protectores* [pero] *el riesgo de mortalidad se eleva un 100% (es decir, se duplica) ante un elevado consumo de «alimentos que incrementan el riesgo», como es el caso de carnes rojas, carnes procesadas o bebidas azucaradas. Es decir, es más arriesgado «comer mal» que beneficioso «comer bien».*

Carnes rojas y cáncer colorrectal

Tanto para el WCRF como para el CIIC (2018), la relación entre carnes rojas y el aumento del riesgo cáncer colorrectal es «probable». Es una relación menos clara que la observada en carnes procesadas («convincente»), pero eso no significa que podamos liarnos a consumir carne roja alegremente. Sabemos que buena parte de la población se resiste a aceptar que algo de consumo tan habitual y tan integrado en nuestra gastronomía como las carnes rojas (o las procesadas, de las que ya hemos hablado) puedan estar implicadas en el cáncer. Y lo están. Como hablamos a fondo sobre esta cuestión en nuestro libro *Más vegetales, menos animales* y no queremos repetirnos, aquí haremos un resumen de lo más importante.

La OMS considera carne roja a «toda la carne muscular de los mamíferos, incluyendo carne de res, ternera, cerdo, cordero, caballo y cabra». Para el WCRF es cualquier carne que tenga un color oscuro cuando está cruda. El término hace referencia, en general, a carnes de mamíferos, como ternera, cerdo, cordero o caballo, pero también incluye carnes de caza como ciervo, venado, jabalí, etc.

Si consumes carne roja (tal como carne de cerdo, res o cordero) lo ideal es que no comas más que cantidades moderadas. No deberíamos superar las tres raciones semanales de carne roja (entre 350 y 500 gramos de peso tras la cocción) a la semana, según el WCRF, que reconoce que «consumir carne no es una parte esencial de una dieta saludable»·. En nuestra opinión, un consumo máximo de dos raciones semanales de carne roja es una cifra sensata. Por cierto, no se observan perjuicios por no consumir carnes rojas.

La OMS atribuye unas 34.000 muertes anuales por cáncer a las dietas ricas en carnes procesadas, y unas 50.000 a las dietas ricas en carnes rojas (Fuente: *www.goo.gl/96PEsv*). Un reciente y riguroso estudio (revisión sistemática y metaanálisis), publicado por Zhanwei Zhao y colaboradores en la revista *Oncotarget*, ha vuelto a constatar que tanto las carnes rojas como las procesadas se relacionan con el riesgo de cáncer colorrectal.

¿Vas a evitar tener un cáncer por no comer carne roja? Seguramente no. ¿Vas a padecer un cáncer por consumir mucha carne roja? Seguramente tampoco. ¿Entonces? Pongamos un ejemplo para que se entienda mejor. Hemos dicho que consumir mucha carne roja aumenta el riesgo de padecer cáncer de colon, pero eso es algo que se aplica a escala poblacional. Pensemos ahora en un tren en marcha con muchos pasajeros a bordo, que pega un frenazo brusco. ¿Te matarás si vas dentro de él? Seguramente no. ¿Te librarás de cualquier percance si jamás coges un tren? Pues tampoco. Pero sí sabemos que cuando hay mucha gente en un tren que periódicamente va dando frenazos bruscos las posibilidades de que alguien se lesione o incluso se mate son más altas que si no da esos frenazos. ¿A quién le tocará? Pues ahí juegan factores como la susceptibilidad de cada uno o si en ese momento le pilló de pie o si se trata de alguien que ya estaba enfermo, etc. Lo que está claro es que las autoridades ferroviarias, a la vista de la cantidad de gente que se lesiona o muere a causa de frenazos evitables, tiene la obligación de hacer lo posible para que dejen de ocurrir. Algo similar ocurre cuando las entidades sanitarias de referencia afirman que algo aumenta el riesgo de una enfermedad, como es el caso de las carnes rojas o de las carnes procesadas, de las que hablamos en el siguiente apartado.

Queremos advertirte, amigo lector, que el elevado consumo de carnes rojas no solo aumenta el riesgo de cáncer colorrectal. También eleva las posibilidades de padecer otras enfermedades, hasta el punto de que una investigación ha concluido recientemente que la relación entre el consumo de carnes rojas y el riesgo de mortalidad es lineal. La han publicado en junio de 2017 el doctor Lukas Schwingshackl y sus colaboradores (Am J Clin Nutr. 2017;105(6)). Es decir, a más consumo, más posibilidades de morir de forma prematura. Quizá pienses de nuevo: «Bueno, todos nos tenemos de morir algún día», pero una cosa es morir conservando hasta el final de nuestros días la mayor parte de nuestras facultades físicas y mentales, y otra bien distinta es hacerlo (como puede suceder en las personas que siguen durante mucho tiempo un mal estilo de vida) tras varios años de padecimientos que no solo sufriremos nosotros, sino también quienes nos rodean. Insistimos: «Más vegetales, menos animales».

¿Te estás preguntando qué pasa con las carnes blancas? Pues hablemos un poco del tema, para lo que recurriremos a un estudio multicéntrico recientemente aparecido en la revista *European Journal of Clinical Nutrition* y cuyo primer firmante es el doctor Jordi de Batlle, perteneciente a la entidad International Agency for Research on Cancer (CIIC), en Lyon, Francia. Traemos primero la conclusión y luego la discutimos:

> *La ingesta total de carne se asoció con un incremento en el riesgo de cáncer colorrectal [...] y se observaron asociaciones similares para la carne blanca, roja y procesada/curada/de órganos.*

Carne blanca fue, para los autores, carne de pollo, pavo y conejo. Algo importante a tener en cuenta en este estudio es que, dado que otras investigaciones no han observado la asociación aquí constatada para las carnes blancas (sí para las carnes rojas, como acabamos de ver), los autores incluyeron la siguiente explicación:

> *Curiosamente, todos los estudios que no hallaron asociaciones significativas observaron un menor consumo de carne que el constatado en nuestro estudio, y los sujetos pertenecientes [en dichos estudios] a grupos con una alta ingesta alta de carne, presentaron consumos por debajo de la ingesta media de carne reportada en nuestro estudio. Este hecho sugiere que la relación entre la ingesta de carne y el riesgo de cáncer colorrectal podría no existir por debajo de un cierto umbral de consumo de carne, y resultar evidente ante una mayor ingesta de carne, lo que explicaría parte de la heterogeneidad de los resultados que se observan en la literatura científica.*

El caso es que los propios autores reconocen que la relación entre carne blanca y cáncer colorrectal les ha pillado por sorpresa («reported findings on white meat were unexpected»). Pero, de nuevo, insisten en que la ingesta media diaria de carne blanca en su cohorte ha sido mayor que en la mayoría de estudios previos. Sea como sea, el estudio presenta limitaciones que impiden extrapolar una causalidad clara, dado que no es un ensayo controlado aleatorizado, sino un estudio observacional. En todo caso, tal y como reconocieron en abril de 2004 la doctora Anja Kroke y sus colaboradores (revista *Public Health Nutrition*), cuando se realizan recomendaciones preventivas a la población con consejos para mejorar conductas, sin especificar cantidades, no es imprescindible contar con ensayos controlados y aleatorizados. De ahí que no nos haya extrañado la conclusión del estudio:

En conjunto, nuestros resultados apoyan la recomendación de moderar la ingesta de carne y de reducir o evitar el consumo de carne procesada.

El nutricionista Juan Revenga (en Twitter: @juan_revenga) dedicó un artículo al nuevo informe del WCRF (julio de 2017). Lo comentamos porque supo resumir en un titular todo lo que hemos intentado explicar hasta ahora: «Contra el cáncer, más verdura y menos carne, refrescos y alcohol». No dejes de leer su texto, que tienes disponible en este enlace: *www.goo.gl/kZcS3m.*

Un decálogo y un dodecálogo (más factores de riesgo modificables)

En el informe del WCRF encontramos un interesante decálogo de recomendaciones para reducir el riesgo de cáncer. Muchas ya las hemos comentado, pero otras no, como el control de peso corporal (que trataremos en el capítulo 4) o la lactancia materna, entre otras. Este decálogo es muy similar, pero no igual, al dodecálogo del CIIC, perteneciente a la Organización Mundial de la Salud. Tienen que ser necesariamente distintos, porque el informe del WCRF se centró en dieta, nutrición y actividad física, mientras que el dodecálogo del CIIC abarca la mayoría de los factores que nos pueden ayudar a prevenir el cáncer y que además cuenten con pruebas científicas. Detallamos tanto el decálogo como el dodecálogo a continuación, y más adelante hablaremos brevemente de los aspectos no abordados con anterioridad.

Tabla 2. Recomendaciones para la prevención del cáncer Fondo. Mundial para la Investigación del Cáncer (WCRF)
1. Mantenga un peso saludable.
2. Sea físicamente activo.
3. Siga una dieta rica en cereales integrales, hortalizas, frutas y legumbres.
4. Limite el consumo de *fast food* y otros alimentos procesados ricos en grasas, almidones o azúcares.
5. Limite el consumo de carnes rojas y procesadas.
6. Limite el consumo de bebidas azucaradas.
7. Limite el consumo de alcohol.
8. No utilice complementos alimenticios para la prevención del cáncer.
9. Para las madres: si puede, amamante a su bebé.
10. Tras el diagnóstico del cáncer: siga las anteriores recomendaciones, si es posible.

Fuente: World Cancer Research Fund/American Institute for Cancer Research. *Food, Nutrition, Physical Activity, and the Prevention of Cancer: a Global Perspective;* 2018.

Tabla 3. Código europeo contra el cáncer (12 formas de reducir el riesgo de cáncer). Centro Internacional de Investigaciones sobre el Cáncer (CIIC)
1. No fume. No consuma ningún tipo de tabaco.
2. Haga de su casa un hogar sin humo. Apoye las políticas antitabaco en su lugar de trabajo.
3. Mantenga un peso saludable.
4. Haga ejercicio a diario. Limite el tiempo que pasa sentado.
5. Coma saludablemente. Consuma gran cantidad de cereales integrales, legumbres, frutas y verduras. Limite los alimentos hipercalóricos (ricos en azúcar o grasa) y evite las bebidas azucaradas. Evite la carne procesada; limite el consumo de carne roja y de alimentos con mucha sal.
6. Limite el consumo de alcohol, aunque lo mejor para la prevención del cáncer es evitar las bebidas alcohólicas.
7. Evite una exposición excesiva al sol, sobre todo en niños. Utilice protección solar. No use cabinas de rayos UVA.
8. En el trabajo, protéjase de las sustancias cancerígenas cumpliendo las instrucciones de la normativa de protección de la salud y seguridad laboral.

Tabla 3. Código europeo contra el cáncer (12 formas de reducir el riesgo de cáncer). Centro Internacional de Investigaciones sobre el Cáncer (CIIC) *(continuación)*
9. Averigüe si está expuesto a la radiación procedente de altos niveles naturales de radón en su domicilio y tome medidas para reducirlos.
10. Para las mujeres: la lactancia materna reduce el riesgo de cáncer de la madre. Si puede, amamante a su bebé. La terapia hormonal sustitutiva (THS) aumenta el riesgo de determinados tipos de cáncer. Limite el tratamiento con THS.
11. Asegúrese de que sus hijos participan en programas de vacunación contra la hepatitis B (los recién nacidos) y el virus del papiloma humano (VPH, las niñas).
12. Participe en programas organizados de cribado del cáncer: colorrectal (hombres y mujeres), de mama (mujeres) y cervicouterino (mujeres).

Fuente: Organización Mundial de la Salud [internet]. Agencia Internacional de Investigación sobre el Cáncer. Código Europeo Contra el Cáncer. *12 formas de reducir el riesgo de cáncer.* 2016. [Consultado el 14 de octubre de 2018]. Disponible en: https://cancer-code-europe.iarc.fr/index.php/es/doce-formas.

Revisaremos ahora los puntos que no hemos analizado anteriormente y que no se centran en el exceso de peso o en los alimentos que lo promueven (porque los trataremos, como ya hemos indicado, en el siguiente capítulo). No revisaremos, por no ser expertos en la materia, aspectos como la exposición excesiva al sol, las sustancias cancerígenas en el trabajo, el radón, la terapia hormonal sustitutiva, la vacunación o los programas de cribado. Tienes amplia información sobre dichos temas en esta página web de la Organización Mundial de la Salud: *https://cancer-code-europe.iarc.fr/index.php/es/doce-formas.*

Comer saludablemente

Acabamos de ver que el WCRF emite estos tres consejos:

- Limita el consumo de alimentos ricos en energía y evita las bebidas azucaradas.
- Consume principalmente alimentos de origen vegetal.
- Limita el consumo de carnes rojas y evita las carnes procesadas.

El CIIC, por su parte, aconseja:

- Come saludablemente. Consume gran cantidad de cereales integrales, legumbres, frutas y verduras.

- Limita los alimentos hipercalóricos (ricos en azúcar o grasa) y evita las bebidas azucaradas.
- Evita la carne procesada y limita el consumo de carne roja y de alimentos con mucha sal.

Como ya hemos hablado de carnes rojas y procesadas, y como nos centraremos en los alimentos hipercalóricos y en las bebidas azucaradas más adelante, ahora solo insistiremos en la importancia de basar nuestra alimentación en alimentos de origen vegetal poco procesados y en disminuir el consumo de sal. De hecho, como ya hemos indicado, dedicamos todo un libro al tema, titulado *Más vegetales, menos animales,* así que seremos breves.

Lo primero que queremos que quede claro es que no existe una alimentación específica que nos proteja contra el cáncer. Una alimentación saludable, que no tiene por qué tener «apellido» («mediterránea», «DASH» o cualquier otro nombre propio), está basada fundamentalmente en alimentos de origen vegetal poco procesados (frutas frescas, hortalizas, legumbres, frutos secos, cereales integrales, aceites vegetales y semillas) y es útil para reducir el riesgo de padecer algunos tipos de cáncer y prevenir otras enfermedades crónicas, como la diabetes tipo 2 o las cardiopatías. En mayo de 2018, el doctor Abou Kane-Diallo y su equipo publicaron en la revista *International Journal of Cancer* un estudio cuya conclusión fue la siguiente: una alimentación basada en alimentos de origen vegetal se asocia con una disminución de un 15 % en el riesgo de cáncer.

Lo segundo, que no des crédito a quien asegure que hay alimentos concretos que son mejores que otros para reducir el riesgo de cáncer (engañosamente conocidos por «superalimentos»). ¿Verdad que no existe Superman? Pues tampoco los superalimentos. Hay quien no comprende por qué nos molesta que se atribuyan falsas propiedades a alimentos saludables, como la fruta. Nos preguntan: «¿Acaso no queréis que comamos más fruta?». Sí queremos, pero no con mentiras. Si te dicen que un coche vuela y es mentira, cuando lo compres te frustrarás, ¿verdad?

Lo tercero, que tengas en cuenta que el consejo de «5 al día» (tomar cinco raciones de frutas y hortalizas al día) no es un máximo, sino un mínimo. Así, cuanta más cantidad y variedad de fruta (fresca) y verdura consumas, mejor. Algo similar ocurre con los cereales, siempre que sean integrales (pan integral —mejor sin sal—, pasta integral, arroz integral u otros cereales como maíz o avena). No los confundas con los mal llamados «cereales de desayuno integrales», «galletas integrales» o «bollería integral», que suelen contener ingentes cantidades de azúcar y no tienen nada de sanos. El WCRF nos invita a consumir un mínimo de 600 gramos de frutas y hortalizas a diario, que tomemos granos integrales y/o legumbres en cada comida principal, que limitemos el consumo de cereales refinados (eso incluye el arroz no integral, la pasta no integral o el pan no integral).

En cuarto lugar, no queremos que pienses que nos hemos olvidado del pescado. ¿Por qué no decimos que la clave es comer mucho pescado? Porque no es verdad. El estudio más reciente sobre el tema es el publicado por Eric B. Rimm y colaboradores en julio de 2018 (revista *Circulation*). Se constatan beneficios para la salud al consumir de una a dos raciones semanales de pescado. Atención, que no han dicho catorce raciones semanales. Lo decimos porque lo que suele interpretarse cuando se afirma que el pescado es saludable es que debe estar presente en cada comida principal, cuando no es así. De hacerlo, se desplazaría el consumo de alimentos que sí han mostrado indiscutibles ventajas para la salud: los de origen vegetal poco procesados. El estudio de Rimm y su equipo subraya algo importante que no debemos pasar por alto: que los beneficios atribuibles al pescado se constatan «especialmente cuando el pescado reemplaza la ingesta de alimentos menos saludables». Lo que nos lleva a un consejo que hemos emitido hace unas líneas: no comas mejor, deja de comer peor.

En quinto lugar, te rogamos que huyas de la creencia popular (magnificada día tras día por la industria alimentaria) que sostiene que una alimentación saludable consiste en «comer de todo». No es cierto: hoy por hoy sabemos que una mayor variedad dietética suele traducirse en una mayor presencia de productos superfluos en nuestra despensa y en un mayor riesgo de obesidad. Siempre lo hemos pensado (lo hemos justificado en nuestros libros con diversas investigaciones científicas) pero vino a darnos la razón un consenso de la American Heart Association (AHA, Asociación Americana del Corazón) publicado en septiembre de 2018. En él leemos que una mayor diversidad en la dieta se relaciona con «patrones de alimentación subóptimos», es decir, con un mayor consumo de alimentos procesados, cereales refinados y bebidas azucaradas y también con un menor consumo de alimentos frescos. La AHA añade que seguir una dieta variada «puede asociarse con el aumento de peso y con la obesidad en adultos». ¿Por qué? Porque, a juzgar por los estudios disponibles, la exposición a una variedad de alimentos puede reducir la sensación de saciedad (es decir, seguiremos comiendo tras cubrir nuestros requerimientos calóricos), lo que aumentará el consumo de energía y, en consecuencia, nuestro riesgo de obesidad. Se concluye que «los datos actuales no apoyan una mayor diversidad en la dieta como una estrategia eficaz para promover patrones de alimentación saludables y un peso corporal saludable». En cuanto a la sal, te rogamos que compruebes que la que tienes en casa sea yodada (que no es lo mismo que «marina» o cualquier otra denominación, como «Maldon», «de escamas», etc.) y que seas consciente de que la mayoría de la sal que consumimos no la hemos añadido voluntariamente a la comida (al cocinar o en la mesa), sino que proviene de alimentos ya preparados (muy transformados). El pan contribuye mucho al consumo de sal, por eso es mejor tomarlo sin sal; los quesos, los embutidos, los fiambres y la carne o los pescados ahumados o curados también son productos muy salados. La mejor manera de tomar menos sal es que nos preparemos la comida nosotros mismos y evitemos recurrir a menudo a platos precocinados. Si revisas la etiqueta de un alimento sólido, asegúrate de que contiene menos de 1,25 gramos de sal por cada 100 g de producto. Si es un líquido, no debe contener más de 0,75 g de sal por cada 100 ml de producto. Aunque la mayoría de los españoles consumimos cerca de 10 gramos de sal al día, lo recomendable es no sobrepasar los 5-6 gramos diariamente. El CIIC considera que elevar tales cifras aumenta el riesgo de cáncer de estómago, de hipertensión arterial, de cardiopatía y de accidente cerebrovascular.

Puede que alguien que conozcas te diga algo así como: «Yo ya soy muy mayor, no tiene sentido cambiar mis hábitos de alimentación». Para convencerle de lo contrario, te aconsejamos que acudas a una investigación publicada en enero de 2017 por la doctora Nicole Jankovic y sus colaboradores en la revista científica *Cancer Epidemiology, Biomarkers & Prevention*. El trabajo consistió en un metaanálisis que incluyó datos de 3652.114 participantes (norteamericanos y europeos) con 60 años de edad o más. Su conclusión es que quien siguió los principales consejos del WCRF en relación a la alimentación (tomar menos alcohol, alimentos con alta densidad calórica —exceptuando frutos secos y aceites vegetales—, bebidas azucaradas y carnes rojas o procesadas y tomar más alimentos de origen vegetal) presentó un menor riesgo de cáncer.

Queremos acabar este apartado advirtiéndote de algo llamado «dietas basadas en tests de ADN». Analizó esta cuestión en febrero de 2018 el psicólogo Javi Jiménez (en Twitter: @dronte) para el portal científico *Xataca*. Con el título tendrás suficiente para hacerte una idea de la «utilidad» de dichas dietas: «Tras gastar ocho millones de dólares en estudiar las dietas basadas en tests de ADN, la conclusión es clara: no sirven para nada».

Explícaselo a quien quiera venderte un test genético, sin olvidarte de mencionar este fragmento del texto de Javi Jiménez:

> [...] *el precio de un análisis con garantías parece prohibitivo. A día de hoy, las dietas basadas en ADN son indistinguibles de la magia. También en sus efectos.*

¿Por qué no hemos demonizado la soja, los lácteos, el gluten, los aditivos, los transgénicos, los pesticidas, los alimentos no ecológicos, los alimentos ionizados o esterilizados por radiación o el microondas? ¿Y por qué no recomendamos los suplementos polivitamínicos o los complementos alimenticios?

Hay dos posibilidades. La primera es que recibamos mensualmente pingües emolumentos por parte de la industria alimentaria. Eso explicaría por qué ocultamos el riesgo que supuestamente supone consumir aditivos alimentarios, por qué no mencionamos que los ecológicos son infinitamente más sanos que los alimentos no ecológicos, por qué ocultamos el riesgo de los transgénicos y por qué «nos olvidamos» de que ionizar, esterilizar, usar radiaciones o cocinar alimentos con el microondas es tan peligroso como manosear uranio empobrecido. Lo cierto es que nuestra cuenta corriente sufre lo indecible para que lleguemos a final de mes, así que debemos descartar la posibilidad de que nos paguen para equivocarnos. La segunda, más plausible, es que no encontramos razones científicas o sanitarias convincentes para relacionar con el cáncer los elementos citados en el título de este apartado. Ni nosotros, ni cualquier entidad mínimamente seria. Conocemos a tantas personas que tienen terror a los aditivos, conservantes o colorantes que no podemos dejar de recomendar a quien dude sobre este tema que lea sin falta un texto que escribió Juan Revenga. Se titula «¿Hay que temer a los aditivos?» y puedes leerlo en este enlace: *www.goo. gl/qqFmYa*. Tampoco vamos a enfermar gravemente por culpa de los antibióticos presentes en los alimentos, tal y como demostró otro imprescindible referente, Miguel Ángel Lurueña, en su artículo «¿Está la carne llena de antibióticos?» (*www.goo.gl/8ex7vk*).

También es común escuchar que moriremos todos a causa de los pesticidas que encontramos en los alimentos; recordamos algo que ya apuntamos en el capítulo 1 («Tener criterio»): un estudio capitaneado por el doctor Martin Olof Larsson analizó en enero de 2018 (revista *Food and Chemical Toxicology*) los residuos de pesticidas en 47 alimentos y llegó a la conclusión de que su índice de peligrosidad es el mismo que el del alcohol para una persona que consume el equivalente a una copa de vino cada siete años. ¿Sabías que el uso de pesticidas es hoy un 95 % más bajo que en 1950 (*www.goo.gl/4XSbdP*)?

Es fácil encontrar artículos o libros que perjuran que el cáncer es atribuible a que no consumimos «cereales milenarios», «pan vivo» o alimentos ecológicos, o a que sí consumimos gluten (del que hemos hablado más arriba), leche de vaca, lactosa, café, agua del grifo, alimentos ionizados o esterilizados por radiación, o a que utilizamos el microondas. No aparece ni una palabra de tales hipótesis en el informe de julio de 2018 del WCRF. Y no es porque se hayan olvidado del tema, sino porque son afirmaciones sin pies ni cabeza. En cualquier caso, vamos a dedicar unas pocas líneas a la soja y a los ecológicos, no sin antes recomendarte que leas, si crees que el microondas es la causa del cáncer, el texto «El microondas, ¿perjudica a los alimentos?» (*www.goo.gl/cGvdzC*).

Lo único que afirma de la soja el WRRF es que podría ser útil consumirla tras un diagnóstico de cáncer de mama. Las pruebas científicas son débiles, por eso no recomiendan consumir soja como medida sanitaria. Pero lo que es seguro es que no resulta peligroso consumir soja o alimentos elaborados con esta legumbre. Legumbre, por cierto, con similares propiedades para la salud que cualquier otra: garbanzos, lentejas, alubias, etc. Sí se insiste, sin embargo, en que no tomemos algo que precisamente suelen aconsejar bastantes «naturópatas»: complementos alimenticios, sean o no a base de soja. Los elaborados con soja tienen una alta cantidad de unas sustancias denominadas «isoflavonas», cuya seguridad a largo plazo no está establecida. Consumirlas en su matriz (es decir, en la propia soja) no supone un problema, algo que sí puede ocurrir si las concentramos en una pastilla.

Tampoco habla el WCRF de los alimentos ecológicos u orgánicos. ¿Por qué? Porque no existen indicios que nos hagan pensar que son más saludables, sean cárnicos o alimentos de origen vegetal. Si revisamos la literatura científica no tardaremos en dar con un magnífico estudio llevado a cabo por Reiss y colaboradores en diciembre de 2012 (*Food and Chemical Toxicology*), que reveló que si la mitad de la población estadounidense tomara una ración más cada día de frutas y hortalizas se podrían evitar 20.000 casos de cáncer cada año. Asimismo, evaluaron si los pesticidas utilizados en el cultivo de estos alimentos suponen un problema, para concluir que «los consumidores no deben estar preocupados por los riesgos de cáncer de consumir frutas y verduras de cultivo convencional». Tienes más información en este estudio de Hemler y colaboradores: *www.pubmed.gov/30422205*.

Tampoco hemos recomendado los polivitamínicos para la prevención del cáncer y eso incluye una vitamina que está muy de moda: la vitamina D. ¿No lo hacemos porque estamos vendidos a representantes de la mal llamada «medicina alternativa»? No es plausible, porque tampoco recomendamos el uso de plantas para tratar enfermedades o los complementos alimenticios (por varias razones, como su escaso valor terapéutico o la presencia de sustancias con efectos indeseados). Una revisión sistemática con metaanálisis publicada por David J. A. Jenkins y sus colaboradores el 5 de junio de 2018 (*Journal of the American College of Cardiology*) llegó a estas conclusiones:

1. No ha quedado demostrado que existan beneficios atribuibles a tomar ninguna clase de suplementos de vitaminas o minerales en todos los entornos dietéticos (incluyendo deficiencia y suficiencia).
2. Los beneficios observados deben equilibrarse con los posibles riesgos.
3. Todo patrón dietético saludable debe contar «con una mayor proporción de alimentos vegetales, en los que podemos encontrar las vitaminas y los minerales que necesitamos».

En la tabla 2 vemos que el WCRF recomienda lo siguiente «No utilice complementos alimenticios para la prevención del cáncer.». Ojo, que esta es una de sus diez recomendaciones para prevenir el cáncer. ¿Por qué aparece en un decálogo, que se supone que resume los factores más importantes de todos los evaluados? Pues porque grandes estudios que han valorado qué ocurre cuando tomamos suplementos muestran que no siempre son seguros. En la página web del WCRF leemos «Dietary supplements are not recommended for cancer prevention», es decir, «Los suplementos dietéticos [también conocidos como "complementos alimenticios"] no se recomiendan para la prevención del cáncer». Se sobreentiende que existen situaciones particulares en las que está justificado su uso, como el ácido fólico en los primeros meses de embarazo, pero eso no resta veracidad a la frase.

Lactancia materna

En las dos tablas recién referidas aparece la lactancia como un factor que protege del cáncer. De hecho, cuando los sanitarios hablamos de un estilo de vida saludable siempre incluimos la lactancia materna. En el informe de 2018 del WCR se indica que la lactancia probablemente protege del cáncer de mama en las mujeres que amamantan.

Se recomienda que todos los bebés (salvo poquísimas y raras excepciones) sean amamantados, sin darles ninguna otra comida ni bebida, hasta los seis meses. Después, se inicia un periodo denominado «alimentación complementaria». Cuidado: no se llama «alimentación sustitutiva», es decir, el objetivo no es sustituir la leche materna con alimentos, sino sencillamente complementarla, para que el bebé pruebe diferentes sabores y texturas y se vaya acostumbrando, sin prisa, a los alimentos que tomamos los adultos (evitando aquellos con los que se pueda ahogar, como palomitas de maíz, uvas enteras, frutos secos sin triturar, etc.). ¿Cuánto tiempo dura la lactancia? Pues hasta que madre e hijo quieran, sin más. A más tiempo de lactancia materna, más beneficios reciben tanto la madre como el bebé. No existe una edad para dejar la lactancia materna, de igual manera que no existe una edad para dejar de dormir con tu hijo o para dejar de darle la mano cuando camináis juntos. En la página web de la OMS denominada «Código europeo contra el cáncer» leemos lo siguiente:

La leche materna contribuye a protegerlo [al bebé] *frente a las enfermedades comunes de la infancia, tales como las infecciones de vías respiratorias bajas, otitis, diarrea y asma, entre otras, lo que reduce la necesidad de ingresos hospitalarios o de tratamiento de enfermedades alérgicas e infecciosas. La leche materna también disminuye el riesgo de padecer ulteriormente afecciones crónicas como la hipertensión arterial, el colesterol elevado, la obesidad y la diabetes de tipo 2, y contribuye al desarrollo cognitivo del niño* [...]. *Hay muchos datos probatorios de que la lactancia materna prolongada contribuye a reducir el aumento de peso a largo plazo y a recuperar más rápidamente el peso de antes del embarazo. Las mujeres de mediana edad que cuando eran más jóvenes amamantaron a sus hijos tenderán menos al sobrepeso o la obesidad que quienes no lo hicieron.*

Uno de los beneficios es el menor riesgo de cáncer de mama en la madre. Sigamos leyendo a la OMS:

Cuanto más prolonga la lactancia una mujer, más protegida está contra el cáncer de mama. El riesgo se reduce aproximadamente en un 4 % por cada doce meses acumulados de lactancia (es decir, los obtenidos sumando los periodos en que la mujer amamantó a cada bebé), ade-

más de la reducción del riesgo de cáncer de mama inherente a haber tenido un hijo.

¿Por qué? Según la OMS:

No se comprende totalmente el mecanismo del efecto protector de la lactancia materna. Sus efectos beneficiosos parecen explicarse por modificaciones de la estructura de la mama y la menor exposición a las hormonas durante toda la vida de la madre.

Para saber más sobre lactancia materna te aconsejamos tres muy recomendables libros: *Somos la leche*, de Alba Padró; *Tu lactancia de principio a fin*, de Gloria Colli, y *Un regalo para toda la vida*, de Carlos González. Y si quieres descubrir que hay centenares de científicos dedicados en cuerpo y alma a investigar los efectos de la lactancia sobre la salud, no dejes de leer el número especial que dedicó al tema, en diciembre de 2015, la revista *Acta Paediatrica: www.goo.gl/868Eb6.*

Cuatro reflexiones finales

Prevención, papel crucial

En este capítulo hemos pretendido que quede claro que intentar compensar con fármacos o sustancias «naturales» un mal estilo de vida (tabaquismo, sedentarismo, mala alimentación, consumo de alcohol…) es como intentar restaurar con una goma de borrar un edificio en ruinas. En cualquier caso, antes de enumerar los puntos más destacables, queremos insistir en que alrededor del 70-80 % de los fallecimientos prematuros los ocasionan, en nuestro medio, las llamadas «enfermedades no transmisibles» (también denominadas «enfermedades crónicas», una de las cuales es el cáncer). Pues bien, según cálculos del Programa de las Naciones Unidas para el Desarrollo, la mayor parte de tales enfermedades son prevenibles con una «pastilla» llamada «estilo de vida». La principal causa de muerte en Europa son las enfermedades cardiovasculares y la principal causa de las mismas son los factores dietéticos. Coincide en este punto de vista el informe «La carga de enfermedad en España: resultados del Estudio de la Carga Global de las Enfermedades 2016», publicado en septiembre de 2018, que señala que 7 de los 10 principales factores de riesgo de enfermar son modificables. Los siete riesgos son: fumar, el consumo de alcohol, la presión arterial alta, un excesivo peso corporal, la glucemia elevada en ayunas y el colesterol total alto. Volviendo al cáncer...

> *Un tercio de las más de 572.000 muertes por cáncer que ocurren en los Estados Unidos cada año se pueden atribuir a hábitos alimenticios y de actividad física, incluyendo sobrepeso y obesidad, mientras que otro tercio es causado por la exposición a productos del tabaco.*

La frase aparece en el consenso de la American Cancer Society (Asociación Americana del Cáncer), publicado en 2012 por Lawrence H. Kushi y colaboradores en la revista científica *CA: A Cancer Journal for Clinicians*. De ser ciertos tales cálculos, dos terceras partes de las muertes por cáncer, es decir, casi el 70 %, son prevenibles. El WCRF apunta más bajo y asegura que entre el 30 y el 50 % de los cánceres son prevenibles. Pero sigue siendo una cifra escandalosamente alta. Tras analizar, en enero de 2018, 1.570.975 casos de cáncer, el doctor Farhad Islami y sus colaboradores estimaron que el porcentaje de cánceres evitables asciende al 86 % en el cáncer de pulmón, 70 % en el de hígado, 55 % en el de colon y 29 % en el de mama (*www.pubmed.gov/29160902*).

¿De algo hay que morir?

Sea como sea, buena parte de la población se escuda, por desgracia, en el «No hay nada que hacer», «De algo hay que morir» o incluso «Vivir provoca cáncer». Seguramente, por cada 100 personas que pronuncian dicha frase con desparpajo, un científico ha dedicado su vida a investigar sobre la manera de prevenir algunos tipos de cáncer. ¿Entiendes ahora lo ofensiva que puede llegar a ser esa gastada broma, cuyo objetivo no es otro que menospreciar la relación entre ciertos hábitos y la probabilidad de desarrollar algún cáncer? De hecho, quien la pronuncia suele parapetarse en ese «razonamiento» para perpetuar conductas insaludables como el alcoholismo, el tabaquismo, el sedentarismo o la mala alimentación.

No somos exactamente culpables de nuestros malos hábitos, pero podemos intentar modificarlos

Es momento de citar algo que justifica excelentemente el abogado Francisco José Ojuelos en un libro que hemos mencionado más arriba, titulado *El derecho de la nutrición*: los hábitos de la sociedad no son solo fruto de decisiones personales. Una maraña de complejos factores (como la educación, la discriminación, el bajo apoyo social, la economía, la presión social, el entorno socioeconómico y cultural, la legislación, las políticas socioeconómicas, etc.) determinan nuestras decisiones y comportamientos. De entre los factores socioeconómicos uno importantísimo es que en muchos países la población no tiene acceso a servicios de salud vitales. En palabras de la OMS: «Menos de la mitad de la población mundial recibe hoy los servicios esenciales de salud que precisa».

Añadamos el perjuicio poblacional que supone la ausencia de nutricionistas en el sistema nacional de salud de países como España. Una revisión sistemática recién publicada por la doctora Geeta Sikand y sus colaboradores en la revista *Journal of Clinical Lipidology* ha corroborado que los nutricionistas no solo pueden prevenir patologías crónicas (como las enfermedades cardiovasculares), sino que además resultan rentables para los Gobiernos. Si, como acabamos de indicar, seis de los siete primeros factores de riesgo de enfermedad/mortalidad en España guardan relación directa/indirecta con la alimentación, esta falta de nutricionistas en el sistema nacional de salud es simplemente flagrante.

Como decimos, no podemos culpabilizar a la población de unos malos hábitos de los que probablemente es más víctima que responsable. Pero tampoco podemos quedarnos cruzados de brazos y afirmar: «No hay nada que hacer». Es algo de lo que habla un muy recomendable libro: *Tú eliges lo que comes*, de Carlos Casabona. Un buen estilo de vida, dentro del que incluimos la dieta, es un arma útil para reducir las posibilidades de buena parte de los cánceres. Ampliamos esta cuestión en el último apartado del capítulo 4, titulado «Una última cuestión: lo que deberían hacer (y no hacen) los Gobiernos».

Prevenir no es curar

Y, por último, queremos insistir en que prevenir no es lo mismo que curar. Si quitamos la piel de plátano del suelo del pasillo de casa, podemos prevenir un señor resbalón. Pero cuando ya nos hemos dado el golpe contra el duro suelo, quitar el plátano no nos remediará el chichón o la costalada. De igual manera, un estilo de vida saludable puede prevenir a escala poblacional la aparición de varios tipos de cáncer, pero cuando ya está instaurado no hay dieta que logre curarlo. Esta obvia premisa no parece que la tengan clara ciertos sectores de la población, a la vista de los centenares de libros y millones de páginas web desbordantes de falsas promesas dietéticas tales como «Los 41 alimentos que curan el cáncer». Siempre son mentiras disfrazadas de ciencia. Recuérdalo cuando te topes con uno de los muchos embaucadores que nos rodean. Infames e indecentes charlatanes que, como dijo el 28 de agosto de 2018 en su cuenta de Twitter el admirable oncólogo Álvaro Rodríguez-Lescure (@Baricocho): «abducen y parasitan pacientes, aprovechando su buena fe y su miedo. Ingenieros del vampirismo, huérfanos de la honradez».

En resumen

- No se previene el cáncer de la misma manera que se cura, como tampoco se previene la caries de la misma manera que se cura.
- La susceptibilidad genética al cáncer supone solamente una pequeña proporción de todos los casos de cáncer.
- Un buen estilo de vida es una manera barata, gratificante y bastante efectiva para disminuir el riesgo de sufrir numerosos tipos de cáncer.
- El tabaco es una de las principales causas de cáncer tanto en fumadores como en quienes soportan su humo (fumadores pasivos). Es altamente recomendable pedir ayuda sanitaria para dejar de fumar.
- Tanto el sedentarismo como numerosos aspectos dietético-nutricionales están relacionados, según el WCRF, con una buena parte de las muertes por cáncer.
- Es más recomendable dejar de lado los malos hábitos que obsesionarnos con los buenos («No es más limpio el que más limpia, sino el que menos ensucia»).
- La actividad física (sea moderada o vigorosa) puede prevenir el cáncer colorrectal, pero ejerce muchos más beneficios. Nosotros creemos que no es que el ejercicio sea sano, sino más bien que el sedentarismo es peligroso. Te aconsejamos que imprimas la tabla 1 («Recomendaciones sobre actividad física, sedentarismo y tiempo de pantalla») y que la tengas siempre cerca.
- Un consumo habitual y elevado de aflatoxinas incrementa el riesgo de cáncer de hígado. Por fortuna, en España existe un estricto control de los niveles de aflatoxinas, tanto en alimentos producidos aquí como en los importados. En casa no deberíamos conservar por varios

meses (o en lugares calientes y húmedos) alimentos como cereales, especias, frutos secos o fruta desecada.

- El arsénico en el agua incrementa el riesgo de cáncer de pulmón. De nuevo, las agencias de seguridad alimentaria españolas controlan los niveles para que este riesgo sea mínimo. Sí está justificado que los niños menores de seis años no consuman ni bebidas de arroz ni tortas de arroz, por su elevado contenido en arsénico.

- La evidencia de que los suplementos de betacaroteno causan cáncer en los fumadores es, según el WCRF, «convincente». Si fumas, además de pedir ayuda para dejarlo, es mejor que no tomes suplementos de betacarotenos (los encontrarás con nombres como «carotenos», «carotenoides» o «provitamina A»).

- La fibra dietética presente de forma natural en los alimentos se ha relacionado con la prevención del cáncer colorrectal, pero eso no significa que debamos tomar pastillas de fibra o alimentos «enriquecidos» en fibra, sino más bien que conviene incrementar nuestro consumo de granos integrales, así como de alimentos de origen vegetal poco procesados (además, claro, de disminuir el consumo de productos de origen animal y alimentos superfluos).

- Aproximadamente 2 de cada 100 tumores se atribuyen a las carnes procesadas. El CIIC aconseja evitar los cárnicos procesados por su claro papel en la promoción del cáncer colorrectal, uno de los cánceres más prevalentes en nuestro medio. La entidad Cancer Research UK estima que el 21 % de los cánceres intestinales son atribuibles al consumo de carnes rojas y procesadas.

- El 11 % de todos los cánceres en España son atribuibles al alcohol. Cualquier dosis de alcohol (y el vino, la cerveza o el cava son bebidas alcohólicas) aumenta el riesgo de cáncer. Quien afirma que una bebida alcohólica (cualquiera) es beneficiosa para el corazón está mintiendo vilmente.

- Una alimentación saludable puede prevenir una alta proporción de cánceres. Una dieta sana está compuesta por «Más vegetales, menos animales y nada o casi nada de carnes procesadas y alimentos superfluos».

- En el capítulo no hemos abordado otros aspectos relacionados con el cáncer, por no ser especialistas en el tema, como las cabinas de rayos UVA o el radón, pero eso no significa que tales aspectos no sean importantes. Los tienes detallados en las tablas 2 y 3.

- Ningún estudio fiable ha relacionado los aditivos, los alimentos no ecológicos, los transgénicos, el gluten, la leche, la soja, el café, el agua potable del grifo, los pesticidas, el trigo, la lactosa ni los alimentos ionizados, esterilizados por radiación o cocinados con el microondas con la actual epidemia de cáncer.
- Los suplementos polivitamínicos o los complementos alimenticios se desaconsejan para la prevención del cáncer.
- Es cierto que los hábitos de la sociedad no suelen surgir de decisiones personales sino por influencia de aspectos como la educación, la política, la economía, la presión social o el entorno socioeconómico y cultural. Así, no podemos culpabilizar a un individuo concreto de sus malos hábitos porque probablemente es más víctima que culpable. Pero también es cierto que podemos, a escala individual, tomar cartas en el asunto e intentar mejorar nuestros hábitos.

	¿Leche materna contra
ccapítulo	el cáncer?
tres	*Por Carlos González*

> «Señor Roque, el principio de la salud está en conocer la enfermedad
> y en querer tomar el enfermo las medicinas que el médico le ordena:
> vuestra merced está enfermo, conoce su dolencia, y el cielo, o Dios,
> por mejor decir, que es nuestro médico, le aplicará medicinas que le sanen,
> las cuales suelen sanar poco a poco y no de repente y por milagro».
>
> *El ingenioso caballero don Quijote de la Mancha* (segunda parte)
> MIGUEL DE CERVANTES

¿La leche materna previene el cáncer?

En 1988, Margaret Davis y colaboradores, del Instituto Nacional de Salud Infantil y Desarrollo Humano de Estados Unidos, publicaron un artículo en la revista médica británica *Lancet* titulado «Alimentación infantil y cáncer en la infancia». Comparaban a 201 niños que habían sufrido algún tipo de cáncer entre los 18 meses y los 15 años con 181 niños sanos de la misma edad, sexo y zona de residencia. Encontraron que los niños que habían tomado el pecho menos de seis meses o no lo habían tomado nunca tenían un mayor riesgo de cáncer que los que habían tomado pecho durante más de seis meses. La diferencia se debía sobre todo al linfoma (un tipo de cáncer de la sangre), con un riesgo cinco veces mayor.

Se trata de un estudio de casos y controles, en que los «casos» son los enfermos y los «controles» son sujetos sanos comparables. Los científicos hacen miles de estudios similares sobre las más diversas enfermedades, intentando descubrir factores de riesgo. Por ejemplo, un año antes unos investigadores británicos (McKinney) habían publicado otro estudio similar, analizando posibles relaciones entre el linfoma o la leucemia de los niños y el uso de anticonceptivos de la madre, si se había hecho una amniocentesis, si había fumado o consumido alcohol en el embarazo, si el parto fue vaginal o por cesárea, si se había hecho ecografías, la edad de la madre, la edad del padre, el número de hermanos, posibles infecciones víricas del niño, si estaba vacunado o no, la clase social, si había animales en casa y otros muchos factores. Y en este estudio la lactancia no parecía tener ninguna relación.

Los estudios de casos y controles deben realizarse con cuidado e interpretarse con precaución. Cuando la prensa se hace eco de ellos, el titular suele ser algo así como: «La lactancia materna protege contra el cáncer» o «El biberón produce cáncer». Pero los autores solamente dicen «se asocia con un mayor riesgo de...». Esa asociación puede deberse a la pura casualidad o a algún error en el diseño del estudio. Hay que poner mucho cuidado en la selección de los controles para que sean lo más comparables posible, y aun así... Unos padres contestan a un largo cuestionario unos meses después de la muerte de su hijo, han pasado todo ese tiempo dándole vueltas en la cabeza, intentando buscar una explicación, tal vez sintiéndose culpables, y son conscientes de que se trata de una investigación importante para luchar contra la enfermedad que mató a su hijo. A los padres de los controles simplemente les han dicho: «Tienen ustedes un niño de cinco años, ¿les importaría contestar a unas preguntas para un estudio científico?». ¿Se acordarán igual, unos y otros, de todos los detalles? ¿Tendrán, unos y otros, el mismo interés por decir la verdad o por ocultarla?

Por eso los estudios se repiten una y otra vez, por diferentes investigadores, en distintos países, con métodos que se intenta que sean cada vez más cuidadosos para evitar los posibles errores de estudios previos. Solo cuando un resultado se repite una y otra vez empezamos a pensar que la asociación es real y no fruto de la casualidad. Pero de ahí a decir que la asociación es causal todavía va un abismo.

Cuando A se asocia con B, puede que A sea la causa de B, o que B sea la causa de A, o que algún tercer factor influya sobre ambos.

¿Por qué unas madres dan el pecho y otras no? Para dar de mamar, primero hay que querer y luego hay que poder. La decisión depende de muchos factores: personales, familiares, sociales y culturales. En algunos países y en algunas épocas, las madres pobres son las que más dan el pecho; en otros países o en otras épocas puede que den más el pecho las ricas o las de clase media. Puede haber poblaciones en las que dan más pecho las mujeres del campo o las de la ciudad, las que tienen estudios o las que no los tienen, las que trabajan fuera de casa o las amas de casa, las más jóvenes o las de mayor edad... y todo eso, a su vez, podría influir (o no) en el riesgo de cáncer de los niños.

Pero, además de desearlo, hay que conseguirlo. Algunas madres dan el pecho fácilmente y sin problemas desde el principio, pero otras tienen dificultades, dolor, grietas, dudas... La duración de la lactancia dependerá mucho de la ayuda que encuentre cada madre para solucionar esos problemas. En algunos países, las madres que tienen mejor acceso a la atención sanitaria son las que menos dan el pecho, porque se encuentran con profesionales ignorantes que les recomiendan seguir un horario rígido o dar biberones innecesarios. En otros países es todo lo contrario: los profesionales dan información y apoyo, y ayudan a solucionar las grietas o las mastitis y las madres que reciben su atención son las que dan más tiempo el pecho.

A menudo, en nuestra sociedad, las madres que dan el pecho son las más interesadas en llevar una vida sana; tal vez fuman y beben menos o se alimentan mejor. Pero algunas personas tienen ideas equivocadas sobre lo que es «una vida sana» y en algunas zonas puede que las madres que no vacunan a sus hijos o las que siguen dietas extravagantes y peligrosas como la macrobiótica también den el pecho mucho tiempo. Si por la tele dicen que «La leche materna protege contra el cáncer», ¿qué madres se fijarán más en la noticia y se esforzarán más en dar el pecho? Tal vez precisamente aquellas que han vivido casos de cáncer entre sus familiares. Al cabo de unos años, los niños con predisposición genética al cáncer pueden estar tomando mucho más pecho que los otros, precisamente porque sus madres intentan protegerlos, y un nuevo estudio puede encontrar que la lactancia se asocia con el cáncer (lo que rápidamente se convierte en un titular: «¡La lactancia materna produce cáncer!»). Los factores de confusión pueden crear una asociación donde no la hay o esconder una asociación real.

La mejor manera de averiguar si una asociación es causal es el estudio controlado, prospectivo, aleatorio y a doble ciego, el estudio rey de la investigación médica, el que se suele hacer para probar un medicamento. Controlado porque hay un grupo de control, pacientes que no reciben el medicamento (sino un placebo, que es una pastilla falsa, o bien un medicamento más antiguo, cuando queremos saber si el nuevo es más eficaz). Prospectivo, porque no nos conformamos con preguntar lo que ocurrió en el pasado (y que la gente puede recordar mal), sino que observamos lo que ocurre a partir de ahora. Aleatorio, porque el tomar o no el medicamento depende del azar, sin que ni el paciente ni el médico puedan elegir (si el médico pudiera elegir a qué paciente le da el tratamiento y a cuál le da solo un placebo, posiblemente daría tratamiento a los enfermos más graves, y el efecto del medicamento parecería mucho menor... o, al revés, un investigador deseoso de obtener fama o dinero podría dar su tratamiento solo a enfermos leves, que se curarían fácilmente). A doble ciego, porque ni el paciente ni el médico que le atiende saben si ha tomado medicamento o placebo (es tan fácil sugestionarse: «Parece que me duele menos que ayer»; hay gente que se toma un analgésico y ya se siente mejor antes de que la pastilla le llegue al estómago).

El estudio aleatorio a doble ciego es ideal y cuando varios de esos estudios dan el mismo resultado podemos estar prácticamente seguros de que el medicamento funciona (o de que no). Pero en muchos casos es imposible hacer un estudio así. Particularmente en cuestiones de lactancia. Es la madre la que decide si da el pecho o no y, por supuesto, sabe si ha dado el pecho o el biberón. Ni puede ser aleatorio, ni puede ser a doble ciego. Hay que conformarse con repetir los estudios de casos y controles en distintas poblaciones. Podemos sospechar una relación causal si la asociación es fuerte y consistente, si se observa una relación dosis-respuesta, si existe un posible mecanismo biológico, si los experimentos en animales dan resultados similares...

De vez en cuando, un investigador hace una revisión de lo publicado sobre el tema. La joya de la corona es la revisión sistemática con metaanálisis. Sistemática, porque se hace un gran esfuerzo para encontrar todos los estudios publicados sobre el tema (y no solo aquellos cuyas conclusiones nos gustan más). La metodología de cada estudio se valora con criterios objetivos previamente definidos, se seleccionan solo los de mayor calidad y sus datos se combinan en un nuevo análisis matemático, lo que permite obtener resultados más sólidos.

Las revisiones más recientes son las de Guise (2005) y Amitay (2015) sobre lactancia y leucemia, y la de Wang (2013) sobre linfoma de Hodgkin. Guise encontró diez estudios, de los que solo dos considera de buena calidad, otros dos de calidad aceptable y el resto malos. De los dos mejores estudios, uno concluye que la lactancia materna se asocia con un riesgo significativamente menor de leucemia; el otro encuentra una pequeña reducción que no llega a ser significativa; y lo mismo ocurriría con los dos estudios de calidad aceptable.

Diez años más tarde, Amitay analiza ocho de los diez estudios que mencionaba Guise, más otros nueve posteriores. Cuatro de los estudios encuentran que la lactancia se asocia significativamente con un menor riesgo de leucemia; ninguno de ellos encuentra que la lactancia se asocie con un riesgo mayor; y al combinar los datos de todos los estudios (9.650 casos y 16.526 controles) obtenían una protección significativa, con un riesgo (*odds ratio*) de 0,8 para los que habían mamado más de seis meses (es decir, un 20 % menos de leucemia). Limitándose a los ocho estudios de más alta calidad, la protección seguía siendo significativa, con una *odds ratio* de 0,86. Concluye que «entre el 14 y el 20 % de los casos de leucemia en la infancia se podrían prevenir con una lactancia de seis meses o más». Ninguna de estas revisiones, por cierto, incluye aquel primer estudio de la doctora Davis, que era solo una exploración preliminar, sin el rigor metodológico necesario.

Wang, por su parte, se centró en otro tipo de cáncer, el linfoma de Hodgkin. Analiza diez estudios, de los que dos encontraban un riesgo estadísticamente menor. Al combinar todos los datos (1.618 pacientes y 8.181 controles sanos), obtiene una *odds ratio* de 0,79, pero que no llega a ser significativa. La significación estadística indica el grado de confianza que tenemos en los resultados. Suele tomarse como límite un error del 5 %, es decir, un resultado es «estadísticamente significativo» cuando la probabilidad matemática de que la diferencia sea debida al azar es inferior al 5 %. Cuantos más sujetos participan en el estudio, más fiables son los resultados y, por eso, 0,80 es significativo en un estudio con casi 10.000 pacientes, mientras que 0,79, que parece aún mejor, no es significativo en un estudio con menos de 2.000 pacientes.

Conclusión: la lactancia materna muy probablemente protege parcialmente contra la leucemia en la infancia (no solo mientras el niño está tomando el pecho, sino años después). El efecto no es muy grande (se evitaría uno de cada cinco casos de leucemia) y parece que hay que mamar más de seis meses para conseguirlo (tal vez lactancias más breves tengan un efecto protector aún más pequeño, pero sería muy difícil de probar; tal vez lactancias más prolongadas sean más efectivas, pero no lo sabemos). Es posible que la lactancia también proteja contra el linfoma de Hodgkin, pero no estamos muy seguros. No parece que proteja contra otros tipos de cáncer. No sabemos hasta qué punto es importante que la lactancia sea exclusiva para conseguir ese efecto o si influye la edad de inicio de la alimentación complementaria.

Aunque el efecto es modesto, el resultado puede ser importante cuando hablamos de grandes poblaciones. La misma doctora Guise recuerda en su estudio que en Estados Unidos unos 2.400 niños sufren cada año una leucemia linfoblástica aguda (que es no solo el tipo de leucemia más frecuente en niños, sino en general el tipo de cáncer más frecuente en menores de 15 años), y que su tratamiento cuesta unos 1.400 millones de dólares (cifras de antes de 2005). Para el individuo, la diferencia es mínima: 2.400 casos de leucemia entre unos 4 millones de recién nacidos al año y con la lactancia materna podrían reducirse a algo menos de 2.000. Sigue habiendo casi 4 millones de niños que no tendrán leucemia aunque tomen el biberón, mientras que algún niño puede tomar el pecho dos años y a pesar de ello enfermar de leucemia a los 10 años.

Pero, claro, la tentación de convertir estos modestos datos científicos en un titular y una bandera es demasiado grande: «La lactancia materna previene el cáncer». Como si «el cáncer» fuera una sola enfermedad (no, es toda una tribu de enfermedades distintas, cada una con sus propias causas, su propia evolución más o menos letal y su tratamiento más o menos eficaz) y como si la eficacia en la prevención fuera del 100 %.

Algunos pueden sentir la tentación de ir todavía más allá e imaginar que un adulto podría evitar el cáncer tomando leche materna. No hay ningún motivo para suponer que el efecto de la leche materna sea el mismo en la edad adulta, cuando nuestro sistema inmunitario ya está formado, que en los primeros meses, cuando todavía se está formando. La leche materna protege al bebe contra muchas infecciones y de ese modo evita estímulos a su naciente sistema inmunitario. Y la leucemia es básicamente un cáncer del sistema inmunitario. Tampoco hay ningún motivo para pensar que tomar un poquito de leche materna de vez en cuando sea tan efectivo como la lactancia exclusiva durante meses. Incluso suponiendo que el efecto de la leche materna fuera el mismo en el adulto que en el bebé, no hay motivo para pensar que protegiese contra el cáncer de pulmón, de mama, de colon o de próstata; a lo más que podríamos razonablemente aspirar es a reducir en un 20 % los casos de leucemia.

(Por cierto, dar el pecho —no tomarlo— sí que reduce el riesgo de cáncer de mama en la madre y también el de cáncer de ovario. Pero eso sería otro tema).

¿La leche materna cura el cáncer?

Suponer que la leche materna podría prevenir algún tipo de cáncer en el adulto ya es mucho suponer. Harían falta estudios serios con cientos de miles de adultos durante años, estudios que jamás se harán porque necesitaríamos miles de millones de litros de leche materna y porque de todos modos la cosa parece tan improbable que no vale la pena. Asombrosamente, algunos han pretendido ir todavía más allá, imaginando que la leche materna podría curar el cáncer. Ciencia ficción de la mala (con mucha ficción y muy poca ciencia).

Prevenir el cáncer y curar el cáncer son dos cosas totalmente distintas. Para prevenir un accidente de automóvil, es importante no correr demasiado, no beber alcohol y respetar las señales. Pero si has tenido un accidente y el coche ha quedado abollado, ¿crees que conducir con cuidado hará que se arregle la carrocería? ¡Tendrás que llevarlo a un taller de chapa y pintura, y te va a salir bastante caro! Lo que sirve para prevenir un accidente no sirve para tratar un accidente.

Del mismo modo, la mejor manera de prevenir el cáncer de pulmón es no fumar y la mejor manera de prevenir el cáncer de hígado es vacunarse contra la hepatitis B y no tomar alcohol. Pero, si ya tienes un cáncer, ¿crees que se va a curar por dejar de fumar o de beber o por vacunarte contra la hepatitis?

Así pues, lo que sirve para prevenir una enfermedad no necesariamente sirve para curarla. Habría que demostrarlo con nuevos estudios.

Aquí es preciso comentar un episodio de la historia de la medicina. A comienzos de los años 50, unos científicos canadienses, el médico Noble y el químico Beer, intentaban aislar el principio activo de una planta denominada «vinca de Madagascar» (*Catharanthus roseus*) con la esperanza de encontrar un tratamiento para la diabetes. Pero el producto resultó ser poco eficaz y demasiado tóxico. Tan tóxico que, de hecho, era capaz de matar a las células cancerosas. Así descubrieron la vincristina y la vinblastina, e iniciaron la quimioterapia del cáncer. Son dos fármacos todavía ampliamente usados contra varios tipos de cáncer: la vincristina sobre todo para la leucemia y la vinblastina para la enfermedad de Hodgkin. Habitualmente se usan en combinación con otros varios fármacos. Se administran por vía endovenosa, en cantidades sumamente precisas: un poco menos y no sirven para nada; un poco más y el paciente muere. Y antes, claro, hay que extraerlas de la planta, separarlas de otras varias decenas de principios activos, concentrarlas y purificarlas. Hacen falta 500 kilogramos de hojas secas de vinca para obtener 1 gramo de vinblastina, con el que se podría tratar a unos diez enfermos adultos.

Ahora imagina que algún irresponsable hubiera anunciado «La vinca cura el cáncer» o incluso «Las plantas curan el cáncer». Tal vez incluso «Usted puede cultivar en una maceta su propia cura contra el cáncer» o, cómo no, el indispensable «Tiembla la industria farmacéutica: una simple planta puede curar el cáncer». Pero no, ni son «las plantas», ni es «la vin-ca», ni es «el cáncer». No se trata de comer una ensalada de hojas de vin-ca ni de tomarse una infusión. Hay un largo y costoso proceso para pro-ducir el fármaco (y, por tanto, ni el remedio es «natural», por mucho que se saque de una planta, ni la industria farmacéutica tiene motivos para temblar, porque a eso se dedica precisamente la industria, a obtener medi-camentos de las plantas o de donde pueda), fármaco que solo puede usar-se en unos tipos concretos de cáncer, a una dosis exacta, por vía endove-nosa, en combinación con otros varios fármacos, según protocolos cuya eficacia ha sido probada previamente en estudios clínicos cuidadosamen-te diseñados.

Pues bien, algo así ocurrió con la lactancia. En 1995, un equipo de investigadores suecos, de la Universidad de Lund y del Instituto Karolins-ka, bajo la dirección de la doctora Catharina Svanborg, publicó un ar-tículo titulado «Apoptosis inducida por una proteína de la leche materna». Estaban estudiando cómo afectaba la presencia de leche materna a la adhe-sión de las bacterias a la membrana de unas células de cáncer de pulmón cultivadas en el laboratorio (las células cancerosas se reproducen con faci-lidad, eso es lo malo cuando están en el cuerpo de una persona, pero tam-bién es una ventaja para hacer estudios en el laboratorio; es decir, no esta-ban estudiando el cáncer, sino la bacteria). Observaron con sorpresa que las células cancerosas (pero no las de tejidos sanos) sufrían apoptosis (muerte celular programada) en contacto con la leche. Repitieron el expe-rimento con distintas fracciones de la leche hasta hallar al responsable, la alfa-lactoalbúmina multimérica. La alfa-lactoalbúmina es la proteína más abundante en la leche materna; en medio ácido se polimeriza o multime-riza, es decir, varias moléculas de proteína se enganchan unas a otras.

En 2000, los mismos investigadores parecen haber cambiado de opinión. Ya no hablan de una proteína multimérica, sino de lactoalbúmina modifi-cada y unida al ácido oleico, unión a la que bautizan como HAMLET (*human alpha-lactalbumin made lethal to tumor cells*, alfa-lactoalbúmina humana convertida en letal para las células tumorales). El proceso requie-re separar la lactoalbúmina del calcio al que está enganchada (y la leche, ya se sabe, está cargadita de calcio), desplegar parcialmente la cadena pro-teica y hacer que se vuelva a plegar, en una configuración distinta, con el ácido oleico. Primero hay que aislar la proteína de la leche mediante pre-cipitación con sulfato de amonio y cromatografía, luego se diluye con hidro-cloruro de trisaminometano y se añade EDTA (ácido etilendiaminotetraa-cético), que es un quelante del calcio y de otros elementos (es decir, se une fijamente al calcio, sacándolo de donde estuviera metido). Prueban con lactoalbúmina de leche materna y también con lactoalbúmina producida por la bacteria *Escherichia coli* genéticamente modificada, y demuestran que ambas funcionan igual de bien. También prueban con otros ácidos grasos, como el palmítico; pero no funciona: tiene que ser ácido oleico.

Los autores especulan que todo ese complicado proceso (he omitido muchos detalles) se puede producir espontáneamente en el estómago del lactante, donde el pH ácido favorecería la liberación del calcio, mientras la digestión de los triglicéridos de la leche materna liberaría el ácido oleico. Pero es una pura especulación: no han analizado el contenido del intestino de un bebé para demostrar que allí hay HAMLET. También especulan con que el HAMLET puede ser uno de los factores que previenen el cáncer en los lactantes, «purgando los tejidos de células indeseadas». No especifican qué tejidos serían esos; el HAMLET, caso de formarse espontáneamente en el tubo digestivo del bebé, sigue siendo una macromolécula que no se absorbería entera. Su efecto, de tenerlo, sería precisamente en el mismo tubo digestivo. Pero, como hemos visto, la lactancia materna protege contra la leucemia y tal vez contra el linfoma, enfermedades de la sangre donde el HAMLET no llega. El cáncer más frecuente del tubo digestivo es el cáncer de colon, que de todas formas es casi imposible en niños, no importa si han tomado pecho o biberón; solo uno de cada 100 cánceres de colon aparece antes de los 30 años. Si hay HAMLET en el estómago del bebé, no parece que esté haciendo nada importante.

Hasta aquí solo hemos visto que el HAMLET puede destruir células cancerosas en el tubo de ensayo. Lo que está bien, pero no pasa de ser una curiosidad científica. Las células cancerosas se pueden destruir con muchas cosas: con lejía, con alcohol, con sal común, con amoniaco, con agua hirviendo, en el microondas… Lo difícil es alcanzar una concentración suficiente de esas sustancias en un tumor de una persona viva, sin producir graves efectos secundarios. En no recuerdo qué novela que leí hace 40 años, salía un estudiante de Medicina que, temeroso de las infecciones y conocedor del poder desinfectante del alcohol, decidió desinfectarse cada día por dentro con abundante coñac. No evitó las infecciones, pero cogió una cogorza crónica y una cirrosis en pocos años.

En el caso del HAMLET, el hecho de que mate las células cancerosas respetando las células sanas es un buen punto de partida. El alcohol o la lejía matarían por igual a todas las células. Pero persiste el problema logístico: ¿cómo hacer llegar el HAMLET hasta el tumor? Es una proteína de alto peso molecular; no se puede absorber por vía oral, no se puede inyectar por vía endovenosa. Hace falta idear una vía de administración y luego hace falta demostrar, mediante estudios controlados, aleatorios y a doble ciego, que en efecto sirve para curar algún tipo de cáncer y que es mejor que los tratamientos actuales, y hace falta averiguar qué dosis se ha de usar y durante cuánto tiempo.

Con ese artículo del año 2000 el HAMLET salió a la prensa y en los grupos de madres y asociaciones de lactancia empezamos a recibir peticiones angustiosas de gente que buscaba leche materna para «curar el cáncer». Como si beber leche fuera lo mismo que tomar HAMLET, como si se hubiera demostrado su eficacia *in vivo*, como si se conociera la dosis, como si obtener leche materna fuera lo más fácil del mundo.

Me consta que algunos grupos de madres recibieron alguna de esas primeras peticiones con entusiasmo. ¡Qué bien se siente uno salvando vidas! Pero, ¿cuánta leche materna hace falta? Nadie lo sabe, porque nadie ha curado jamás un cáncer a base de leche materna. ¿Bastará con medio vasito a la semana? ¿No sería mejor medio litro al día? ¿Tal vez lactancia materna exclusiva? Las madres se organizaban, cada cual se sacaba lo que podía, algún voluntario pasaba de casa en casa recogiendo 100 mililitros por aquí, 300 por allá... Al final, el enfermo tal vez se salvaba si estaba siguiendo también el tratamiento médico correcto (hoy en día la mayoría de los pacientes se curan), o bien moría, sobre todo si ya estaba desahuciado por la medicina y acudía a la leche materna como último recurso. Se siente uno bien, a pesar de todo, porque lo ha intentado, ha ayudado, ha sido solidario... Pero hay mucha gente con cáncer.

En 2004, el primer experimento *in vivo*. Veinte ratas a las que previamente se había implantado un cáncer (glioblastoma) humano en el cerebro. A la mitad le inyectaron, directamente dentro del tumor, HAMLET en infusión continua durante 24 horas. Al grupo control le inyectaron alfa-lactoalbúmina normal. Los tumores tratados con HAMLET crecieron menos y tardaron más en dar síntomas y en causar la muerte. Cuatro de las ratas murieron durante el proceso (el artículo púdicamente dice «durante la anestesia», como si la anestesia fuera muy peligrosa mientras que tener una aguja clavada en el cerebro inyectando cosas durante 24 horas fuera una maniobra de lo más inocente).

En el mismo año, el primer experimento en humanos. Un estudio aleatorio controlado a doble ciego para el tratamiento de papilomas cutáneos (verrugas normales y corrientes) que habían resistido otros tratamientos. El HAMLET se aplicaba cada día durante tres semanas. Buenos resultados a corto y medio plazo.

Siguieron dos estudios, en 2007 y 2010, sobre el cáncer de vejiga urinaria. En el primero, nueve pacientes de cáncer de vejiga (superficial, limitado a la mucosa y sin afectación del músculo) que iban a ser operados recibieron antes, durante cinco días, inyecciones intravesicales de HAMLET. Se observó eliminación de células tumorales en la orina y reducción del tamaño del tumor. La inyección de suero fisiológico o de alfa-lactoalbúmina normal no tuvo ningún efecto. Ni se curaron con el HAMLET ni nadie pretendía que se curasen, solo querían aprovechar, ya que de todos modos los iban a operar, para mirar a ver qué pasaba. En el segundo estudio, la inyección intravesical de HAMLET retrasó el crecimiento del tumor en ratones a los que se había implantado un cáncer de vejiga. Los ratones fueron sacrificados sistemáticamente para su estudio, así que no sabemos si alguno habría llegado a curarse.

Finalmente, en 2014 se publicó otro estudio con ratones con una mutación que les hacía especialmente propensos a sufrir cáncer de colon. La administración diaria oral de HAMLET fue eficaz tanto en el tratamiento como en la prevención, disminuyendo el número y tamaño de los tumores y prolongando la supervivencia.

Y estos son todos los estudios publicados hasta la fecha (agosto de 2018) sobre el tratamiento del cáncer con HAMLET, en animales o en humanos. Hay otros varios estudios sobre aspectos teóricos de la molécula.

La doctora Svanborg y otros investigadores crearon una compañía farmacéutica, HAMLET Pharma (*www.hamletpharma.com*), que ha patentado la fabricación del HAMLET, tanto a partir de la leche materna como en versión recombinante (a partir de bacterias genéticamente modificadas, «un requisito previo para producir grandes cantidades de la sustancia»). También han patentado el uso del HAMLET para tratar verrugas o para prevenir tumores, o el uso clínico de péptidos (pequeños fragmentos de proteína) derivados del HAMLET. La compañía planea nuevos estudios sobre cáncer de colon y de vejiga.

Todos los estudios realizados hasta la fecha tienen algo en común: el tratamiento es tópico. El HAMLET se aplica sobre las verrugas, se inyecta en la vejiga urinaria o, si se administra por vía oral, es para tratar un cáncer del tubo digestivo. Porque no se absorbe por vía oral y probablemente no se pueda inyectar por vía endovenosa. Lo inyectaron directamente en los tumores cerebrales de las ratas y cuatro de ellas murieron durante el proceso; no parece haber planes para intentarlo en personas.

En definitiva, hasta el momento no se sabe de ningún ser humano ni animal cuyo cáncer se haya curado con HAMLET ni con leche materna, aunque algunas personas se han librado de las verrugas. La alfa-lactoalbúmina normal, la que está presente en la leche materna, no tiene ningún efecto (la misma doctora Svanborg lo ha demostrado); el HAMLET se fabrica en el laboratorio mediante un proceso complejo. Nada sustenta la hipótesis de que el HAMLET se forme espontáneamente en el estómago de los bebés. Por el contrario, Sullivan y colaboradores, en Irlanda, administraron alfa-lactoalbúmina y ácido oleico por vía oral a voluntarios adultos y tomaron muestras del contenido gástrico mediante sonda; no se formaba HAMLET.

Los peligros de «La leche materna cura el cáncer»

Los estudios clínicos hasta el momento son muy poca cosa, pero cada uno de ellos ha obtenido un eco desproporcionado en la prensa. Precisamente porque se trata de leche materna y eso da una de las noticias «con toque humano» que tanto gustan. Si un laboratorio farmacéutico hace un estudio preliminar de un nuevo fármaco con una docena de ratones y resultados poco concluyentes, eso no es noticia; continuamente los laboratorios están haciendo estudios preliminares con decenas de posibles medicamentos, la mayoría de los cuales no llegan nunca a comercializarse.

Y a cada nueva historia de «La leche materna cura el cáncer», los grupos de apoyo a la lactancia reciben nuevas solicitudes. Un desconocido, o un amigo, quiere salvar a su anciana madre. Una prima segunda tiene cáncer ella misma. Una madre llorosa busca leche para su hijo de cinco años. Un padre va a dejar huérfanos a dos niños pequeños. Una madre a la que descubrieron un cáncer de mama durante la lactancia me preguntaba hace años si sería bueno sacarse su propia leche y bebérsela (pero esa leche ya está dentro del pecho, el tumor está empapado en leche, ¿de qué iba a servir sacarla de ahí y bebérsela?). Todos, todos, creen que se podrían salvar solo con que les dieras un poquito de leche materna; nada, un litro al día durante unos meses. ¿A quién le vas a decir que no, a quién vas a condenar, por tu culpa, tu culpa, tu grandísima culpa, cuando, total, solo tenías que pasar las 24 horas enganchada a un sacaleches?

Es por ello por lo que el mito de «La leche materna cura el cáncer» es particularmente peligroso, y le hemos dedicado este largo capítulo. El mito de que «Las manzanas curan el cáncer» (promovido por Odile Fernández: *www.goo.gl/4kwbsp*, a quien citaré en breve) sería totalmente inofensivo, siempre y cuando la gente no rechazase el tratamiento de verdad para ponerse a comer manzanas. Si sigues tu tratamiento y además deseas comer muchas manzanas, pues adelante, cómelas, no hace daño a nadie. Pero la leche materna es un bien escaso y muy difícil de obtener; los bancos de leche a duras penas consiguen suficiente para las necesidades de los prematuros y bebés enfermos (y ahí sí que pueden salvarse vidas donando leche). A los grupos de apoyo a la lactancia y a las madres individuales les recomiendo rechazar siempre, sistemáticamente, cualquier petición de leche para un enfermo. Porque tomar un poco de leche, así a voleo, sin base científica, sin conocer la dosis ni la vía de administración, es completamente inútil. Y si algún día algún hospital está haciendo un estudio serio sobre el tratamiento del cáncer (o de cualquier otra enfermedad) con leche materna, no será el paciente el que vaya a pedir leche de madre en madre, sino el mismo hospital, a través del banco de leche, el que buscará donantes. Y se seguirán las estrictas medidas de control de dicho banco, haciendo pruebas a las donantes, cultivando y pasteurizando la leche. Porque la leche de múltiples donantes, recogida y transportada sin control, no pasteurizada, puede contener virus y bacterias especialmente peligrosas para una persona inmunodeprimida, como un bebé prematuro o un enfermo de cáncer.

Probablemente, ni siquiera será a través de un banco de leche. HAMLET Pharma ya ha iniciado la producción masiva mediante ingeniería genética, pues tienen claro que, si algún día el HAMLET se demuestra realmente eficaz para tratar algún tipo de cáncer, la cantidad necesaria de producto nunca podría obtenerse a partir de la leche materna. Y ya sé que muchos amantes de «lo natural» se estremecen con solo oír «ingeniería genética». Pero, piensa un poco, si la leche materna fuera realmente capaz de curar todo tipo de cáncer, y si solo se pudiera obtener del pecho de las mujeres, ¿de verdad crees que sería maravilloso?, ¿una hermosa historia de amor y solidaridad? Pues a mí me parece más bien una pesadilla. Porque en el mundo hay mucha gente con cáncer y muchos de ellos tienen poder y dinero. Habría mujeres secuestradas, ordeñadas como vacas en explotaciones clandestinas. Habría niños pobres tomando el biberón mientras sus madres intentan ganar unos dólares vendiendo su leche. En China creen en las propiedades medicinales de los huesos de tigre y de los cuernos de rinoceronte, y ya sabes lo que les ha ocurrido a los tigres y a los rinocerontes.

¿Sigue sin gustarte lo de la ingeniería genética? Hay esperanza. Resulta que otros investigadores probaron a usar alfa-lactoalbúmina de la leche de vaca. Solo hay que cambiar la H de *human* por la B de *bovine* y tenemos el BAMLET. Rammer, en Dinamarca, observó que el BAMLET mata células cancerosas *in vitro* y Xiao, en Canadá, mostró que su inyección en la vejiga de ratas con cáncer disminuye el tamaño del tumor y aumenta la supervivencia. Es más, diversos autores (como Delgado, en Puerto Rico) han encontrado que lo importante del HAMLET o del BAMLET no es la proteína de la leche, sino el ácido oleico. Cuando forma micelas en agua (parecido a la mayonesa), el ácido oleico por sí solo es tan eficaz como el BAMLET para matar células cancerosas.

Ni el BAMLET es lo mismo que la leche de vaca normal, ni las micelas de ácido oleico preparadas en el laboratorio son lo mismo que el aceite de oliva o la mayonesa, ni sirve la vía oral (habría que aplicarlo directamente sobre el tumor), ni hay ningún estudio (de momento) que demuestre que son realmente útiles para curar ningún tipo de cáncer. Pero, puestos a hacer simplificaciones absurdas y exageraciones salvajes, al que nos pida leche materna para tratar un cáncer podemos contestarle que la leche de vaca es igual de útil. Los mismos pocos estudios prometedores, la misma ausencia de pruebas concluyentes. Pero, ¿quién iba a creer que la leche de vaca cura el cáncer? Si al menos fuera leche de cebra, o de jirafa… La leche materna produce la fascinación de lo exótico, como las bayas de Goji, que siempre serán mucho mejores que las lentejas.

Odile Fernández y su promoción de la leche materna «anticáncer»

La doctora Odile Fernández es una de esas personas que solicitó leche a un montón de madres para «tratar» su cáncer, además de hacer quimioterapia y tomar un montón de alimentos y suplementos mágicos (ha tenido que escribir un libro para explicarlos todos). Claro, si se curó es gracias a la lactancia o a alguna hierba, la quimio no tuvo nada que ver. Si no se hubiera curado, sería por culpa de la quimio, que es malísima (entiéndase la ironía, por favor). En su libro, Fernández muestra su inmensa gratitud a las madres que le donaron su leche y al mismo tiempo dice al lector: «Por propia experiencia, te insto a que tomes leche materna si te es posible». Imagino que las madres que le donaron leche estarán muy contentas al ver su gratitud, pero no tan contentas si reciben cientos, miles de llamadas angustiosas de pacientes que piden leche. Y en los bancos de leche materna no estarán tampoco muy contentos si ven que les falta la preciosa leche que salva vidas de prematuros porque sus posibles donantes han optado por dedicarse a «curar el cáncer».

También recoge Fernández el caso de Howard Cohen, que lleva años «tratando» su cáncer de próstata con leche materna, primero de su esposa que casualmente estaba dando el pecho, luego de otras fuentes. Aquí puedes ver la información sobre el cáncer de próstata en el NHS, el Servicio Nacional de Salud británico: *www.nhs.uk/conditions/Cancer-of-the-prostate/Pages/Introduction.aspx*

Transcribo textualmente algunos párrafos:

Para muchos hombres con cáncer de próstata, el tratamiento no es inmediatamente necesario [...].

Si el cáncer está en una fase precoz y no causa síntomas, se puede adoptar una «conducta expectante» o «vigilancia activa». Eso implica controlar cuidadosamente la enfermedad [...].

Como el cáncer de próstata suele progresar muy despacio, usted puede vivir durante décadas sin síntomas o sin necesitar tratamiento [...].

Ya ves, la «medicina oficial», en la mayoría de casos de cáncer de próstata, recomienda no hacer nada, a veces durante décadas.

El cáncer de próstata suele ser de crecimiento muy lento. Quienes se tratan no lo hacen normalmente para salvar la vida, sino por las molestias al orinar. En casi la mitad de los varones ancianos muertos por cualquier otra causa, al hacer la autopsia se encuentra un cáncer de próstata hasta entonces desconocido. No se recomienda hacer cribado (*screening*) en personas sanas con la famosa PSA (antígeno prostático específico) porque es poco específica y porque, de todos modos, no hay que hacer tratamiento y, por tanto, no sirve de nada saber si lo tienes o no. Cuando yo tenga cáncer de próstata (y por mi edad hasta puede que ya lo tenga, pero no me lo pienso mirar), desde luego no iré a dar la lata a mis hijas para que me den leche materna.

¿La leche materna podría ayudar a un paciente con cáncer?

No, no se va a curar el cáncer tomando leche materna.

Pero, dado que los bebés digieren mejor la leche materna que la de vaca, y tienen menos infecciones, ¿podría la leche materna ser útil para un adulto con cáncer, mejorando su nutrición o evitando infecciones o disminuyendo alguno de los efectos secundarios de la medicación?

A priori, no parece imposible. Pero no hay ningún estudio que lo demuestre. La doctora Rough, en Estados Unidos, entrevistó a 10 pacientes con cáncer que estaban consumiendo leche materna y que dijeron sentirse física y psicológicamente mejor. Pero, claro, ¿qué vas a decir, después de haber movido cielo y tierra para conseguir leche materna? Odile Fernández describe este estudio de forma muy curiosa: «no es un mero hecho anecdótico, hay más pacientes de lo que la sociedad se imagina que toman leche materna para tratar el cáncer» (pues sí, es anecdótico; el plural de «anécdota» no es «datos» y, hasta el momento, el agua de Lourdes y las reliquias de varios santos han «curado» más cánceres que la leche materna). Y luego añade: «la terapia de la leche humana mejoró la calidad de vida de todos los enfermos [...] sin apenas efectos secundarios». La realidad es que los investigadores simplemente han preguntado a pacientes (o a sus familiares) que habían comprado leche materna a un banco de leche de California (a 100 dólares el litro, tasa de procesamiento, más gastos de envío). Cinco de los diez pacientes ya habían muerto cuando se hizo el estudio. Una había visto pasar su cáncer de mama de grado «moderado» a «avanzado» (no son diagnósticos médicos, solo lo que la misma paciente explica), tras 24 meses de tratamiento con 30 dólares diarios de leche materna más «vitamina C, cartílago de tiburón, cardo mariano, butirato sódico, cúrcuma y quimioterapia». Otra había visto su cáncer de pulmón pasar de «moderado» a «avanzado» a pesar de tomar leche materna durante 10 meses, junto con «hierbas, suplementos, música, rezos, acupuntura, infusión *essiac* [una mezcla de varias hierbas, hay varias recetas], sopa de nidos de pájaro, quimioterapia y radioterapia». Otra más, tras ocho meses de leche materna con «vitaminas, minerales, quimioterapia y radioterapia» estaba en remisión de su cáncer de mama (como la mayoría de las pacientes que hacen quimioterapia y radioterapia sin tomar leche materna). Los dos casos más exitosos fueron, cómo no, dos varones con cáncer de próstata en fase inicial; uno estaba bien tras tres años de tomar leche materna y ningún otro tratamiento; el otro también era partidario de poner velas a todos los santos: «vitamina C, hierbas, acupuntura, quiropraxis, homeopatía, naturopatía, vitaminas y minerales».

La «medicina oficial» recomienda no hacer nada en un cáncer de próstata en fase inicial, pero aparentemente algunos acupuntores, quiroprácticos, homeópatas y naturópatas no tienen inconveniente en hipermedicalizar la situación. Claro, seguro que lo hacían sin cobrar, porque solo las malvadas «multinacionales farmacéuticas» lo hacen por dinero.

Varios de los pacientes entrevistados por Rough decían que tenían menos náuseas o diarrea, o menos infecciones. Podría ser gracias a la leche materna o gracias a algún otro de los tratamientos que tomaban o podría ser casualidad. Un estudio serio debería ser, una vez más, aleatorio, a doble ciego, con placebo. El paciente no sabría si lo que ha tomado es leche materna o de vaca y podríamos ver si de verdad tiene más o menos diarrea, náuseas o dolor, si gana más o menos peso... Parece que nadie ha hecho aún un estudio así. Y el que se anime a hacerlo debería usar leche controlada y tratada por un banco de leche. Incluso la leche donada por una pariente o buena amiga puede ser peligrosa para un paciente inmunodeprimido. («Pero si se la estoy dando a mi propio hijo». Sí, pero si tú eres portadora por ejemplo del citomegalovirus, ya le has pasado anticuerpos a tu hijo por la placenta y se los estás pasando cada día con tu leche, pero a tu abuela con cáncer le puede sentar muy mal la leche con citomegalovirus).

Especialmente hay que advertir contra la compraventa de leche materna de particular a particular. Existe un floreciente mercado a través de internet. Keim ha analizado muestras adquiridas anónimamente y ha observado un alto grado de contaminación bacteriana (por la extracción, manejo y transporte inadecuados) y una frecuente adulteración con leche de vaca.

En resumen

- Los niños que toman el pecho parecen sufrir menos leucemia. Podría evitarse hasta uno de cada cinco casos.
- Hay indicios no confirmados de que la lactancia materna podría disminuir el riesgo de linfoma de Hodgkin.
- La lactancia materna no parece prevenir ningún otro tipo de cáncer en la infancia.
- La leche materna no cura el cáncer.
- El HAMLET, una sustancia preparada en el laboratorio a partir de la leche materna, puede matar células cancerosas en el tubo de ensayo.
- El HAMLET parece útil, aplicado tópicamente, en el tratamiento de las verrugas.
- No existe ningún estudio científico en el que el HAMLET haya curado ni un solo caso de cáncer en un ser humano.

- El HAMLET no se absorbe por vía oral.
- Una sustancia similar, el BAMLET, se puede fabricar a partir de la leche de vaca.
- Cualquier posible uso médico de HAMLET o BAMLET será experimental, deberá hacerse con las debidas garantías y, desde luego, no será lo mismo que beber leche materna o beber leche de vaca.
- No hay ninguna prueba de que tomar leche materna mejore el bienestar o alivie algunos síntomas de los enfermos de cáncer.
- No hay ningún motivo para que las madres o los grupos de apoyo a la lactancia atiendan peticiones particulares de leche materna con fines supuestamente médicos.
- La leche materna sí que puede salvar vidas cuando se administra a niños prematuros o enfermos. Si quieres donar leche materna, hazlo a través de un banco de leche.
- El consumo de leche que no haya sido adecuadamente controlada, tratada, conservada y transportada (es decir, un proceso no gestionado por un banco de leche) puede ser peligroso, sobre todo para un prematuro o un paciente inmunodeprimido.
- La compra de leche materna por internet es peligrosa, a menudo está contaminada o adulterada.

Sobrepeso, obesidad y cáncer

«Conforme se hace patente un mayor grado de consecución de los objetivos previstos por el derecho alimentario, estamos viendo cómo por la puerta de atrás se afianza, en constante crecimiento, la prevalencia de enfermedades asociadas a la alimentación malsana. [...] La relevancia de esta realidad inspira la aparición de normas o la modificación de las existentes para incluir nuevas previsiones en las que identificamos una nueva rama del derecho, más que una versión evolucionada del derecho alimentario: el derecho de la nutrición».

El derecho de la nutrición
FRANCISCO JOSÉ OJUELOS

¿La obesidad es un factor de riesgo «modificable»?

Es difícil hablar de obesidad y cáncer sin meter la pata. No puedes hacerte una idea de lo que nos ha costado redactar este capítulo. Y es que, aunque creemos necesario separarlo del capítulo 2 («Prevención del cáncer»), está íntimamente relacionado con él. Aquí un ejemplo: según el American Institute for Cancer Research, el 15 % de los casos de cáncer de estómago que se producen cada año en Estados Unidos (el dato es perfectamente extrapolable a España) pueden prevenirse con tan solo tres medidas: evitando un consumo excesivo de alcohol, evitando los cárnicos procesados y manteniendo un peso saludable. El cáncer de estómago es el quinto cáncer más común en el mundo, así que no es un asunto trivial.

Empecemos con una pregunta: ¿crees que, de verdad, la obesidad es un «factor de riesgo modificable»? Nos explicamos: el consumo de alcohol, el sedentarismo o el tabaquismo son factores implicados en el riesgo de padecer cáncer y se clasifican como factores de riesgo modificables. Uno puede, con más o menos ayuda y fuerza de voluntad, dejar de fumar, de beber o de ser sedentario. Es decir, «modificar» tales conductas. Sin embargo, hay aspectos que no podemos modificar, como la edad. Aunque es un factor de riesgo de cáncer (a más edad, mayor riesgo), jamás aconsejaremos a nadie «Deje de cumplir años y tendrá menos riesgo de cáncer». Y por eso lo consideramos «no modificable». Hasta aquí todos de acuerdo. Pero, ¿y la obesidad? Ah, complicadísimo asunto. Porque ¿puede la mayoría de personas con obesidad conseguir tener un peso normal o normopeso? Hablaremos de ello en este capítulo, en el que iremos por pasos, como comprobarás ahora mismo.

Primer paso: no discriminar

Una persona con obesidad no es «un obeso», de igual manera que una persona que padece sida no es «un sidoso», ni una mujer en la etapa de la menopausia no es una «menopáusica». Tener una característica no es ser esa característica. Una casa tiene ventanas, pero la casa no es esas ventanas. Las espinacas tienen vitaminas, pero no son vitaminas. Pues una persona con obesidad tiene kilos de más, pero no «es» esos kilos de más. No es «un obeso». Sigue siendo persona por encima de todo, de igual manera que un billete de 10 euros arrugado no es una arruga: su valor sigue siendo 10 euros.

Así que lo primero que pedimos a todo el que lea esto es que jamás denomine «obesos» o, peor aún, «gordos» a las personas con obesidad; porque es erróneo, porque es injusto y (además) porque es estigmatizante. Hacerlo con niños es particularmente inaceptable y odioso, como puedes contrastar ampliamente en el texto «Obesidad infantil: la primera medida es no discriminar» (*www.goo.gl/CQxe5H*).

Permítenos un ejemplo, para que quede bien claro. Te rogamos que leas con calma esta reflexión. Cuando acabes te propondremos un ejercicio que, creemos, es bastante revelador:

«De pequeño yo comía demasiados productos azucarados e insaludables, y hoy tengo mucha caries. ¿Es culpa mía? No, yo no era consciente del riesgo al que me enfrentaba, y no escogía los alimentos que entraban en casa. ¿La responsabilidad es, por tanto, de mis padres? No, ellos tampoco tenían a su disposición suficiente información fiable como para saber lo que ocurriría en el futuro o como para tomar decisiones bien informadas. Atribuirles mi caries, además, sería muy injusto: criaron con éxito a cuatro hijos sanos, con las muchas dificultades (económicas, personales, de pareja…) que ello conlleva. De haber sabido lo que hoy saben, habrían hecho lo posible por alejar la comida malsana de mi alrededor. Tanto ellos como yo lo hicimos lo mejor que pudimos y supimos. ¿Es culpa, entonces, de lo que como actualmente? No, desde luego que no. Mi caries es simplemente fruto de vivir una larga infancia expuesto a una serie de factores que no dependían de mí, de entre los que debemos citar, sin duda, cierta predisposición genética a padecer caries».

Pues bien, sustituye ahora, en el párrafo anterior, la palabra «caries» (aparece cuatro veces) por la palabra «obesidad». ¿Ya lo has hecho? Pues, por favor, no juzgues, culpabilices, estigmatices o discrimines jamás a nadie que presente exceso de peso, sobre todo, si es un niño. Ningún buen profesional sanitario (eso incluye a los nutricionistas), debería:

- asustarte si padeces trastornos como obesidad o diabetes tipo 2;
- abroncarte porque no adelgazas o porque no sigues las pautas recomendadas;
- hacerte seguir una dieta que detestas;
- pretender que comas cosas raras;
- enchufarte batidos, pastillas o sobres;

Sí debería, sin embargo:

- felicitarte por cualquier logro, por pequeño que sea;
- escucharte con empatía y sin juzgarte;
- intentar que entiendas que sabor y salud pueden congeniar;
- tener como objetivo primario no tanto disminuir la cifra de la báscula sino más bien disminuir tu riesgo de enfermar.

Segundo paso: prevenir

Si hablamos de obesidad, lo crucial, lo primero, lo más importante que debemos retener en nuestra mente son estas cuatro palabras «prevención mediante nuestros hábitos». ¿Por qué? Por dos razones. La primera es que, en palabras de la OMS, «La obesidad es una patología que en gran parte se puede prevenir mediante cambios en el estilo de vida». La segunda es que la obesidad, una vez instaurada, es bastante difícil de revertir a cualquier edad. Dicha prevención, como se expone en el libro *Mamá come sano*, no debe empezar cuando el niño es pequeño, sino antes: durante el embarazo. En la tabla 4 indicamos 11 «herramientas» de prevención de la obesidad infantil:

Tabla 4. 11 prácticas que pueden ayudar a prevenir la obesidad infantil	
El comportamiento tanto del padre como de la madre son importantes durante el embarazo.	Los dos deben comer saludablemente. Si la madre padece exceso de peso, es aconsejable que intente adelgazar (de forma saludable) antes del embarazo mediante un buen estilo de vida. Mejor aún si pide ayuda a un nutricionista colegiado.
Monitorizar el peso del niño es importante.	Muchos padres creen que el exceso de peso de su hijo es músculo. Casi nunca es así.
¡Lactancia materna!	La lactancia materna ofrecida de manera exclusiva y a demanda hasta los seis meses de edad del bebé (y complementada con alimentos sanos de ahí en adelante —sin sustituir a la leche materna—) puede prevenir la obesidad. Hasta el año de edad, debe ser la fuente principal de calorías. En su defecto, debe serlo la leche de fórmula.
Mira tu despensa.	Cuantos menos productos insanos haya, mejor. El consumo ideal de bebidas azucaradas (eso incluye los zumos, aunque sean caseros) es cero.
Come a menudo en familia.	Su papel en la prevención de obesidad y trastornos de la conducta alimentaria es incuestionable.
Respeto.	Debemos respetar el apetito del niño, y jamás obligarle o coaccionarle a que «limpie el plato». Nunca usaremos la comida como premio o castigo.
Cuidar los horarios de sueño.	Dormir poco es un claro factor de riesgo de obesidad.
Practicar actividad física.	Ver la tabla 1 que hemos incluido en el capítulo 2, en concreto en el apartado «Actividad física y cáncer de colon. Siéntate menos, muévete más». Ah, e intenta practicar actividad física con tu familia: seguro que hay algo que podéis hacer juntos.
Pantallas apagadas a la hora de comer (y no encenderlas tanto a lo largo del día).	La hora de comer debe estar exenta de pantallas (televisión, móvil, tableta, etc.). Durante el día deberíamos reducir al máximo el uso de pantallas, sin olvidar que padres y cuidadores deben dar ejemplo.
No a los anuncios.	Cuantos menos anuncios veamos, mejor, sobre todo, si son de «alimentos».
Dar ejemplo.	Si queremos que nuestros hijos coman bien, no fumen, no beban alcohol y eviten el sedentarismo; es vital que prediquemos con el ejemplo.

Fuente: Elaboración propia tomando como referencia: Int J Environ Res Public Health. 2017 Dic 1;14(12), Crit Rev Food Sci Nutr. 2017 Feb 11;57(3):489-500, Int J Behav Nutr Phys Act. 2017 Abr 11;14(1):47, Pediatrics. 2017 Jun;139(6), Pediatrics. 2011 Jul;128(1):201-8.

Buena parte de los anteriores puntos son aplicables a adultos, por cierto. Porque también conviene de lo lindo intentar que todo el que lea este libro (y el que no también) no gane kilos con el paso de los años, tal y como mostraron Zheng y colaboradores el 18 de julio de 2017 en la revista *JAMA*. El primer paso para conseguirlo es repetirte como un mantra aquello de «Más vegetales, menos animales y nada o casi nada de carnes procesadas y alimentos superfluos» e intentar seguir a rajatabla lo descrito en la «Tabla 1. Recomendaciones sobre actividad física, sedentarismo y tiempo de pantalla» que tienes en el capítulo 2. En 2015 el doctor Paolo M. Suter constató que las calorías provenientes del mal llamado «consumo moderado de alcohol» tienden a almacenarse en forma de grasa abdominal, dado que un metabolito del alcohol (acetato) bloquea la oxidación de los lípidos. Una buena razón para recordar de nuevo que cuanto menos alcohol, mejor, y cuanto más, peor.

Volveremos a hablar de la alimentación en breve, en este mismo capítulo, aunque antes te rogamos que leas la tabla 5, en la que aparecen los factores relacionados con la obesidad que cuentan con una «fuerte evidencia» («strong evidence»).

Tabla 5. Determinantes del aumento de peso, del sobrepeso y de la obesidad, según el WCRF (solo se detallan los que cuentan con una «fuerte evidencia»)
*Factores que **reducen** el riesgo*
La actividad física aeróbica reduce el riesgo de aumento de peso, sobrepeso y obesidad.
Caminar protege contra el aumento de peso, el sobrepeso y la obesidad.
Consumir alimentos que contengan fibra dietética de forma natural [alimentos de origen vegetal poco procesados] disminuye el riesgo de aumento de peso, sobrepeso y obesidad.
Consumir un patrón dietético de tipo «mediterráneo» [sin alcohol] disminuye el riesgo de aumento de peso, sobrepeso y obesidad.
Haber sido amamantado reduce el riesgo de exceso de peso, sobrepeso y obesidad en los niños.
*Factores que **aumentan** el riesgo*
El mayor tiempo de pantallas aumenta el riesgo de aumento de peso, sobrepeso y obesidad.
Consumir bebidas azucaradas aumenta el riesgo de aumento de peso, sobrepeso y obesidad.
Consumir *fast food* aumenta el riesgo de aumento de peso, sobrepeso y obesidad.
Consumir una dieta tipo «occidental» aumenta el riesgo de aumento de peso, sobrepeso y obesidad.

Fuente: World Cancer Reseach Fund. *Energy balance and body fatness. The determinants of weight gain, overweight and obesity.* 2018. Disponible en: *https://www.wcrf.org/dietandcancer/energy-balance-body-fatness.*

Tercer paso: ¿tengo exceso de peso?

Pasemos a hablar del exceso de peso en adultos. Una de las clasificaciones que nos permiten determinar el exceso de peso es el llamado «índice de masa corporal» (IMC). Para obtener nuestro IMC basta con dividir los kilos que pesamos entre nuestra altura, expresada en metros y elevada al cuadrado (es decir, multiplicada por sí misma). Tras el cálculo, pero solo si somos adultos, deberíamos revisar la siguiente clasificación:

- Bajo peso: inferior a 18,5 kg/m^2
- Normopeso o peso normal: entre 18,5 y 24,9 kg/m^2
- Sobrepeso: entre 25 y 29,9 kg/m^2
- Obesidad tipo I: entre 30 y 34,9 kg/m^2
- Obesidad severa o tipo II: entre 35 y 39,9 kg/m^2
- Obesidad mórbida o tipo III: entre 40 y 49,9 kg/m^2
- Obesidad mórbida o tipo III severa: superior a 50 kg/m^2

Importante: la anterior clasificación no se aplica a niños. Si te preocupa el peso de un niño, te aconsejamos dos textos. El primero es de la Organización Mundial de la Salud y se titula «Acabar con la obesidad infantil» (puedes acceder a él aquí: *www.goo.gl/KkYZxd*); en la página V (apartado «Glosario y definiciones») entenderás cómo se diagnostica en la actualidad el exceso de peso infantil. Y el segundo es el texto «Obesidad infantil ¿qué podemos hacer los padres» (que hallarás aquí: *www.goo.gl/j36XR9*), en el que encontrarás una serie de habilidades que es preciso que dominen padres o cuidadores para abordar este problema.

Siguiendo con la clasificación del exceso de peso, debes saber que tampoco es válida en grandes deportistas, cuyo «exceso de peso» puede deberse no a masa grasa sino a masa muscular. Y tampoco es válida en personas con una altura inferior a 1,47 metros o superior a 1,98 metros. Incluso con las anteriores salvedades, debemos tener en cuenta que el IMC tiene una gran validez en estudios poblacionales, pero no tanto a título individual, por lo que debes considerarla una estimación aproximada.

Es por ello por lo que, después de hacer los anteriores cálculos, conviene que midamos nuestra cintura y nuestra cadera, porque podemos encontrarnos sorpresas: la acumulación de grasa en el abdomen, que encontramos en muchísimas personas con normopeso, es particularmente peligrosa para la salud. Si nuestro IMC es mayor o igual a 35, la circunferencia de la cintura tiene poco poder predictivo adicional de riesgo de enfermedad más allá del IMC. Es decir, no es necesario medir la circunferencia de la cintura en individuos con un IMC mayor o igual a 35: podemos estar bastante seguros de que su exceso de peso supone un riesgo para su salud y de que conviene no demorar una visita médica... y dietético-nutricional.

Así, realizaremos dos cálculos más:

1. Mediremos nuestro perímetro abdominal.
2. Calcularemos el denominado «cociente cintura/cadera».

Para calcular el perímetro abdominal mediremos nuestro abdomen con la cinta métrica paralela al suelo y a la altura de nuestras crestas ilíacas. La cinta debe estar ajustada, pero no comprimir la piel, y la medición se llevará a cabo mientras respiramos de forma normal (sin forzar la inspiración o la espiración), tal y como se detalla en el esquema que encontrarás en esta página web: *www.goo.gl/kzd9aJ*. Si el perímetro de tu cintura (seguimos hablando de adultos) es superior a 88 centímetros (mujeres) o 102 centímetros (varones), además de prestar especial atención a la alimentación y a los hábitos de ejercicio, acude sin falta al médico para que realice un chequeo, ya que ello aumenta de forma notable tu riesgo cardiovascular... y no solo a largo plazo, también a corto/medio plazo.

Vayamos al cálculo del cociente cintura/cadera. En este caso, debemos medir la circunferencia de la cintura (según la OMS, en el punto medio entre el margen inferior de la última costilla palpable y la parte superior de la cresta ilíaca) y la circunferencia de la cadera (alrededor de la parte más ancha de las nalgas) con la cinta paralela al suelo. Tienes un esquema visual aquí: *www.goo.gl/uWcEmt*. Si al dividir el perímetro de la cintura entre el perímetro de la cadera obtenemos un resultado superior a 0,85 en mujeres o 0,90 en hombres, la OMS considera que padecemos obesidad.

Y si tu IMC es inferior a 18,5, debes saber que los estudios serios no relacionan el bajo peso con un mayor riesgo de enfermedad salvo si ese bajo peso es a causa de una enfermedad preexistente (un evento cardiovascular, cáncer o un trastorno del comportamiento alimentario, como anorexia nerviosa), en cuyo caso trataremos la enfermedad que causa el bajo peso y no al revés. Tienes más información en este artículo: *www.goo.gl/253xvc*.

Cuarto paso: reflexionar sobre el riesgo que supone el exceso de peso

Desde que los autores de este libro teníamos unos diez años (1980) hasta el momento en el que escribimos estas líneas, se ha duplicado el número de personas con obesidad en el mundo. En Estados Unidos, nada menos que el 87,5 % de los adultos presenta exceso de peso (suma de sobrepeso y obesidad). Ya puedes imaginar qué significa que 9 de cada 10 norteamericanos tenga exceso de peso: un tsunami cuyas consecuencias son imposibles de afrontar por ningún sistema sanitario, por moderno que sea. Hasta el punto de que «El sobrepeso y la obesidad podrían superar al tabaquismo como el principal riesgo prevenible de cáncer». La frase entrecomillada apareció el 20 de diciembre de 2017 en la página web del Fondo Mundial para la Investigación del Cáncer (WCRF).

Y el tsunami va en aumento: en Estados Unidos, el 60 % de los ahora niños (para ser exactos, el 57,3 %) presentará obesidad cuando cumplan 35 años. Ojo, no sobrepeso, sino obesidad (índice de masa corporal igual o superior a 30 kg/m²). En España, afortunadamente, estas cifras son inferiores (la tasa de exceso de peso en adultos españoles ronda el 60-65 %)…, pero están aumentando alarmantemente.

Padecer obesidad, como casi todo el mundo sabe, supone un riesgo para la salud. Pero, atención al dato, el 40 % de los cuatro millones de personas que fallecen anualmente por patologías relacionadas con el exceso de peso no padecen obesidad, sino sobrepeso. El dato proviene de un descomunal estudio que evaluó a 68,5 millones de personas (como lo lees). Ahora mismo reflexionaremos sobre estos datos. Mientras tanto, no dejes de revisar la figura 1, en la que encontrarás la referencia al estudio científico que acabamos de citar.

Figura 1. Millones de fallecimientos anuales relacionadas con el exceso de peso

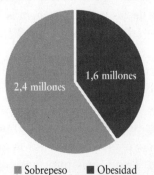

2,4 millones

1,6 millones

■ Sobrepeso   ■ Obesidad

Fuente: GBD 2015 Obesity Collaborators. *Health Effects of Overweight and Obesity in 195 Countries over 25 Years.* N Engl J Med. 2017 Jul 6;377(1):13-27.

La figura 1 tiene sentido en este apartado, pese a que se supone que este libro está centrado en el cáncer, porque el exceso de peso está relacionado con un mayor riesgo de mortalidad prematura y no solo por el cáncer, sino, sobre todo, porque incrementa de forma considerable las posibilidades de que suframos un evento cardiovascular, entre otras patologías. En su libro *Obesity: preventing and managing the global epidemic*, la OMS añade que el sobrepeso (IMC entre 25 y 29,9 kg/m^2) «es un determinante principal de muchas otras enfermedades crónicas, como la diabetes *mellitus* no insulinodependiente, la enfermedad coronaria y el accidente cerebrovascular, y aumenta el riesgo de padecer varios tipos de cáncer, enfermedad de la vesícula biliar, trastornos musculoesqueléticos y síntomas respiratorios».

Creemos que la anterior frase es matizable como comprobarás en breve. Pero centrémonos en el cáncer. Casi 500.000 casos de cáncer se relacionaron con el exceso de peso en 2012, según la OMS, como puedes comprobar en esta herramienta: *https://gco.iarc.fr/obesity/tools-pie*. Además, como recordarás del capítulo 2, el WCRF ha indicado en su reciente consenso (2018) que existen pruebas convincentes de que el exceso de grasa corporal aumenta el riesgo de los siguientes tipos de cáncer:

- Adenocarcinoma de esófago
- Cáncer de páncreas
- Cáncer de hígado
- Cáncer colorrectal
- Cáncer de mama en mujeres en la postmenopausia
- Cáncer de endometrio
- Cáncer de riñón

En su informe anterior, el WCRF apuntaba que lo recomendable es no ganar peso desde los 21 años en adelante. Datos de Estados Unidos revelan que existe relación entre el exceso de peso y el 40 % de todos los cánceres de dicho país. ¿Significa eso que el exceso de peso es el causante de casi la mitad de los cánceres? Significa que el exceso de peso es un factor que suele estar presente cuando alguien padece cáncer. Ahora mismo explicamos esto.

Quinto paso: entender por qué mentiríamos si afirmáramos «Adelgaza y no tendrás siete tipos de cáncer»

Tras leer los posibles riesgos que supone, a escala poblacional, padecer sobrepeso u obesidad, cualquiera se sentiría tentado a escribir (hay quien lo hace, desgraciadamente): «Adelgazar hará que evites siete tipos de cáncer». Si lo hiciéramos estaríamos mintiendo como bellacos por, como mínimo, tres razones.

Correlación no es causalidad (1). El papel de la forma física

Es cierto que existe la relación exceso de peso-algunos tipos de cáncer y también es cierto que existen mecanismos que pueden explicar el mayor riesgo de cáncer en personas con obesidad. Algunos de ellos son los siguientes: las células grasas tienen la capacidad de generar sustancias proinflamatorias que pueden promover el desarrollo del cáncer; los niveles elevados de insulina en sangre, más frecuentes en personas con exceso de peso, pueden promover el crecimiento de células cancerígenas; la elevación en la tensión arterial, también más prevalente en personas con sobrepeso u obesidad, se ha relacionado con el desarrollo de cáncer renal; la mayor presión de la grasa en el abdomen de las personas con exceso de peso incrementa las posibilidades de padecer reflujo gastroesofágico, que a su vez genera daños en las células gástricas y puede producir adenocarcinomas, entre otros problemas...

Sin embargo, el cáncer, como cualquier otra enfermedad (desde la gripe hasta los infartos), es multifactorial, como se ha detallado en el capítulo 2 y como ampliamos más abajo. Lo que debemos recordar, en todo caso, es que el hecho de que el exceso de peso se relacione con el cáncer no es la prueba irrefutable de que la obesidad sea la causa del cáncer y mucho menos la única.

Viene algo importante. Tanto, que ahora mismo debería sonar en tu mente un redoble de tambores, porque un metaanálisis de Vaughn W. Barry y colaboradores publicado en 2014 concluyó que las personas que no están en forma presentan el doble de riesgo de mortalidad que las que sí lo están, independientemente de su peso corporal. Y el mismo estudio también constató que las personas con exceso de peso que están en forma presentan un menor riesgo de mortalidad prematura que las personas con normopeso.

Traduzcamos este pequeño galimatías con ejemplos imaginarios. Manolo y Antonio no padecen obesidad, pero mientras que Manolo es muy sedentario, Antonio está en buena forma física. Según el metaanálisis de Barry y colaboradores, Manolo tiene el doble de posibilidades de fallecer prematuramente que Antonio. Por otra parte, Francisco presenta exceso de peso y está en buena forma física, mientras que Juan tiene un peso normal pero no está en buena forma física. De nuevo, quien tiene mejor forma física, en este caso Francisco, presenta un menor riesgo de mortalidad que quien no la tiene, que en este caso es Juan, pese a que este último tiene normopeso. Fíjate ahora en estas palabras, que aparecen en una guía clínica denominada «Directrices europeas de 2016 sobre prevención de enfermedades cardiovasculares en la práctica clínica» («2016 European Guidelines on cardiovascular disease prevention in clinical practice»):

La influencia de la inactividad física en la mortalidad parece ser mayor que la influencia de un elevado índice de masa corporal.

Algo que ha corroborado, en marzo de 2018, una investigación publicada en la revista *Journal of the American College of Cardiology*. El trabajo consistió en un seguimiento de 3.307 personas durante 30 años y no observó un menor riesgo de mortalidad atribuible a la pérdida de peso. Sí disminuyó el riesgo sustancialmente la actividad física regular.

Pero la cosa vuelve a no ser tan simple como parece. Porque lo cierto es que las personas con exceso de peso suelen estar menos en forma. Así que probablemente eso es, al menos en parte, lo que incrementa su riesgo de cáncer y no tanto el peso (excepto en los casos extremos de obesidad, donde la relación es bastante clara). Pero no podemos afirmar que están menos en forma porque su falta de actividad física les ha llevado a la obesidad, sino que es probable que ocurra al revés: la obesidad (originada casi siempre en la infancia, por factores que escapan al control del niño) dificulta estar en forma. ¿Por qué? Pues porque es más costoso movilizar un cuerpo más pesado y por el mayor riesgo de lesión que existe si tenemos mucho peso. En todo caso, no son trabas insalvables, como comentaremos más adelante. Ah, si eres de los que creen que las personas con obesidad son perezosas, no dejes de leer el texto «La pereza ¿engorda?», que desmonta esa falsa creencia. Lo tienes en este *link*: *www.goo.gl/faWTdA*.

Correlación no es causalidad (2). El papel de la alimentación

Acabamos de mencionar que quizá no es el exceso de peso lo que incrementa el riesgo de mortalidad, sino la menor forma física que suelen presentar las personas con sobrepeso u obesidad. Pero otro factor que es necesario citar es la ingesta alimentaria. Como suponemos que sabrás, todos comemos bastante mal. Un estudio publicado en octubre de 2018 por el doctor Pello Latasa y colaboradores ha constatado que el 31,7 % de la energía que tomamos los españoles proviene de alimentos «ultraprocesados». Vamos, productos insaludables. Detallamos este dato en forma de gráfica, para que entiendas la magnitud de la tragedia (figura 2). En breve pormenorizaremos la mayoría de tales alimentos, para que los tengas los más lejos posible de tu despensa.

Figura 2. Porcentaje de calorías ingeridas en España a partir de alimentos ultraprocesados

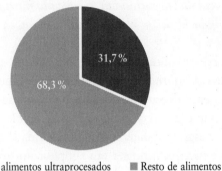

■ A partir de alimentos ultraprocesados   ■ Resto de alimentos

Fuente: Latasa P, Louzada MLDC, Martinez Steele E, Monteiro CA. *Added sugars and ultra-processed foods in Spanish households (1990-2010).* Eur J Clin Nutr. 2018. Oct; 72 (10): 1404-1412.

¿Te imaginas que el 31 % del combustible con el que llenas el depósito de tu coche fuera de malísima calidad? ¿Cómo crees que acabaría su motor? La cuestión es que las personas con exceso de peso consumen más calorías (no por «gula» sino simplemente porque su cuerpo necesita más calorías para las actividades diarias, de igual manera que un camión necesita más combustible que un coche). Y al consumir más calorías, tomarán más cantidad de los alimentos implicados en el riesgo de cáncer, como las carnes rojas, los cárnicos procesados, las bebidas alcohólicas, los alimentos pobres en fibra dietética, las bebidas azucaradas u otros alimentos con una alta densidad calórica. Así pues, tiene sentido postular dos hipótesis:

1. Parte del mayor riesgo de cáncer presente en las personas con exceso de peso es atribuible (además de a la menor forma física, antes mencionada) a su patrón alimentario.

2. Una persona con obesidad pero que sigue una dieta sana (llamémosla «A») tendrá menos riesgo de cáncer que una persona sin obesidad que se alimenta como la media de la población española, es decir, fatal. Y estamos muy convencidos de que A tendrá menos

riesgo de cáncer que una persona con normopeso que fuma, bebe alcohol a menudo, es sedentaria y se alimenta fatal.

Te proponemos ahora que decidas entre dos opciones:

Opción A: Subir en un taxi recién estrenado, pero conducido por alguien que conduce de forma temeraria y que no respeta las normas de circulación.

Opción B: Subir en un taxi cuyo motor es antiguo y que tiene las ruedas algo desgastadas. En este caso, sin embargo, al volante tenemos a un conductor experto que conduce con prudencia y respeta siempre las normas de circulación.

Entiendes la metáfora, ¿verdad? La obesidad es un factor de riesgo, comparable a ese taxi que no es precisamente nuevo. Pero si quien «conduce» dicha obesidad sigue un buen estilo de vida (respeta las normas de circulación), las posibilidades de «accidentarse» serán menores que las de quien «conduce» un cuerpo con un peso normal (un taxi nuevo) pero cuyos hábitos de vida son nefastos. Estefanía Ribes y Nico Haros, dos muy buenos nutricionistas de Denia (provincia de Alicante), nos explican que una persona que presenta exceso de peso puede incluso tener ventaja sobre quien no lo tiene porque el último posiblemente no se preocupará tanto de sus hábitos («Como puedo seguir siendo sedentario y comer y beber lo que quiera sin engordar, no hace falta que cambie mi estilo de vida»).

Disminuir el riesgo no es eliminar el riesgo

Todos tenemos (eso esperamos) bastante claro que fumar incrementa claramente el riesgo de muchos tipos de cáncer. Pues bien, entenderás que alguien que lleva 10 o 20 años fumando y decide dejar de fumar, no va a disminuir automáticamente su riesgo de cáncer de, por ejemplo, pulmón. Aquí otro ejemplo, por si no se nos entiende bien: todos sabemos que el azúcar se relaciona con un mayor riesgo de caries, pero eliminar el azúcar tras muchos años consumiéndolo ni garantiza que no vayamos a tener caries, ni tampoco que se nos vayan a curar las que ya podamos tener en nuestros dientes. Algo similar puede ocurrir en el caso de la obesidad. Aun asumiendo como cierto que el exceso de determinado tipo de células grasas aumenta el riesgo de algunos tipos de cáncer, no podemos concluir que adelgazar fulminará ese riesgo por arte de magia.

Vayamos ahora directamente a un estudio muy riguroso publicado en noviembre de 2017 por Chenhan Ma y colaboradores en la revista *BMJ*. Ha concluido que las personas con obesidad que adelgazan mediante un plan de alimentación saludable presentan un 18 % menos de riesgo de mortalidad. No es una varita mágica, pero vale la pena tenerlo en cuenta. La pérdida de peso no fue elevada, sino que rondaba entre un 5 y un 10 % del peso inicial de los participantes. Prácticamente todos padecían obesidad. Este detalle es crucial, así que vamos a ampliarlo.

Una persona que midiera lo mismo que medimos nosotros (quienes escribimos estas líneas) y padeciera obesidad (IMC = 30 kg/m^2) debería pesar:

En el caso de Juanjo Cáceres, 109,5 kilogramos.
En el caso de Julio Basulto, 89,8 kilogramos.

Pues bien, una pérdida de entre un 5 y un 10 % de nuestro supuesto peso significaría:

Que Juanjo Cáceres pesaría entre 98,5 y 104,5 kilogramos.
Que Julio Basulto pesaría entre 80,8 y 85,3 kilogramos.

En ambos casos seguiríamos padeciendo sobrepeso, es decir, no habríamos alcanzado el normopeso. En unas páginas volvemos a hablar de esta cuestión, que es de vital importancia.

En el estudio, aunque se observó, como hemos dicho, una disminución en el riesgo de mortalidad prematura, los autores no pudieron evaluar si este efecto protector sería extensible al riesgo de morir a causa de un cáncer (por la poca duración de los estudios de base). No se olvidan de mencionar, eso sí, las pruebas científicas que justifican que sumar actividad física al plan dietético es efectivo no solo para la pérdida de peso sino también para beneficios como mejoras en los lípidos sanguíneos y en la presión arterial.

Lo que sí que está claro es que de ninguna manera podemos afirmar que perder peso sea aconsejable cuando nos han diagnosticado un cáncer. De hecho, adelgazar en dicho momento puede no ser recomendable: se relaciona con un peor pronóstico de la enfermedad, como verás en el siguiente capítulo.

Nada de lo anterior, como puedes imaginar, permite dar como válida la frase: «No tendrás siete tipos de cáncer si adelgazas». Si ya lo tienes claro, es momento de hablar de la obesidad severa y de la obesidad mórbida. Pero antes de seguir leyendo, pon una marca en esta página, deja de leer y sal a dar un paseo, a nadar en una piscina o en la playa, a ir en bicicleta, a correr, a subir y bajar escaleras, a saltar a la comba o a cualquier actividad física que te resulte gratificante mientras saboreas un puñado de deliciosos frutos secos sin sal. Ah, y ten en cuenta que realizar actividad física con familia o amigos no solo es más exitoso (tiene más «adherencia», en palabras de los investigadores), sino que la disfrutamos más.

Sexto paso: comprender que en algunos casos de obesidad severa o mórbida puede estar indicada la cirugía bariátrica

¿Ya estás de vuelta? Pues recuerda que deberíamos reorganizar nuestras actividades diarias para que siempre exista un hueco para la actividad física. Un hueco que progresivamente debería ser más y más grande.

Hablemos de los casos de obesidad severa o mórbida. En tales casos, el mayor riesgo de mortalidad prematura está bastante bien establecido y es poco discutible. Aunque también es indiscutible que una persona con obesidad severa o mórbida que se alimente saludablemente, no beba alcohol, no fume y realice diariamente ejercicio físico presentará mucho menos riesgo que otra que siga un mal estilo de vida.

Sea como sea, está bien establecido que la cirugía bariátrica (ahora explicamos someramente en qué consiste) es segura. Es decir, no se asocia, en la gran mayoría de casos, a graves problemas de salud atribuibles al tratamiento. De hecho, es el tratamiento más eficaz y duradero para los casos de obesidad severa y disminuye considerablemente el riesgo de diabetes (en muchos casos se «cura» la diabetes tipo 2), eventos cardiovasculares, infartos de miocardio, ictus, cáncer y mortalidad. La cirugía bariátrica hace referencia a los diferentes procedimientos quirúrgicos que logran que limitemos la cantidad de alimentos que podemos ingerir (por ejemplo, disminuyendo el tamaño del estómago) o que se reduzca la cantidad de calorías que nuestro cuerpo retiene de los alimentos consumidos.

Los consensos internacionales aconsejan que los profesionales sanitarios recomienden la cirugía bariátrica a cualquier adulto con un IMC igual o superior a 40, motivado para perder peso y que no haya adelgazado en tratamientos previos (sean dietéticos, planes de ejercicio, terapia de comportamiento o farmacoterapia). También se aconseja en adultos cuyo IMC esté entre 35 y 40 y que (además de estar motivados para perder peso y no hayan respondido a tratamientos previos) padezcan una comorbilidad, como hipertensión, alteración en los lípidos sanguíneos (como el colesterol) o diabetes. Es posible que en un futuro estas directrices cambien, debido al aumento constante tanto de las cifras de obesidad infantil como de las enfermedades relacionadas con el exceso de peso. La decisión de realizar o no la operación, en cualquier caso, debe recaer no solo en el paciente, sino también en el cirujano, quien debe tener experiencia en este tipo de intervenciones.

Séptimo paso: desconfiar de los fármacos y de los complementos alimenticios, y huir de propuestas «milagrosas»

Sería maravilloso tomar una pastilla y adelgazar, pero tal pastilla no existe. En las últimas décadas se han aprobado unos 30 fármacos para la obesidad, 25 de los cuales se han tenido que retirar del mercado porque sus riesgos superaban a sus beneficios. ¿Qué sabemos de los actualmente disponibles? Lo analizaron en marzo de 2018 el doctor Igho J. Onakpoya y sus colaboradores (revista *Obesity*). De su revisión sistemática con metaanálisis se deduce que, aunque generan pérdidas modestas de peso, pueden generar efectos adversos de manera similar a lo que sucedía con los fármacos retirados del mercado.

Eso con respecto a los fármacos, porque la cuestión de los complementos alimenticios es muchísimo más flagrante. Además de no haber demostrado utilidad y además de generar efectos adversos, casi ninguno se retira del mercado. En palabras del profesor Edzard Ernst:

Los fabricantes prometen reducciones sustanciales de peso corporal, pero no porque su producto sea efectivo sino porque quieren tu dinero.

Una investigación coordinada por la doctora Sara Eichner y publicada en la revista *Journal of the American Pharmacists Association* evaluó en un laboratorio diversos complementos alimenticios para adelgazar y encontró que el 90 % contenía en su composición como mínimo un ingrediente peligroso para la salud. El 33 % de toda la muestra estaba adulterada con productos no declarados en la etiqueta. No es la primera ni la única investigación en constatar esta clase de sorpresas, como puedes ampliar en el texto «Sorpresas ocultas en los complementos alimenticios» (*www.goo.gl/YtMPwy*).

En cuanto a las llamadas «dietas milagro», campan a sus anchas por más que los nutricionistas no dejen de criticarlas. Las reconocerás porque suelen tener una o más de las siguientes características:

- Prometen resultados rápidos.
- Prometen resultados asombrosos, mágicos o milagrosos.
- Recurren a las llamadas «teorías de la conspiración». Son las que se basan en postulados como el siguiente: «La industria farmacéutica y el Gobierno trabajan juntos para ocultar información acerca de una cura milagrosa». Son simples mentiras que persiguen distraer al lector de las obvias preguntas de sentido común acerca de la llamada «cura milagrosa».
- En sus argumentos no faltan palabras o frases pseudocientíficas tales como «desintoxicación», «sin químicos», «limpieza», «equilibrio interior», «curación vibracional», «alimentación natural y energética», «antiguo remedio», etc.
- Contienen afirmaciones que contradicen a colectivos sanitarios de reputación reconocida.
- Incluyen relatos, historias o testimonios para aportar credibilidad.
- Exageran o distorsionan la realidad científica de un nutriente o alimento.
- Incluyen o se basan en el consumo de preparados que vende quien promueve el tratamiento dietético.
- Garantizan los resultados o prometen «devolver el dinero» si no funciona.
- Contienen afirmaciones que sugieren que el producto propuesto para perder peso es seguro, ya que es «natural».

Tienes muchos ejemplos de «dietas milagro» en el libro *No más dieta* (Julio Basulto y María José Mateo), dedicado a este tema, pero ahí van unos cuantos: dietas disociadas, dietas depurativas, dieta del agua de mar, dieta del ayuno intermitente, dieta alcalina, dieta Perricone, dieta 5:2, paleodieta, dieta de la enzima prodigiosa, dieta macrobiótica, dieta del mango africano o ayunos «terapéuticos». El portal *Nutrimedia*, de la Universitat Pompeu Fabra, revisó en septiembre de 2018 los supuestos beneficios del ayuno esporádico (o ayuno intermitente) para concluir que «la ciencia no avala las supuestas bondades del ayuno para la salud».

El dogma central de las promesas de los falsos gurús (de los que debemos huir sin mirar atrás) es que, si deseamos algo con fuerza, nuestro cuerpo y nuestra mente se unirán para sanarnos y «restaurar la capacidad natural autocurativa del cuerpo». En palabras del periodista Antonio Ortí:

> No cabe duda de que si deseamos algo con vehemencia es más factible que emprendamos medidas encaminadas a su consecución, pero eso no significa que si una persona se concentra en pensar en pleno mes de agosto que hace mucho frío su cuerpo deje de sudar... Por este motivo, estos razonamientos, cuando se llevan al extremo, son peligrosos, ya que estos presuntos gurús suelen acusar (de forma tácita o explícita) a las personas enfermas de sus dolencias, sea por no tener pensamientos «limpios» o sea por no depositar la suficiente fe en sus planteamientos de estilo de vida (y eso incluye la dieta). Es decir, generan pensamientos mágicos, además de sentimientos de culpabilidad. La vinculación entre la salud y la actitud emocional existe, pero no cura enfermedades serias: no es una panacea.

¿Y si tratamos nuestros hábitos en vez de tratar nuestro exceso de peso?

Hace unas líneas hemos indicado qué ocurriría si perdiéramos entre el 5 y el 10 % de nuestro peso, en el hipotético caso de que tuviéramos obesidad. Es momento de citar dos trabajos científicos: uno aparecido en la revista *Preventing chronic disease* el 20 de abril de 2017 y otro publicado en la revista *JAMA* el 27 de junio de 2017. Ambos profundizan en los resultados de una investigación llevada a cabo por expertos de los Centros para el Control y la Prevención de Enfermedades de Estados Unidos (CDC, en sus siglas en inglés) y detallan las siguientes cuestiones:

- Es «raro» conseguir pérdidas de peso superiores al 5 % del peso corporal y mantenerlas con el paso del tiempo.
- El hecho de que el sanitario pese o mida a menudo al paciente puede resultar frustrante para muchas personas (añadimos: sobre todo si hay más personas delante, como ocurre, por ejemplo, en las farmacias).

- Asustar al paciente en función de su peso (algo que sucede bastante a menudo, por desgracia), además de no estar justificado científicamente disminuye las posibilidades de que mejore sus hábitos y genera una distancia (que puede llegar a ser insalvable) entre el profesional y el paciente.
- Juzgar al paciente es contraproducente (e injusto).
- Cuando los profesionales sanitarios centran las conversaciones con sus pacientes en el peso, en vez de en el estilo de vida, «pueden ejercer más daños que beneficios», según los CDC.

Imaginemos de nuevo que nosotros, los firmantes del libro, presentamos obesidad y conseguimos perder el 5 % de nuestro peso (pérdidas superiores, como acabamos de ver, son «raras»). Juanjo dejaría de pesar 109,5 kilogramos para pesar 104,5 kilogramos. Y Julio dejaría de pesar 89,8 kilogramos para pesar 85,3 kilogramos. ¿Qué debería hacer el sanitario a nuestro cargo? Pues felicitarnos encarecidamente y recordarnos que nuestro riesgo de numerosas patologías, así como el riesgo de mortalidad, ha disminuido cuantiosamente. También debería animarnos a intentar no recuperar el peso perdido, por supuesto. ¿Cómo se consigue todo eso? Una ojeada tanto a los artículos recién mencionados como a los consensos de obesidad más recientes revela que deberíamos:

- Focalizar nuestros esfuerzos no tanto en conseguir un «peso ideal» sino en nuestro estilo de vida. Perdamos o no perdamos peso, nuestra calidad y nuestra esperanza de vida mejorarán. El objetivo es mejorar nuestros hábitos, siempre trabajando hacia metas alcanzables, algo que amplió el libro *Secretos de la gente sana* (Julio Basulto y María José Mateo).
- Acercarnos progresivamente a los objetivos de ejercicio físico detallados en la tabla 1 del capítulo 2.
- Centrarnos en seguir una alimentación saludable, basada prioritariamente en productos de origen vegetal poco procesados (sí, lo repetimos de nuevo: «Más vegetales, menos animales y nada o casi nada de carnes procesadas y alimentos superfluos»).
- Si de verdad tenemos exceso de peso, la consulta con un nutricionista (o, mejor, con un equipo multidisciplinar) se aconseja que dure por lo menos tres meses, con sesiones que se ofrecerán al menos semanal o quincenalmente, según la guía NICE de 2016 titulada «Obesity in adults» (NICE son las siglas de la entidad National Ins-

titute for Health and Care Excellence, del Reino Unido). La Academia de Nutrición y Dietética (Estados Unidos), por su parte, establece el número de visitas (si el objetivo es perder peso) en un mínimo de catorce encuentros durante un periodo de al menos seis meses. Coincide con este punto de vista el consenso de la Academia Americana del Corazón y la Sociedad Americana para la Obesidad. Para el mantenimiento del peso perdido, se aconseja que se visite al paciente una vez al mes durante al menos un año.

- Realizar un seguimiento de nuestro estilo de vida, pesándonos a menudo (nosotros mismos, sin necesidad de compartir la cifra con nadie) y anotando nuestras comidas y el ejercicio que realizamos. Nada de lo anterior es preciso que se haga de una manera formal y matemática. Los estudios indican que el autocontrol, en adultos sin problemas mentales (como trastornos del comportamiento alimentario), resulta eficaz para obtener modestas pérdidas de peso (que son las indicadas), para evitar el peligroso efecto yoyó (pérdidas de peso seguidas de aumentos de peso y vuelta a empezar) y para mejorar nuestra salud. Tienes más información en el texto «Tres trucos para adelgazar que sí funcionan», que puedes consultar aquí: *www.goo.gl/3LL3aC*.

En suma, cuando una persona presenta un claro exceso de peso es muy conveniente que, además de acudir al médico para que valore su estado de salud y a un nutricionista para que le ayude a instaurar unos buenos hábitos de alimentación, intente aumentar la cantidad de ejercicio físico que realiza. Si adelgaza, bien, y si no adelgaza, también bien. Mejorar el estilo de vida, como hemos indicado, se relaciona con una disminución del riesgo de diversas enfermedades, como el cáncer.

No olvides que, cuando ya hay obesidad (la debe diagnosticar un sanitario, entre otros motivos para saber si existen otras patologías que requieran un tratamiento médico), no podemos confiar en adelgazar con métodos, productos o planes de alimentación «milagrosos». Los reconocerás porque casi siempre prometen éxito a corto plazo, aseguran ser fáciles de implementar, exponen fotos de «antes y después» del tratamiento y alardean de ser 100 % efectivos. Cualquier abordaje de la pérdida de peso fracasará si no nos alimentamos más saludablemente (o, mejor dicho, si no nos alimentamos menos insaludablemente), si no hacemos más ejercicio (o, de nuevo, si no somos menos sedentarios), si no tenemos una relación sana con la alimentación y, en el caso de nuestros hijos, si no predicamos con el ejemplo.

Sobre los carbohidratos y los azúcares

En el siguiente apartado hablaremos de alimentos y bebidas que promueven el aumento de peso. Pero antes queremos hacer un breve paréntesis. Y es que, pese a que somos partidarios de hablar de alimentos y no de nutrientes, vamos a hacer una pequeña excepción con los carbohidratos. Porque la mayoría de las «dietas» para perder peso se han basado, se basan y probablemente seguirán basándose en el futuro en disminuciones más o menos drásticas de la ingesta de carbohidratos. En muchos casos, los partidarios de estos planteamientos dietéticos aluden a estudios científicos que en teoría constatan beneficios en el control de peso corporal al disminuir o incluso eliminar los carbohidratos de la dieta.

En primer lugar, debes saber que, aunque tales beneficios en ocasiones se observan a corto plazo, a largo plazo no existen diferencias en la pérdida de peso al comparar dietas con más o menos carbohidratos, como detalla cualquier consenso de obesidad. En el más reciente encontramos esta frase «Comparative trials have shown no long-term superiority between different macronutrient composition», es decir, «Los estudios científicos comparativos no han mostrado una superioridad a largo plazo entre distintas composiciones de macronutrientes [en las dietas evaluadas]». Se trata de un consenso coordinado en mayo de 2017 por la American Gastroenterological Association y en el que participaron varias entidades relacionadas con la salud o el peso corporal (Society of American Gastrointestinal and Endoscopic Surgeons, The Obesity Society, Academy of Nutrition and Dietetics, North American Society for Pediatric Gastroenterology, Hepatology and Nutrition, American Society for Gastrointestinal Endoscopy, American Society for Metabolic and Bariatric Surgery, American Association for the Study of Liver Diseases y Obesity Medicine Association).

Pero, en segundo lugar, y mucho más importante: los beneficios observados (en algunos estudios, no en todos) cuando se reduce la ingesta de carbohidratos son, muy probablemente, atribuibles al hecho de que el azúcar forma parte del grupo carbohidratos. Así, una disminución en el consumo de carbohidratos se traducirá, lógicamente, en una disminución en el consumo de azúcar, algo sin duda beneficioso para la salud.

Tienes ampliada esta cuestión en un texto denominado «Tomen pocos carbohidratos, dice Lancet. ¿Y si dijera "tomen pocos líquidos"?», que puedes consultar aquí: *www.goo.gl/TRnDyh*. Transcribimos un fragmento de dicho texto:

¿Les parecería normal que alguien concluyera «los líquidos conllevan un mayor riesgo de mortalidad» a partir de un estudio que hubiera evaluado conjuntamente bebidas azucaradas, alcohol y agua? ¿Verdad que no? Pues tampoco les tiene que parecer normal concluir «los carbohidratos conllevan un mayor riesgo de mortalidad» a partir de un estudio que ha juntado azúcares con granos integrales.

Tienes en la figura 3 dos clarificadoras gráficas elaboradas a partir de los siguientes datos, tomados del llamado «Consenso español de obesidad (Recomendaciones nutricionales basadas en la evidencia para la prevención y el tratamiento del sobrepeso y la obesidad en adultos)»:

- La ingesta actual de carbohidratos en España se sitúa alrededor del 41 %.
- El aporte de energía a partir de azúcares (que, insistimos, son un tipo de carbohidratos) en la población europea oscila entre el 16 y el 36 %.

De los dos datos anteriores podemos concluir (realizando una simple regla de tres) que, en el mejor de los casos, el 39 % de nuestra ingesta de carbohidratos proviene de azúcares y, en el peor de los casos, el 88 % de nuestra ingesta de carbohidratos proviene de azúcares.

Figura 3. Ingesta de carbohidratos a partir de azúcares en España

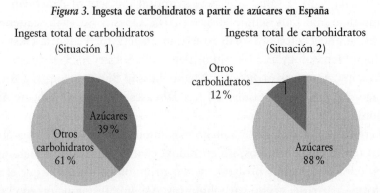

Ingesta total de carbohidratos (Situación 1)

Ingesta total de carbohidratos (Situación 2)

Otros carbohidratos 12 %

Azúcares 39 %

Otros carbohidratos 61 %

Azúcares 88 %

Fuente: elaboración propia a partir de: Gargallo Fernández M, Basulto Marset J, Breton Lesmes I, Quiles Izquierdo J, Formiguera Sala X, Salas-Salvadó J y colaboradores. Nutr Hosp. 2012 May-Jun;27(3):789-99.

Como queda claro en la figura 3, buena parte de los carbohidratos que consumimos no provienen precisamente de pan, arroz o pasta (que, sí, es mejor que sean integrales), de legumbres, de frutos secos o de frutas u hortalizas, sino más bien de azúcar. Y nadie duda hoy por hoy de que deberíamos tomar mucho, muchísimo menos azúcar. En el capítulo 6 («¿Qué hago si me diagnostican un cáncer?») hablaremos de un falso mito relacionado con el azúcar, según el cual, eliminar esta sustancia de nuestra vida puede matar de hambre a nuestras células cancerígenas. Pero ahora veamos qué alimentos y bebidas pueden promover un incremento indeseado de peso.

Alimentos y bebidas que promueven el aumento de peso

Empecemos con lo más importante. El WCRF ha aconsejado en 2018, literalmente, «No consumas bebidas azucaradas» (en inglés «Do not consume sugar sweetened drinks»). Se recomienda no consumir zumos habitualmente «ya que incluso los que no tienen azúcares añadidos es probable que promuevan el incremento de peso de forma similar a las bebidas azucaradas». Si te parece increíble, no dejes de leer estos dos textos: «El zumo de fruta no es "fruta", ni siquiera si es casero» (*www.goo.gl/88qsgB*) y «Por qué no engorda la fruta, si tiene azúcar» (*www.goo.gl/k57z2a*).

También nos aconsejan desde el WCRF limitar nuestra ingesta de alimentos procesados ricos en grasas, almidón o azúcares. En general, se hace referencia al *fast food* (o «comida rápida»), pero también se incluyen productos como las patatas *chips*, pasteles, galletas, bizcochos, confitería, pasta blanca, *pizza* elaborada con harina blanca y precocinada o pan blanco.

De entre los alimentos citados, los que cuentan con más pruebas de ser responsables de que ganemos peso son las bebidas azucaradas. De ahí que nos gustase tanto esta reflexión que compartió el 2 de septiembre de 2018, en su cuenta de Twitter (@Nutri_Daniel), el nutricionista Daniel Ursúa:

Si en tu armario no tienes unos zapatos con un clavo en la suela porque ponértelos te haría daño, ¿por qué tienes refrescos en la nevera?

Como recordarás, hace unas páginas hemos citado que el porcentaje de calorías que ingiere un español a partir de alimentos ultraprocesados, de media, asciende al 31,7%. Es momento de entender de qué hablamos al referirnos a tales alimentos (tabla 6). Se trata de productos que, por su particular composición, solemos ingerir por encima de nuestros mensajes internos de hambre y saciedad, y que sabemos a ciencia cierta que se relacionan con obesidad y enfermedades crónicas (como diabetes tipo 2 o, también, cáncer). Cada vez inundan más nuestras vidas (en parte porque cuentan con muy inteligentes campañas de *marketing*), desplazan el consumo de productos saludables y alejan una cultura de comer en familia, esa que ejerce claros efectos positivos para la salud mental y física. Además, son perjudiciales para el medio ambiente por varias razones, como la alta presencia de envases, la destrucción de recursos naturales que requiere su fabricación, la contaminación que genera su transporte, la ganadería intensiva asociada a muchos de ellos, etc. Seguramente seguirás teniendo dudas después de revisar la tabla, por lo que te aconsejamos que vayas encargando en una librería el muy recomendable libro *Tú eliges lo que comes*, del pediatra Carlos Casabona, que te ayudará a entender en toda su magnitud lo que se esconde detrás de esta lista de «alimentos».

Tabla 6. Alimentos muy procesados («ultraprocesados») cuya ingesta conviene limitar o, en el caso de las bebidas azucaradas o de las carnes procesadas, evitar
Alimentos elaborados con miel
Aperitivos dulces o salados
Barritas de cereales
Bebidas azucaradas (incluyendo zumos azucarados)
Bebidas «energéticas»
Bebidas lácteas azucaradas
Bollería o pastelería casera o industrial (piensa en la cantidad de azúcar que utilizas)
Carnes procesadas (por ejemplo: salchichas, hamburguesas y fiambres, y embutidos en general)
Cereales «de desayuno»
Chocolate o productos con base de chocolate
Confitería
Fast food y platos precocinados (por ejemplo: *pizzas* precocinadas)
Fideos instantáneos
Galletas dulces o saladas
Helados, horchatas o granizados
Nuggets de pollo o pescado

Tabla 6. Alimentos muy procesados («ultraprocesados») cuya ingesta conviene limitar o, en el caso de las bebidas azucaradas o de las carnes procesadas, evitar *(continuación)*
Pan con adición de grasas y otros aditivos
Polvos para elaborar «zumos»
Postres lácteos
Salsas (por ejemplo: mayonesa, nata, etc.) y mantequillas o margarinas
Sopas en polvo o precocinadas

Fuente: adaptado de BMJ Open. 2016 Mar 9;6(3):e009892, Public Health Nutr. 2018 Ene;21(1):1-4, y Eur J Clin Nutr. 2017 Dic 26. doi: 10.1038/s41430-017-0039-0. [publicación en línea previa a la publicación impresa].

Cerramos este apartado con algo que nos conecta con el siguiente: unas reflexiones pronunciadas por Alain Braillon y Gérard Dubois el 20 de enero de 2018 en respuesta a un editorial de la revista *Lancet*. Su texto se titula «Industry-born pandemics or Non Communicable Diseases, calling a spade a spade?», que podemos traducir como «¿Pandemias generadas por la industria o enfermedades no transmisibles? Llamando a las cosas por su nombre». En él se aboga por «una semántica apropiada» según la cual deberíamos dejar claro que el tabaco, el alcohol y los alimentos ultraprocesados no son factores de riesgo sino directamente causa de las actuales pandemias modernas.

Una última cuestión: lo que deberían hacer (y no hacen) los Gobiernos

Seguimos con Braillon y Dubois, porque añaden a lo dicho que los determinantes sociales (educación, salud universal...) son factores de riesgo para la diseminación de la actual pandemia de enfermedades no transmisibles. Los reservorios son las industrias, los vectores de transmisión son el *marketing* social y la tergiversación de datos. Los cofactores son los responsables de la formulación de políticas con poca competencia e integridad, que protegen los intereses creados en lugar de proteger la salud de los ciudadanos. En el mejor de los casos, tales «responsables» seleccionan medidas que no son más que una cortina de humo y evitan aplicar las políticas integrales imprescindibles para la efectividad en la protección de la salud de la población.

Volvemos con una nueva metáfora automovilística: aunque los accidentes de tráfico suponen hoy por hoy una importante causa de mortalidad, antes de los cinturones de seguridad, de los airbags, de una señalización perfectamente evaluada o de las multas (por poner algunos ejemplos), la conducción resultaba mucho más mortífera. ¿De quién era la responsabilidad de tanto accidente antes de tales medidas? Está claro que los conductores podemos conducir con más prudencia si queremos evitar la elevadísima siniestralidad en las carreteras. Pero también está muy claro que la mortalidad disminuye muy considerablemente con leyes que obligan a fabricar coches más seguros y, desde luego, con una buena señalización de las carreteras (sobre todo en los puntos negros), con la instalación de radares, con la ubicación de cámaras de vigilancia (por ejemplo, para el control del uso del cinturón), entre otras medidas.

De igual manera, ¿de quién es la responsabilidad de la actual epidemia de obesidad? Sí, es cierto que la población realiza voluntariamente la lista de la compra, pero si el camino por el que transita nuestra cesta de la compra está mejor «señalizado» y menos lleno de socavones o de terrenos resbaladizos, y si, además, los vendedores se atienen a unas leyes que protejan (de verdad) al consumidor, el riesgo de sucumbir a malas elecciones dietéticas es menor. ¿Qué opinamos sobre las políticas dirigidas a la prevención de la obesidad en España? Pues lo mismo que detalló el doctor Miguel Ángel Royo-Bordonada el 19 de noviembre de 2016 en la revista *Lancet*: que tales políticas no solo son prácticamente inexistentes, sino que da la sensación de que las maneja la industria alimentaria. Tienes ampliada esta cuestión en el texto publicado en diciembre de 2016 en el diario *El País* y titulado «Dime con quién andas y te diré qué política alimentaria tienes». Lo puedes consultar aquí: *www.goo. gl/2TnJsM*.

En este sentido, nos ha gustado mucho un documento de postura de la Asociación Europea para el Estudio de la Obesidad (EASO, en sus siglas en inglés) titulado «Balancing Upstream and Downstream Measures to Tackle the Obesity Epidemic» y que podríamos traducir como «Equilibrando las medidas preliminares y finales para abordar la epidemia de obesidad». El artículo empieza con esta lapidaria frase:

La prevalencia creciente de la obesidad en Europa y en otros lugares es el resultado de un complejo sistema que incorpora múltiples influencias.

Pero continúa mejor aún:

El discurso público y político sobre la obesidad se centra en gran medi-da en el papel del individuo, a menudo enmarcando la obesidad como un fracaso de la fuerza de voluntad y colocando la carga de la respon-sabilidad sobre las personas.

Este «discurso» es peligroso, porque sabemos que al achacar la obesidad a una falta de fuerza de voluntad estamos promoviendo la estigmatización de las personas afectadas por esta dolencia. Seguro que has escuchado a alguien pronunciando una (muy desafortunada) frase como esta: «Tiene tanto peso porque es un vago/porque come fatal/porque se automedica/por-que bebe demasiado alcohol, etc.». Sigamos leyendo el documento:

Sin embargo, aunque la toma de decisiones a nivel individual es un fac-tor en la obesidad, las elecciones que hacen las personas dependen en gran parte de los entornos en los que viven y de las oportunidades que tengan para seguir una alimentación saludable y practicar actividad física de manera regular.

Si a alguien susceptible de padecer problemas respiratorios no le queda más remedio que vivir en una ciudad muy contaminada (por el elevado número de vehículos, por una alta presencia de industrias que emiten gases de efecto invernadero, por una falta de precipitaciones, etc.), ¿sería justo culparle de padecer bronquitis con argumentos como «¡Es que respiras demasiado!»? No, desde luego que no. Pues algo así es lo que intenta transmitir el consenso de la EASO con respecto a la obesidad, que cita medidas «estructurales» que todo Gobierno debe tomar para evitar el ambiente «obesogénico» (que genera obesidad) que nos rodea, tales como:

- Medidas fiscales
- Regulación de la industria alimentaria
- Diseño del entorno y de los sistemas de transporte
- Provisión de espacios verdes públicos
- Regulación de los puntos de venta minorista y de comida rápida

Tales medidas, además, promueven la sostenibilidad, lo que lleva, en sus palabras, «a beneficios colaterales ambientales y de salud». Si seguimos leyendo el texto, veremos que resulta particularmente reveladora esta frase:

A escala de la población, los cambios menores que afectan a un gran número de personas pueden tener un mayor impacto general en la salud que aquellos con un gran impacto en un pequeño número de personas.

Un ejemplo: si nosotros, con este libro, conseguimos que todos nuestros lectores dejen de beber a diario alcohol o bebidas azucaradas, ello tendrá un gran impacto en un pequeño número de personas. Pero si el Gobierno prohíbe la publicidad de productos malsanos dirigida al público infantil, ello tendrá un pequeño impacto en un gran número de personas. Es decir, ¿qué efecto tendrá dicha prohibición en, pongamos, la hija de tu vecino? Pues seguramente pequeño. Pero, según cálculos publicados en 2009 por el catedrático de salud pública Jacob Lennert Veerman y sus colaboradores en la revista *European Journal of Public Health*, se podría evitar la obesidad de uno de cada tres niños si se prohibiera la publicidad de alimentos malsanos en televisión.

No pienses que este libro será del todo inútil. En el consenso leemos que «Los cambios a nivel individual son un componente necesario de la prevención de la obesidad», así que tiene sentido el esfuerzo que tanto nosotros como tú, quien lee estas líneas, podamos hacer. Pero no podemos ni debemos obviar que unas buenas políticas sanitarias relacionadas con la obesidad (seguimos leyendo del citado consenso) «no solo mejorarán la salud en un sector de población mucho mayor, sino que también reducirán las desigualdades en salud, contribuirán a reducir el estigma [que sufren muchas personas con obesidad] y generarán una amplia gama de beneficios colaterales ambientales».

Las medidas que deberían implementar los Gobiernos para prevenir que aumenten las actuales tasas de exceso de peso son de fácil acceso para cualquier responsable sanitario. Podemos acudir, por ejemplo, a una reciente publicación titulada «Alimentar los ODS [Objetivos de Desarrollo Sostenible]». Se trata de un informe elaborado por un grupo de expertos independientes coordinados por el Instituto de Investigación Internacional sobre Política Alimentaria (International Food Policy Research Institute, IFPRI) y que cuenta con el aval de entidades como la Organización Mundial de la Salud. Algunas de las medidas que deberían implementar los Gobiernos para prevenir la obesidad son, según este informe:

- Limitar la exposición de los niños y adolescentes a la publicidad de alimentos y bebidas poco saludables mediante la «prohibición integral» de dicha exposición.

- Subir los impuestos a las bebidas azucaradas y a la «comida basura».
- Retirar los productos poco saludables de las instituciones del sector público, en especial de las escuelas.
- Colocar etiquetas nutricionales sencillas e informativas en la parte frontal de los envases.
- Monitorizar y evaluar cualquier medida que se haya instaurado.
- Formar a los profesionales sanitarios.

Hay muchas más, por supuesto, y no abarcan tan solo a responsables políticos, sino también a guarderías, escuelas, universidades, organizaciones académicas involucradas en el control de la obesidad, fuerzas de seguridad públicas o privadas, prisiones, organizaciones no gubernamentales, empresas, medios de comunicación, profesionales sanitarios y, desde luego, a la población general. Involucrar a la comunidad, de hecho, es un aspecto clave para el éxito de cualquier campaña de salud. Mientras tanto, el Gobierno español llegó a un acuerdo con la industria alimentaria el 5 de febrero de 2018 denominado «Plan de colaboración para la mejora de la composición de los alimentos y bebidas y otras medidas. 2017-2020» que no es más que un parche que, en nuestra opinión, beneficia más a los fabricantes de productos insanos que a los consumidores. Opina de manera similar el dietista-nutricionista Álex Oncina, como puedes leer en su recomendable texto: «No necesitamos reformular los productos ultraprocesados, necesitamos reformular las políticas de salud pública» (*www.goo.gl/eBzcq8*).

Hablando de nutricionistas, mencionábamos en el capítulo anterior que resulta rentable incluir nutricionistas en la sanidad pública. Pero existen otras medidas que deberían tomar los Gobiernos. El WCRF las resumió en las siglas de la palabra «NOURISHING» («nutritivo»). Las tradujo al castellano para su blog *Mejor prevenir* un médico muy preocupado por nuestra salud: Carlos Fernández Escobar (en Twitter: @pezcharles). En su texto titulado «La receta de una sociedad nutritiva» (*www.goo.gl/EEzn2W*), leemos que cada letra de la palabra NOURISHING representa un área donde se deberían tomar medidas para mejorar nuestra alimentación:

- N: regulación del etiquetado Nutricional, y de las declaraciones Nutricionales de los alimentos. Estas son las típicas frases «alto en hierro» o «ayuda a tus defensas» que encontramos en los envases y anuncios de comida.
- O: Ofrecer menús saludables en instituciones públicas. Servir comida sana en colegios, universidades, hospitales, edificios de trabajo…

- U: Usar incentivos económicos. Subir el precio de la comida insana y bajar el precio de la saludable, y usar recompensas económicas para cambiar el sistema alimentario.
- R: Restringir la publicidad y otras formas de promoción de los alimentos insanos.
- I: Mejorar (*Improve*) la calidad nutricional de la oferta de alimentos, mediante límites en su composición.
- S: Establecer (*Set*) reglas e incentivos para los restaurantes y otras tiendas de alimentación.
- H: Aprovechar (*Harness*) todos los sectores de la cadena alimentaria. Por ejemplo, con incentivos a los productores de alimentos.
- I: Informar y concienciar sobre alimentación y nutrición. Hacer campañas en medios de comunicación, desarrollar guías nacionales, etc.
- N: dar consejo Nutricional desde el sistema sanitario.
- G: Dar (*Give*) educación y habilidades nutricionales en colegios y en la comunidad.

Si tú, que estás leyendo estas líneas, tienes alguna posibilidad de alterar las políticas relacionadas con la obesidad, te aconsejamos acudir, además de a las referencias citadas hasta el momento, a textos como los que siguen:

- Backholer K, Beauchamp A, Ball K, Turrell G, Martin J, Woods J, Peeters A. A framework for evaluating the impact of obesity prevention strategies on socioeconomic inequalities in weight. Am J Public Health. 2014 Oct;104(10):e43-50. Disponible en: www.pubmed.gov/25121810
- Camarelles Guillem F. Los retos de la prevención y promoción de la salud, y los del PAPPS. Aten Primaria 2018;50 Supl 1:1-2. Disponible en: www.goo.gl/Qz4xJa
- Franco M, Sanz B, Otero L, Domínguez-Vila A, Caballero B. Prevention of childhood obesity in Spain: a focus on policies outside the health sector. SESPAS report 2010. Gac Sanit. 2010 Dic;24 Supl 1:49-55. Disponible en: www.pubmed.gov/21074906
- International Food Policy Research Institute. 2016. Global Nutrition Report 2016: From Promise to Impact: Ending Malnutrition by 2030. Washington, DC. Disponible en: www.goo.gl/X539wB
- National Institute for Health and Care Excellence, NICE. Obesity prevention. Clinical guideline [CG43]. Last updated March 2015. Disponible en: www.nice.org.uk/guidance/cg43

- National Institute for Health and Care Excellence, NICE. Obesity: working with local communities. Public health guideline [PH42]. Last updated June 2017. Disponible en: www.nice.org.uk/guidance/ph42
- Swinburn BA. Obesity prevention: the role of policies, laws and regulations. Aust New Zealand Health Policy. 2008 Jun 5;5:12. Disponible en: www.pubmed.gov/18534000
- Waters E, de Silva-Sanigorski A, Hall BJ, Brown T, Campbell KJ, Gao Y, et al. Interventions for preventing obesity in children. Cochrane Database Syst Rev. 2011 Dic 7;(12):CD001871. Disponible en: www.pubmed.gov/22161367

Viene algo que indicamos en nuestro anterior libro, pero creemos imprescindible repetirlo. La doctora Margaret Chan, quien ha sido hasta hace bien poco directora general de la OMS, declaró en 2013, en su discurso de apertura de la 8.ª Conferencia Mundial de Promoción de la Salud (Helsinki, Finlandia), algo que sigue teniendo plena vigencia:

Los esfuerzos para prevenir las enfermedades no transmisibles van en contra de los intereses comerciales de poderosos agentes económicos. En mi opinión, este es uno de los mayores desafíos a los que se enfrenta la promoción de la salud.

Más reciente, pero también memorable, es la siguiente frase, escrita en diciembre de 2016 por Ilona Kickbusch, Luke Allen y Christian Franz en la revista *The Lancet Global Health*.

El aumento de las enfermedades no transmisibles es una manifestación de un sistema económico global que actualmente prioriza la creación de riqueza sobre la creación de salud.

El objetivo último de mejorar las políticas alimentarias relacionadas con la obesidad es bien simple: que la población pueda optar por decisiones saludables sin ni siquiera tener que pensar en ello.

En resumen

- Uno de los objetivos de este capítulo es que te formules esta pregunta: ¿es la obesidad un factor de riesgo modificable?

- Nadie, y mucho menos un profesional sanitario, debería discriminar, culpabilizar o estigmatizar a quien presenta obesidad (que de ninguna manera es «un obeso»), sobre todo, si es un niño.

- Tenemos serios motivos para intentar que la población no engorde a la velocidad a la que está ocurriendo en la actualidad. La prevención de la obesidad, de capital importancia, debe comenzar antes del embarazo, mantenerse durante la gestación y extenderse a lo largo de la infancia. En la tabla 4 detallamos 11 «herramientas» útiles para prevenir la obesidad infantil.

- El índice de masa corporal (IMC), el perímetro abdominal y el cociente cintura/cadera son cálculos que nos ayudan a evaluar si presentamos exceso de peso, en cuyo caso deberíamos acudir al médico (para que revise nuestro estado de salud) y a un nutricionista (para que nos ayude a instaurar un patrón de alimentación que compense el riesgo que supone la obesidad).

- El exceso de peso es un factor de riesgo de padecer enfermedades crónicas, lo que incluye al cáncer, pero una persona con obesidad que siga un buen estilo de vida probablemente tendrá menos riesgo de cáncer que una persona con normopeso que fuma, bebe alcohol a menudo, es sedentaria y se alimenta fatal.

- En personas con obesidad, una disminución de un 5-10 % del peso corporal (adelgazar más y mantener la pérdida conseguida es muy poco común) se relaciona con un 18 % menos de riesgo de mortalidad.

- Cuando está indicada la cirugía bariátrica, es un tratamiento que comporta más beneficios que riesgos.

- No es aconsejable perder mucho peso si nos han diagnosticado un cáncer. Perder peso en dicho momento puede empeorar el pronóstico de la enfermedad.

- Si padecemos obesidad debemos saber que, según los CDC, conseguir pérdidas superiores al 5 % del peso corporal y mantenerlas con el paso del tiempo es «raro». Por ello, tiene sentido focalizar nuestros esfuerzos en mejorar nuestro estilo de vida. Perdamos o no peso, nuestra calidad y nuestra esperanza de vida mejorarán.

- Las promesas de adelgazamiento exitoso a corto plazo suelen ser engaños flagrantes. Los fármacos son poco útiles, si lo son. Los complementos alimenticios son inútiles y peligrosos. Las «dietas milagro» son una imprudencia temeraria.
- Nuestro consumo de alimentos ultraprocesados (ver tabla 6) debe disminuir drásticamente.
- El azúcar es un tipo de carbohidrato. De hecho, buena parte de los carbohidratos que consumimos son azúcares (ver figura 3).
- Colocar la responsabilidad de la obesidad o de su abordaje únicamente en el individuo es injusto y culpabilizador.
- La salud no se mide en kilos, sino en hábitos. No se valora según la apariencia externa, sino en función del estilo de vida. No la marca tanto la edad cronológica (el año en que nacimos), sino más bien la biológica (cómo hemos cuidado nuestro cuerpo con el paso de los años).

Riesgos de creer que las terapias (o las dietas) «alternativas» curan el cáncer

«Las personas vulnerables no abandonan una terapia por "aversión a la quimioterapia" si no hay un caldo de cultivo (oferta "natural") de un negocio basado en la mentira y la manipulación mediante fantasías ilusorias».

VICENTE BAOS

En el presente capítulo vamos a situar los problemas que supone la utilización de terapias alternativas contra el cáncer, según la creencia de que aportan un tratamiento apropiado para este grupo de enfermedades o cualquier otra patología. Aunque ya hemos entrado en ello en el capítulo 1, creemos que es posible que o bien no te haya quedado claro, o bien te lo hayas saltado, o bien que necesites más información al respecto para estar convencido. Por lo tanto, si pese a todo lo dicho sigues pensando «¿Qué pierdo por probar?», tenemos que explicarte que puedes perder dinero, tiempo, esperanzas y, sobre todo, salud.

Falsas terapias contra el cáncer: hay muchas, pero ninguna es fiable

Etiquetas que las aglutinan: alternativas, complementarias, integrativas

Para empezar, debes saber que los conceptos «terapia alternativa», «terapia complementaria» o «terapia integrativa» en muchas ocasiones pueden considerarse sinónimos. Sinónimos en el sentido de que no cuentan con pruebas fiables de seguridad y eficacia, como justificó el profesor Edzard Ernst en su artículo publicado el 21 de marzo de 2016 de la revista científica *The Medical Journal of Australia*.

Parece como si un experto en *marketing* estuviera detrás de las tres acepciones recién citadas. Cuando parte de la población es consciente de que no deberíamos denominarlas «terapias alternativas», porque no suponen una alternativa a la moderna medicina (en el caso del cáncer no cuentan con ninguna prueba de efectividad), alguien se inventa «terapias complementarias». Pero, salvo pocas excepciones (como el yoga para reducir la fatiga y mejorar la calidad del sueño) tampoco complementan en absoluto a los tratamientos médicos con probada eficacia, así que por arte de magia pasan a denominarse «terapias integrativas».

El 1 de febrero de 2015 se estrenaba en Radio 5 de Radio Nacional de España un programa que ya no existe, denominado *En cuerpo y alma*, cuya carta de presentación fue la siguiente:

> *El cuerpo y el alma necesitan atención y se le puede dar de diversas formas. Yoga, naturopatía, shiatsu, reiki, meditación, quiromasaje, homeopatía, reflexología, pensamiento positivo… Complementos de la ciencia más actual y tradicional con todos sus avances que no pueden ser ignorados, pero que se pueden complementar.*

Dos cosas llaman enormemente la atención en este enunciado, más allá del hecho de que un programa como este, que pone en riesgo la salud de la población, se financie con dinero público. Por un lado, la extensa sucesión de propuestas terapéuticas «alternativas» con una única pero esencial característica en común: una ausencia total de evidencia científica que sustente el efecto terapéutico de todas y cada una de ellas. Por el otro, mucho más importante, su presentación como algo complementario de las terapias avaladas por la ciencia.

La clave de la complementariedad es que permite a las pseudoterapias sobrevivir bajo el cobijo de las terapias convencionales, es decir, las científicamente probadas, ya que presenta diferentes ventajas. Una de las principales es que pueden promocionarse sin cuestionar el método científico. La medicina convencional tiene a su favor algo que las pseudoterapias no poseen: una probada efectividad, empíricamente demostrable e individualmente experimentada. La inmensa mayoría de la población con acceso a la atención sanitaria puede resolver satisfactoriamente todos aquellos problemas de salud que la medicina es capaz de combatir, lo que hace que la confianza objetiva de la población en la misma sea muy alta y que los discursos contra la medicina convencional (o, en palabras de los falsos terapeutas, «alopática») encuentren un escaso eco. De este modo, unas propuestas alternativas que sean inefectivas y que además manifiesten hostilidad a la medicina «alopática» tienen pocas posibilidades de prosperar. En cambio, bajo la etiqueta de «complementarias» pueden albergarse todo un caudal de propuestas diversas sin entrar en contradicción con las terapias regladas.

Otra gran ventaja de la idea de la complementariedad es que enmascara mucho mejor su ineficacia. Su falta de efectividad queda protegida mediante el seguimiento en paralelo de un tratamiento que sí está testado y garantizado en cuanto a sus resultados, así como por ese efecto placebo que genera cualquier práctica en la que se crea y que al mismo tiempo imaginamos como beneficiosa. Pero qué mejor manera de exponer esta aberrante contradicción que citando literalmente la defensa que nos hacía un señor de la aplicación de la complementariedad:

Mi nieta pequeña tiene leucemia. Pues con ella hemos practicado las dos terapias: la quimioterapia y tratamientos alternativos de implantación energética de las manos y las piedras, consensuados con los médicos del hospital.

Además de comunicarnos esa elección, nos remitió una noticia publicada en un periódico ecuatoriano que se hacía eco del hecho de que las terapias alternativas se iban abriendo paso poco a poco en los hospitales del país. Dicho efecto no es casual, sino el resultado de la falta de criterio con que la sociedad en general, y los responsables de nuestra salud en particular, han dado a menudo carta blanca al ejercicio de todo tipo de «terapias alternativas». Volviendo a la radio, el 12 de octubre de 2018, el reputado periodista Carles Mesa, quien ha tenido el impagable detalle de prologar este libro, entrevistó en su imprescindible programa *Gente despierta* a otro renombrado periodista: Luis Alfonso Gámez (autor, entre otros libros, de uno que nos encanta: *El peligro de creer*). Carles Mesa preguntó a Gámez sobre el reciente caso de una mujer hospitalizada en la Unidad de Cuidados Intensivos del Hospital Reina Sofía de Córdoba a causa de una serie de «tratamientos naturistas» que le provocaron un taponamiento cardiaco por la rotura del ventrículo. Merece la pena leer con calma su respuesta:

Los ovnis, la parapsicología [y todo este tipo de falsas creencias] han creado una «realidad alternativa»: hay una «ciencia oficial» y una «ciencia alternativa», representada por quienes creen en lo paranormal.

Y esa «ciencia alternativa» se puede extender a la medicina. Y enton-
ces te encuentras con que frente a la medicina probada (la medicina
científica) hay unas cosas que se venden como «medicina alternativa»,
que son el equivalente a los ovnis y a la parapsicología, pero que pue-
den tener estos efectos. El problema que tenemos aquí es que, durante
décadas, en los medios de comunicación en general [...] hemos presen-
tado ese escenario: hay un escenario del mundo oficial y hay un esce-
nario alternativo. Entonces la gente se ha creído que si yo tengo [...]
una enfermedad incurable, puedo recurrir a un tipo que se llama «médi-
co naturista» y que me va a curar [...]. Y hay otra cuestión también
[...]: los colegios de médicos, hasta 2016, han sido los grandes cómpli-
ces de los abusos de la «medicina alternativa».

Por estos y otros motivos, situaciones tan absurdas como las descritas
sobre la niña con leucemia o la mujer con un taponamiento cardiaco forman parte de los comportamientos observables y defendidos por personas
cuyos familiares sufren enfermedades graves.

En el caso de la niña, la denostada quimioterapia es el tratamiento que
está protegiendo su salud, pero ¿qué pasaría si sus padres y abuelos llega-
sen a la conclusión de que realmente terapias como la «implantación energética de las manos y las piedras» son la mejor solución para el mal que
aqueja a esta menor? Afortunadamente, los éxitos de la medicina son tan
remarcables que solo sectores muy minoritarios de la sociedad se plantean
dejarla de lado. Pero cuando ponemos en plano de igualdad ambas posibilidades terapéuticas, cuando pensamos que las elucubraciones energéticas son realmente tratamientos médicos efectivos y cuando encima lo hacemos de la mano de profesionales de la medicina, nos situamos muy cerca
de dudar del único procedimiento que realmente puede hacer algo por
nosotros ante determinadas enfermedades, en beneficio de tratamientos
inefectivos.

De ahí que la penetración del concepto de la «complementariedad» o
la noción de «integratividad» en los sistemas públicos de salud sea algo
que deba alarmarnos. Haciendo una lectura muy generosa y ciertamente
muy sesgada de los hipotéticos beneficios de la complementariedad en los
hospitales públicos, podríamos llegar a la conclusión siguiente: una persona que crea en las terapias alternativas tendrá muchas menos posibilidades de ponerse exclusivamente en sus manos si un profesional sanitario
se asegura de que dicha elección se produzca en un entorno controlado y
no tenga lugar a costa del paciente. Desde ese punto de vista, los médicos

con los que «consensúa» el abuelo de nuestra cita anterior podrían ser incluso la garantía última de que esa niña no es puesta exclusivamente en manos de las «medicinas alternativas».

Pero también cabe hacer otra lectura bastante más crítica. Cabe señalar que lo que realmente sucede es que tanto muchos profesionales de la medicina como los responsables institucionales a los que corresponde velar por nuestra salud se han comportado con una enorme dejadez ante la problemática de las mal llamadas «terapias alternativas». Los unos, permitiendo que tratamientos cuya inefectividad está más que probada, como la homeopatía, se comercialicen en las farmacias, como si de una medicina distinta se tratara. Los otros, no estableciendo el marco legal apropiado para erradicar estas malas prácticas, como recordaba recientemente el periodista científico Javier Sampedro, al referirse a la absolución de un curandero «especialista en medicina naturista y ortomolecular», que causó la muerte de un joven estudiante de Físicas llamado Mario Rodríguez. Tal y como su padre explica en el libro *Homicidio de un enfermo*, el supuesto especialista convenció a Mario de que renunciara a tratarse su leucemia para seguir un «tratamiento ortomolecular». La mal llamada «medicina ortomolecular» o «nutrición ortomolecular» no es más que un vil y peligroso engaño, como podrás comprobar en el texto titulado «"Nutrición ortomolecular". Postura del GREP-AEDN», que encontrarás en el apartado de bibliografía de este capítulo (o en internet). En palabras de Sampedro:

> *Eso fue una fortuna para el curandero, que salió absuelto gracias a que las evidencias científicas aplastantes no han logrado penetrar en las sólidas paredes de los juzgados.*

Esto sí que es algo que debe preocuparnos. Julián Rodríguez, el padre de Mario Rodríguez, ha iniciado recientemente una campaña para que se realice un jucio justo en el caso de Mario que siente un precedente judicial que demuestre que los charlatanes no pueden campar a sus anchas sin consecuencia alguna. Puedes apoyar la campaña en este *link*: *https://www. gofundme.com/justicia-para-mario*.

Nos parece de una obviedad clamorosa que integrar o incorporar elementos de las «terapias alternativas» o «complementarias» solo debería hacerse si demuestran que realmente son útiles para aliviar enfermedades, algo que no han hecho. Pero no estamos ni mucho menos en ese escenario y para comprobarlo, aquí tienes la opinión de la Asociación Española

Contra el Cáncer sobre homeopatía, acupuntura, naturopatía, medicina ayurvédica y medicina tradicional china:

No han mostrado ser efectivos como terapia en ninguna patología onco-lógica, ni en los síntomas derivados de los tratamientos convencionales.

Veámoslo un poco más con detalle.

Homeopatía, acupuntura y medicina tradicional

Nos parece especialmente oportuno detenernos a valorar alguna de las falsas terapias mencionadas, una vez que la AECC ya ha expresado su opinión sobre las mismas, y apuntar alguna cosa sobre algunas otras.

Empecemos por la homeopatía. Un «medicamento» muy utilizado en homeopatía es Oscillococcinum. Te vamos a explicar en qué consiste, para que entiendas que, tal y como han demostrado centenares de estudios científicos, es imposible que la homeopatía funcione. Imagínate que diluyes una molécula de hígado de pato (pobre animal, qué culpa tendrá) en un globo lleno de agua, lo agitas, coges una gota y te tomas dicha gota para tratar una infección. Ah, un detalle: el globo de agua tiene el tamaño de la siguiente cantidad de universos: 10000000000000000000000000000000 0000000000000000000000000000000000000000000000000000000000000 0000000000000000000000000000000000000000000000000000000000000 0000000000000000000000000000000000000000000000000000000000000 0000000000000000000000000000000000000000000000000000000000000 0000000000000000000000000000000000000000000000000000000000000 0000. Es decir, diez elevado a 320. O, dicho de otro modo, un 1 seguido de 320 ceros. Esa es la dilución presente en el Oscillococcinum.

La homeopatía no es otra cosa que un vil engaño. Un engaño que, además, puede ser peligroso por dos razones: porque existe poco control sobre su composición real y porque en muchas ocasiones se utiliza en sustitución de tratamientos que salvarían la vida del paciente. ¿Por qué mucha gente cree que ha mejorado gracias a ella? Porque la toma para padecimientos leves o recurrentes que se hubieran curado o mejorado aunque no hubiéramos hecho nada, que son la mayoría de las razones por las que la gente acude al médico. Son las llamadas «enfermedades autolimitadas» (se irán solas, hagamos lo que hagamos), que, al asociarse a productos homeopáticos, refuerzan la tendencia a la medicalización reinante en nuestra sociedad, es decir, la creencia de que hace falta tomar medicinas para vivir. Y, a pesar de su inefectividad, los productos homeopáticos pueden generar riesgos en los pacientes, como consecuencia de las adulteraciones: es lo que constataba la FDA (Administración de Alimentos y Medicamentos del Gobierno estadounidense) tras hallar que una sustancia tóxica, la belladona, estaba presente en cantidades muy superiores a las esperadas en un producto homeopático de uso dental. Que conste que estar en contra de la homeopatía no significa estar a sueldo de las farmacéuticas, como estar en contra de la adulteración del aceite de colza no es estar a sueldo de Nestlé.

Vale la pena recordar, además, que la homeopatía no es la única especialidad que utiliza sustancias ultradiluidas, sino que lo mismo ocurre con la medicina antroposófica, una pseudociencia alejada en muchos sentidos de principios biológicos fundamentales e inspirada por cuestiones tan «espirituales» como que las vidas pasadas de los pacientes pueden influir en su enfermedad. La cuestión, no obstante, es que también se propone como precursora de alternativas al tratamiento del cáncer, a través de la utilización del muérdago en fármacos, sin que exista actualmente evidencia suficiente que respalde dicho falso tratamiento.

¿Y qué tenemos que decir sobre quienes nos proponen retornar a la «medicina tradicional», a esa que utilizaban nuestros tatarabuelos? Que es tan absurdo como volver a utilizar alcohol como anestesia en una operación: el escritor Dennis Fradin, en su libro *We Have Conquered Pain*, explicó que «Los cirujanos entraban en el quirófano con una botella de whisky en cada mano: una para el paciente y otra ellos, para poder soportar los gritos». Y es tan absurdo como volver a navegar en galeras propulsadas por esclavos remeros, en vez de hacerlo en un barco fabricado con la ingeniería naval moderna. Con la diferencia de que en las galeras solo sufren los remeros, pero en la «medicina tradicional» sufren los «pasajeros», es decir, las personas a las que se les aplica dicha «medicina». ¿Sabías que durante siglos se creyó que las enfermedades se debían a «desequilibrios humorales»? La solución pasaba por desangrar a los pacientes, purgarlos o hacerles vomitar. La mayoría moría. En parte, por eso triunfó la homeopatía, porque no hacer nada (aunque parecía que el homeópata hacía algo) era mucho mejor que hacer esas barbaridades que hoy nos parecen impensables.

La historia de la medicina se parece a la de otros conocimientos (como los de la ingeniería) en que se ha pasado de un proceso de toma de decisiones basado en la tradición, en la autoridad, en la experiencia personal o en las opiniones de «expertos» al modelo actual, basado en pruebas científicas explícitas y contrastables de forma empírica. Tales pruebas proceden de investigaciones rigurosas y permiten obtener pruebas más objetivas que las del pasado y, en consecuencia, a adoptar prácticas profesionales más fiables, a la vez que se descartan todas aquellas prácticas consideradas inefectivas o peligrosas.

Como hemos ido señalando ampliamente, el método científico persigue, entre otras cosas, no catalogar como verdaderas creencias que son erróneas. Consiste en sistematizar una manera de lograr respuestas fiables a cuestiones de salud. De forma resumida, el proceso es el siguiente: se formula una hipótesis tras identificar un problema; se revisan los conocimientos existentes; se recogen datos según un diseño preestablecido; se analizan e interpretan dichos datos (secuencia temporal, especificidad del efecto, plausibilidad biológica, coherencia y experimentación, etc.); y, por último, se obtienen unas conclusiones. La difusión de tales conclusiones permitirá modificar o añadir nuevos conocimientos a los que ya existen, para iniciar a partir de entonces un nuevo ciclo. ¿Crees que este proceso existe detrás de las «terapias» alternativas, complementarias o integrativas?, ¿o detrás de las llamadas «dietas milagro»? La respuesta es no.

Por si estos criterios no te parecen suficientes para determinar si una propuesta terapéutica es pseudocientífica, vale la pena tener en cuenta también los propuestos por Alan Sokal, profesor de Física de la Universidad de Nueva York: reconoceremos una pseudoterapia por hacer aseveraciones de fenómenos reales o alegados y de relaciones causales que el consenso científico considera inverosímiles, así como por pretender apoyarlas en argumentos y evidencias que distan mucho de las normas aceptadas de lógica y evidencia. Terapias como el *reiki*, que pretende transmitir una energía universal mediante la imposición de manos, son un ejemplo perfecto de ello: sitúa una serie de fenómenos alegados (no reales) respecto a los que establece causalidades inverosímiles y las sustenta en argumentos aún más inverosímiles. Otros aspectos que detalla Sokal para su refutación son que la evidencia alegada sea espuria o poco convincente y que dicha creencia se encuentre en cuestión con teorías científicas bien establecidas y, por lo tanto, sustentadas en la evidencia.

Uno de los epidemiólogos más importantes del siglo xx, sir Richard Doll, declaró en 1937 que «los tratamientos médicos que surgen de la propia experiencia suelen tener "efectos variables" e ineficaces». Confiar en la «experiencia de cada sanador» es como confiar nuestros ahorros a un desconocido. Está claro, por tanto, que antes de divulgar un mensaje de salud es preciso realizar investigación científica rigurosa, porque hacerlo puede salvar muchísimas vidas. Es por ello por lo que la enfermera Azucena Santillán (en Twitter: @Ebevidencia), en una carta al director enviada a *Index de Enfermería*, señalaba que «la medicina tradicional y complementaria no da respuesta a las necesidades de la nueva sociedad más abierta, empoderada y proactiva. Sin embargo, sí que puede resultar lesiva por su falta de regulación, ordenación y por su carencia de sustento científico». También indicaba lo siguiente:

> *[...] la MTC [Medicina Tradicional y Complementaria] no es inocua. Sus remedios herbales no están debidamente etiquetados y su producción no está controlada [por lo que] en varias ocasiones se han detectado sustancias perjudiciales para la salud o restos de animales de especies protegidas. Estos remedios pueden causar insuficiencia renal, daños hepáticos en sus usuarios porque contienen elementos tóxicos y metales pesados, o reaccionar de manera indeseada al combinarse con medicamentos convencionales. Uno de sus mayores peligros es que pueden inducir a sus usuarios a abandonar sus tratamientos convencionales y el desenlace puede ser fatal.*

En la bibliografía de este capítulo encontrarás estudios realizados en Hong Kong o en Taiwán que han constatado adulteraciones no declaradas en productos de «medicina china».

Y dado que ya hemos hablado de la homeopatía y la medicina tradicional, le llega el turno a la acupuntura y al «masaje de tejido profundo». En una revisión publicada por *UpToDate* y coordinada por el profesor Edzard Ernst leemos que la acupuntura, además de no contar con pruebas que acrediten mejoras en la salud, se ha relacionado con la transmisión de agentes infecciosos a través de la inserción de agujas, rotura de agujas, agujas olvidadas o mal aplicadas, neumotórax (entrada traumática de aire entre las dos capas de la pleura), hipotensión transitoria, hemorragia menor, dermatitis de contacto y dolor. Es su opinión, y la nuestra, que tras décadas de investigación ha llegado el momento de dejar de gastar dinero y recursos en estudiar la acupuntura para afirmar sin rubor que no funciona (*www.goo.gl/uH4qfn*).

Respecto al «masaje de tejido profundo» o «masaje terapéutico profundo», por su parte, no solo no mejora la salud, sino que puede producir hematomas, particularmente en pacientes con tratamiento anticoagulante o trombocitopénicos (con pocas plaquetas), entre otras complicaciones graves. Los enemas, también muy utilizados y también sin pruebas de beneficios, pueden generar complicaciones graves tales como infección con patógenos entéricos (*E. Coli, Campylobacter, Salmonella, Yersinia, Serratia…*), deshidratación severa, desequilibrio electrolítico e incluso la muerte. Y es que un médico en defensa de la naturopatía es como un astrónomo en defensa del horóscopo, como un matemático en defensa de la numerología, como un geógrafo en defensa de la tierra plana o como un abogado en defensa de la caza de brujas. Acabamos desaconsejándote algo también «natural»: el cannabis. En palabras de la Fundación Epistemonikos: «El uso de cannabis en personas enfermas no produce mejoría y causa daño a la salud» (3 de mayo de 2018, *www.goo.gl/JztwM9*).

Las emociones tampoco curan el cáncer

Es probable que hayas oído hablar del extraordinario poder de nuestras emociones e incluso hayas escuchado a algunos pseudoexpertos defender el poder del pensamiento positivo para curar nuestras enfermedades. También cuentan que el pensamiento negativo, el estrés o el pesimismo pueden crear condiciones para el desarrollo de un cáncer o que el cáncer puede tener su origen en una emoción. Se trata de líneas de pensamiento un tanto extendidas gracias a la falta de rigor de nuestras programaciones de televisión o radio o al éxito de los libros de autoayuda, entre otros factores, y tienen en común la defensa de una falsa causalidad: la que existiría, según ellos, entre la actitud psicológica y los riesgos de aparición o de no superación de un cáncer.

Hay incluso quien va más lejos: hay auténticos desalmados haciendo creer a pacientes con cáncer que su enfermedad es de origen emocional y que la curación radica en su fuerza mental. Es como afirmar que la avería de un avión la causa el mal humor de los pasajeros y que se arreglará si estos tienen pensamientos positivos. Un sinsentido. Nos gustó mucho leer estas afirmaciones en el texto «6 cosas que no debes decirle a una persona que tiene cáncer», de la periodista Silvia C. Carpallo:

Hay una tendencia muy arraigada a pensar que la actitud que el paciente tenga durante su enfermedad va a determinar el progreso de la misma. Por ello, es muy normal que los enfermos oigan frases como: «tienes que ser fuerte y luchar», «tienes que estar positivo», «tu actitud es parte de la curación», «ya verás como todo va a ir bien, pero depende

*de ti», «si estás desanimado, la enfermedad lo nota», etc., recuerdan
por su parte desde AECC. Este tipo de comentarios generan una presión enorme en el paciente, que no es capaz de estar siempre contento
y positivo, puesto que «lo normal es tener miedo, tristeza, rabia y
desesperanza, por lo que la imposición del positivismo solo genera un
sentimiento añadido de culpa».*

Por todo lo anterior, no extraña que profesionales expertos en contacto con pacientes, como la psicooncóloga Tania Estapé, desaconsejen a las
personas cercanas a los pacientes que les presionen para que tengan una
actitud positiva, bajo la creencia de que en caso contrario no se curarán,
cuando estos realmente tienen la necesidad de expresar sus emociones
negativas (tristeza, enfado) ante la circunstancia que les ha tocado vivir.
En efecto, nada de eso está justificado: sin negar la importancia de contribuir a preservar el bienestar psicológico del paciente a lo largo de la
evolución de la enfermedad y sus tratamientos, no existe evidencia que
avale que las emociones positivas y el pensamiento positivo tengan efecto
terapéutico alguno.

Precisamente el Instituto Nacional del Cáncer señala en un documento
titulado «Estrés psicológico y el cáncer» (puedes consultarlo en este enlace: *www.goo.gl/ybEZ3w*) que no hay pruebas de que el estrés produzca
cáncer, y añade que la relación que han observado (que no «demostrado»)
ciertas investigaciones preliminares entre estrés y cáncer es atribuible a
situaciones que ocurren a la vez que el estrés. En sus palabras:

*Por ejemplo, la gente con estrés puede adoptar ciertos hábitos, como
fumar, comer en exceso o beber alcohol, lo cual aumenta el riesgo de
la persona de padecer cáncer. O bien, alguien con un familiar con cáncer puede tener un riesgo mayor de padecer cáncer debido a un factor
hereditario compartido de riesgo, no por el estrés resultante del diagnóstico del familiar.*

Diversos estudios abundan en la misma dirección, como el publicado
en 2015 por la doctora Liu y sus colaboradoras, quienes, tras analizar la
relación entre emociones y mortalidad en 719.691 mujeres del Reino Unido, alcanzaron la siguiente conclusión:

*En las mujeres de mediana edad, la mala salud puede causar infelici-
dad. Después de analizar esta asociación y ajustar los posibles factores*

de confusión, la felicidad y las medidas de bienestar relacionadas no parecen tener ningún efecto directo sobre la mortalidad.

Reveló algo similar el metaanálisis de Hee Kyung Ahn y sus colaboradores publicado en la revista científica *Psychooncology*, que constató que el riesgo de cáncer no era superior en pacientes con depresión. Y opinó lo mismo el oncólogo Ricardo Cubedo, quien escribió lo siguiente en su artículo «¿Existe relación entre emociones muy extremas y el cáncer?», que publicó en el diario *El Mundo*:

Se han hecho estudios epidemiológicos en personas que han pasado por situaciones verdaderamente traumáticas, como terremotos, guerras, prisión, tortura, etc. Pero la incidencia de cáncer no ha aumentado significativamente durante los años posteriores a esas catástrofes. Por último, también hay estudios experimentales con animales. Distintos tipos de mamíferos se han sometido a situaciones crónicamente estresantes (mejor no me pregunte cuáles), pero no han aparecido tumores en ellos.

Yo creo que, aunque el fenómeno exista, hay explicaciones diferentes de una relación directa de causa a efecto. Cuando una persona tiene una enfermedad grave, instintivamente tiende a volver la vista atrás buscando causas. En el mundo en el que vivimos, por puro azar estadístico, muchas habrán atravesado divorcios, muertes de seres queridos, dificultades económicas, despidos, problemas con los hijos...

Piense también que cuando una persona pasa por esta clase de trances es frecuente que padezca síntomas físicos inespecíficos como dolores de cabeza, molestias digestivas, insomnio o depresiones. Quizá tiendan a consultar al médico más que antes, se hagan análisis y exploraciones y se diagnostiquen cánceres (y otras enfermedades) que ya estaban allí e iban a dar la cara de todos modos.

Es el momento de ponernos serios y recomendarte encarecidamente que te des la vuelta sin mirar atrás si te hablan de biodescodificación, desprogramación biológica o bioneuroemoción. En España, un conocido personaje se enriquece con estos peligrosos métodos: Enric Corbera. Cita siempre el origen emocional de la enfermedad y se basa en postulados de Ryke Geerd Hamer, un médico alemán considerado uno de los más peligrosos embaucadores bajo la faz de la tierra. Fue acusado de negligencia y condenado en varios países europeos, y algunas seguidoras de su escuela también han sido condenadas. Es el caso de Germana Durando, condenada a dos años y seis meses por homicidio al causar la muerte a una paciente con melanoma, a la que le garantizaba que podía curar con manzanilla y sesiones psicológicas.

En cuanto a Enric Corbera, la Asociación Española Contra el Cáncer, «niega de raíz todos los postulados del catalán», como leemos en el texto «Enric Corbera, el "charlatán"' que dice curar el cáncer sin tratarlo y gana así tres millones al año». La Organización Médica Colegial indica, literalmente, lo siguiente sobre la bioneuroemoción:

Fundada por Enric Corbera, es una secta derivada de la «Nueva Medicina Germánica» *de Hamer y de la* «Biodescodificación», *cuyos fundadores [...] han sido condenados a penas de prisión y multas por la justicia de diferentes países europeos. Integra otros elementos de alto riesgo sectario.*

Encontrarás más información en el siguiente enlace: *www.goo.gl/ mxgXSY.*

Antes de despedir esta cuestión, también queremos señalar que en los medios de comunicación a menudo leemos la expresión «lucha contra el cáncer», no como un eufemismo, sino en el marco de una tendencia a tratar a las personas enfermas de luchadoras, lo cual presenta dos problemas: por un lado, oculta el papel clave de la medicina convencional en la superación de la enfermedad; por el otro, arrebata al enfermo la condición de paciente. Nos parece peligroso que esta identificación del enfermo con un luchador pueda hacer pensar a la población en general que las personas que fallecen lo hacen por no luchar lo suficiente o a la inversa, y también que con todo ello se desdibuje el papel de los tratamientos médicos, de la atención sanitaria pública y de calidad, y la necesidad de preservar un sistema de salud accesible para todo el mundo. Que, por cierto, hablando de luchadores, todo eso es algo por lo que sí que vale la pena luchar.

Riesgos constatados de las pseudoterapias en pacientes con cáncer

La revista científica *JAMA Oncology* hizo pública el 1 de octubre de 2018 una importante investigación que nadie debería pasar por alto. En ella, el doctor Skyler Johnson y sus colaboradores evaluaron la supervivencia en pacientes con cánceres curables que escogieron utilizar «medicinas complementarias», es decir «terapias» para complementar el tratamiento médico de su cáncer (hierbas u otros productos botánicos, vitaminas y minerales, medicina tradicional china, homeopatía, naturopatía o dietas especiales). Su conclusión, después de evaluar 1.901.815 pacientes con cáncer (de mama, de próstata, de pulmón o de colon), fue esta:

> *Al igual que ocurre con los pacientes que usan medicinas alternativas (que no se someten, desde el principio, a ningún tratamiento médico convencional), los pacientes que usan medicinas complementarias también están exponiéndose a un riesgo innecesariamente mayor de muerte [...]. Los pacientes que recibieron «medicina complementaria» tuvieron más probabilidades de rechazar tratamientos convencionales para el cáncer, y presentaron un mayor riesgo de muerte. Los resultados sugieren que el riesgo de mortalidad asociado con la «medicina complementaria» estuvo mediado por el rechazo de los tratamientos convencionales para el cáncer.*

Léelo con calma antes de lanzarte a los brazos de falsas terapias. Tras ajustar por potenciales factores de confusión, el estudio constató, como acabas de comprobar, que los pacientes que escogieron medicinas complementarias fueron más propensos a rehusar aspectos importantes de la cura del cáncer, como la quimioterapia, la cirugía, la radiación o la terapia hormonal. Rechazaron la quimioterapia 10 veces más, la radioterapia 22 veces más, la terapia hormonal 25 veces más y la cirugía 70 veces más. La consecuencia lógica fue que presentaron un mayor riesgo de muerte prematura. El doctor Johnson, el autor principal del estudio, declaró en una entrevista que «el hecho de que la utilización de la medicina complementaria se asocie con un mayor rechazo de los tratamientos probados para el cáncer, además de un mayor riesgo de muerte, debe dar algo en qué pensar a sanitarios y pacientes». Por desgracia, la investigación de Skyler y colaboradores no es la única, ni la primera, que observa esta funesta relación entre utilización de terapias «alternativas», «complementarias» o «integrativas» y un mayor riesgo de fallecer prematuramente. Relación que no solo está mediada por el abandono de terapias con sólidas pruebas a sus espaldas, sino también por efectos adversos de los propios tratamientos «alternativos».

Pero si las personas con cáncer no solo «complementan» sino que directamente abandonan la terapia convencional del cáncer para confiar en «terapias alternativas», el riesgo es espeluznante. El periodista Manel Ansede resumió con estas palabras, en *El País*, un importante estudio centrado en esta cuestión: «Las "medicinas alternativas" aumentan hasta un 470 % el riesgo de muerte en pacientes de cáncer». El artículo de Ansede comienza así:

> *«Plantas, vitaminas, minerales, probióticos, medicina ayurvédica, medicina tradicional china, homeopatía, naturopatía, respiración profunda, yoga, taichí, chi kung, acupuntura, quiropráctica, osteopatía, meditación, masajes, oraciones, dietas especiales, relajación progresiva, imagen guiada». El joven oncólogo estadounidense Skyler Johnson enumera algunos de los pseudotratamientos —sin ninguna prueba científica de su eficacia— a los que se encomiendan muchos pacientes de cáncer.*

El doctor Skyler Johnson también coordinó una investigación, publicada el 1 de enero de 2018 en la revista *Journal of the National Cancer Institute,* sobre esta segunda cuestión (en la anterior hablaba de «terapias complementarias», mientras que en esta se centró en las «alternativas»). Su conclusión es reveladora: «la utilización de la medicina alternativa para cánceres curables se relaciona con un mayor riesgo de muerte». Partiendo de investigaciones como la recién mencionada, el biólogo Fernando Cervera (autor del muy recomendable libro *El arte de vender mierda*) estimó el 14 de octubre de 2018 que tan solo en España la cifra de fallecimientos ocasionados por las pseudoterapias sería mayor a 1350 fallecimientos anuales, cifra muy superior a las 234 personas fallecidas por causas relacionadas con la asistencia sanitaria (y eso teniendo en cuenta que la asistencia sanitaria salva vidas y que la cantidad de personas que utilizan la sanidad pública es infinitamente superior a la de usuarios de las terapias «alternativas»). Como ves, si las enfermedades graves fuesen gasolina, las «terapias alternativas» serían una chispa. Una encuesta realizada en octubre de 2018 por la American Society of Clinical Oncology constata que el 40 % de los norteamericanos cree que el cáncer se puede curar con «terapias alternativas» (*www.goo.gl/dAEsBw*).

Por eso leemos la siguiente reflexión en el trabajo del doctor Skyler Johnson: «Se necesita mejorar la comunicación entre pacientes y cuidadores y un mayor escrutinio del uso de medicinas alternativas para el tratamiento inicial del cáncer».

¿Por qué? Para evitar muertes innecesarias ocasionadas por embaucadores cuya amabilidad proviene, en demasiadas ocasiones, de su sincera preocupación por una parte de nuestro cuerpo muy sensible a los modales: nuestro bolsillo.

Falsas propuestas dietéticas contra el cáncer

Hasta ahora te hemos hablado de pseudoterapias en general, pero debes saber que también estamos rodeados por propuestas dietéticas inadecuadas dirigidas a personas que sufren algún tipo de cáncer. Veamos dos de ellas, no sin antes aconsejarte que huyas de cualquier dieta con apellido.

La dieta alcalina

El caso más conocido es el de la dieta alcalina, una propuesta que lleva entre nosotros varios años y desgraciadamente goza de cierta notoriedad, ya que se trata de uno de los conceptos mejor asociados en Google a dietas «que funcionan». Dicha propuesta sostiene que ciertos alimentos pueden afectar a la acidez del sistema digestivo, de la orina o de la sangre, por lo que ciertos pseudoterapeutas la consideran útil para prevenir o tratar cosas como el exceso de peso, el cáncer, enfermedades cardiacas, renales, óseas, etc. ¿Y cómo se conseguiría eso? La acidez de una sustancia se cuantifica mediante el parámetro denominado pH (potencial de hidrógeno), que se mueve en una horquilla entre 0 y 14. Así, un pH bajo denota acidez; uno alto, alcalinidad, y el valor 7 indica que se trata de una sustancia neutra. Pues bien, según los promotores de sus virtudes, la dieta alcalina será aquella que refleje el pH de la sangre, el cual oscila entre 7,35 y 7,45 (apenas alcalina), de modo que los elementos que «alcalinicen» (frutas frescas y verduras crudas) mejorarían la salud y los que «acidifiquen» (productos de origen animal, cereales, legumbres, etc.) la empeorarían.

He aquí la explicación. ¿Recuerdas lo que decía el profesor de física Alan Sokal sobre «relaciones causales que el consenso científico considera inverosímiles»? Pues esta también es una buena muestra y ahí va el porqué. Primero, por cosas que tienen que ver con el tubo digestivo. El estómago es un órgano tan ácido que ningún alimento puede cambiar su pH de manera relevante y todos los alimentos que salen del estómago hacia el intestino son ácidos. Luego es en el intestino donde las secreciones del páncreas neutralizan esos ácidos, evitando que la selección dietética afecte al pH del tubo digestivo. Segundo, porque la alimentación no altera en lo más mínimo el pH de la sangre, lo que destruye la idea defendida por sus promotores de que la modificación del pH de la sangre contribuiría a prevenir el cáncer, ya que impediría a las células cancerosas sobrevivir. Si así fuera, ello no afectaría a las células cancerosas, sino a todas las células del ser humano, pudiendo causar grandes enfermedades e incluso la muerte, pero no es el caso. Pero es más, la falta de evidencia de la dieta alcalina sobre la prevención del cáncer fue avalada por una revisión sistemática realizada por Fenton y Huang en 2016 que arrojaba una conclusión clara: la promoción de la dieta alcalina o el agua alcalina para la prevención o tratamiento del cáncer no está justificada.

Lo cierto es que la única sustancia del organismo que puede ver alterada su acidez por la alimentación es la orina, pero un pH ácido en la orina no refleja ninguna condición adversa para la salud. La dieta alcalina tampoco es efectiva sobre la prevención o mejora de otros trastornos: ni el sobrepeso ni la obesidad ni enfermedades coronarias ni la diabetes ni la artrosis.

La dieta macrobiótica

Otra célebre elucubración es la dieta macrobiótica, creada en 1961 por George Ohsawa, un autodenominado «experto». La fecha es importante, porque una de las características de las dietas fraudulentas (o «dietas milagro») es que o bien aseguran haberse creado a partir de un reciente descubrimiento científico, o bien perjuran basarse en planteamientos milenarios. Lo decimos porque mucha gente cree que la dieta macrobiótica pertenece a este último supuesto, es decir, que es milenaria, cuando no llega ni a centenaria. Está basada en la alegación de que los alimentos pueden clasificarse según un parámetro invisible: su energía interior (yin y yang). Como resultado de dicho principio, los investigadores Cunningham y Marcason consideran que son rasgos comunes de dicha dieta la presencia prioritaria de granos integrales, una notable cantidad de hortalizas, un porcentaje del 5 al 10 % de sopas y una cantidad de legumbres y algas en un porcentaje que puede situarse entre un 5 y un 10 % del total. Su creador clasificó la misma en 10 niveles, en los cuales iba eliminando cada vez un grupo de alimentos, dejando tan solo en el nivel superior el arroz integral, lo que ha dado pie a que diversas personas hayan fallecido intentando alcanzar el décimo nivel.

Pero vamos con otros de sus riesgos. Como resultado de su particular composición, Cunningham y Marcason señalan como riesgos potenciales de la misma una deficiencia en proteínas, vitamina B12 y calcio, y riesgo de deshidratación. También es una propuesta arriesgada por la elevada presencia de algas, que, a causa del elevado contenido en yodo de las mismas, la convierte en peligrosa para personas con problemas de tiroides o con riesgo de padecerlos, sin olvidar tampoco el alto contenido en arsénico de algunas algas comestibles. Todo ello nos hace desaconsejar su utilización sobre todo en menores, pero aún hay más motivos para huir de ella como del demonio:

- Sus bases teóricas (la división de los alimentos en yin y yang o la creencia en que hay alimentos que «dan frío» o que «dan calor») carecen por completo de sentido, se sitúan al margen de cualquier explicación racional y no tienen sustento alguno en investigaciones serias, pudiéndose así generar una confusión de impredecibles consecuencias.
- Los promotores de la dieta tienen por costumbre desacreditar la medicina y negar el impacto de los avances científicos sobre nuestra esperanza de vida.
- Las quiméricas atribuciones o incumplibles promesas que suelen promover quienes defienden las bondades de esta dieta, además de crear falsas esperanzas, pueden generar culpabilidad en las personas que la siguen o, peor aún, desconfianza en tratamientos médicos de eficacia probada, lo que pondrá en riesgo su salud.
- Rechaza la utilización de conservantes, lo que incrementa las posibilidades de sufrir infecciones alimentarias.
- La eliminación progresiva de grupos de alimentos que sugiere genera un riesgo de muerte por malnutrición severa.

Todo esto debería bastar para hacerla desaconsejable ante la aparición de un tumor, pero, contrariamente, hay diferentes investigaciones que advierten que es una de las dietas más seguidas por personas enfermas de cáncer. Todo ello pese a que no existe ninguna evidencia que nos haga creer que lo prevenga y aún menos que pueda contribuir a su curación. Por el contrario, seguir una dieta macrobiótica en el marco de esta enfermedad genera una serie de riesgos adicionales:

- Puede demorar la aplicación de un tratamiento médico necesario para salvar la vida del paciente.
- Puede deteriorar el estado psicológico del paciente con motivo de las limitaciones sociales que genera el seguimiento de este patrón

dietético, muy difícil de combinar con comidas familiares o eventos sociales.

- Puede empeorar el pronóstico del paciente a causa de las deficiencias nutricionales de la persona que sigue esta dieta. Estas conllevan a menudo una pérdida de peso en personas sanas y pueden producir una situación de bajo peso en personas enfermas.
- Como hemos mostrado anteriormente, en tanto que «terapia alternativa», el paciente se expone a un mayor riesgo de mortalidad.

Es por todo ello por lo que la dieta macrobiótica resulta del todo desaconsejable y que los profesionales sanitarios deben estar alerta ante los riesgos añadidos en las personas que hayan optado por este patrón alimentario. ¿Qué debemos hacer los profesionales sanitarios cuando acude a nuestra consulta un paciente que sigue una dieta macrobiótica? Para responder a esta pregunta, nada mejor que recurrir a la magistral ponencia «La relación en la consulta médica con el paciente que utiliza terapias alternativas», que impartió el doctor Vicente Baos (@vbaosv) en el hospital La Paz de Madrid el 18 de febrero de 2017. Su intervención se enmarcó en el evento de divulgación científica «Terapias peligrosas: parasitando la salud», organizado por ARP Sociedad para el Avance del Pensamiento Crítico y Fisioterapia sin Red.

En su ponencia, el doctor Baos deja claro que es imprescindible escuchar con amabilidad, con empatía, con comprensión, sin juzgar, sin prepotencia y sin rechazo, siendo en todo momento conscientes de que el paciente no es más que una víctima. Que debemos fomentar la confianza mutua, intentar acercar distancias siempre mostrando interés por la salud del paciente para conseguir establecer un canal de comunicación y ayuda. Que resulta necesario atender a las razones que argumenta el paciente y comprenderlas para, a continuación, aproximar nuestros conocimientos y consejos sin imposición alguna, teniendo en cuenta que es poco probable, e incluso ilusorio o irreal, que el paciente cambie en unos pocos minutos sus creencias o su escala de valores. Es el paciente quien debe reconsiderar, en función de nuestros consejos, si la vía que ha escogido es la correcta, tras exponerle otras opciones que, eso sí, deben estar bien argumentadas y sustentadas en los mejores conocimientos disponibles hasta la fecha. Y, por supuesto, si existen elementos reales en la terapia que pueden poner en grave peligro la salud del paciente (algo que puede llegar a suceder en el caso de la dieta macrobiótica, como hemos visto), nuestra posición debe ser muy clara y debemos alertarle sin titubeos de los riesgos existentes.

El doctor Vicente Baos concluyó su ponencia alentando a toda la sociedad a que, en legítima defensa:

- Denuncie, desde todos los ámbitos posibles, a quienes promueven terapias peligrosas o a quienes se benefician económicamente de ellas.
- Fomente el desprestigio de dichas terapias mostrando públicamente su irracionalidad.
- Luche para que exista una legislación que controle su difusión.

Para finalizar, insistimos en que toda persona que escuche hablar de la dieta macrobiótica debe ser consciente de que sus fundamentos ofenden cualquier conocimiento científico de la nutrición o de la biología humana. Podemos afirmar que es un «sofisma nutricional», un concepto que podríamos definir como planteamiento nutricional falso o capcioso que se pretende hacer pasar por verdadero. Un sofisma que, además, puede poner en riesgo nuestra salud.

Decálogo de recomendaciones para protegerte de las pseudoterapias

Antes de acabar este capítulo, te dejamos con unos consejos para salvarte de poner en peligro tu salud:

1. Ten en cuenta que quien te atiende en una tienda de «dietética» casi nunca es un profesional sanitario. Suele ser un vendedor cuyo sueldo depende de las ventas. No todo el que se autoproclama como experto en nutrición es un dietista-nutricionista (un «psiconeuroinmunólogo», por ejemplo, no es un profesional sanitario, salvo si también cuenta en su haber con una carrera sanitaria). En todo caso, aunque haya aprobado cinco carreras, aunque lleve atendiendo pacientes veinte años, aunque sea profesor universitario, aunque dirija un hospital, aunque sea catedrático de Medicina, si está a favor de la homeopatía o en contra de las vacunas, es un embaucador. La máscara de los charlatanes a veces está elaborada con títulos universitarios.

2. Aunque no te lo creas, mucha gente quiere ganar dinero a costa de nuestros miedos. Hablando de miedos, mira qué correo electrónico hemos recibido mientras redactábamos este capítulo: «Como parte

de nuestras medidas de seguridad, pantalla de regular las actividades de BBVA servicios en línea. Durante nuestra ultima comprobación de seguridad, su cuenta fue marcado por nuestro sistemas de seguridad, a medida que nuestra política de seguridad, hemos suspendido su cuenta. Siga el siguiente enlace para restaurar su acceso». Si lees la frase con calma, no te costará descubrir que es un engaño, y que es muy poco probable que el banco BBVA envíe un texto tan mal redactado. Por desgracia, muchas personas harán clic en el enlace que aparece después del texto e incluso algunas pondrán el código de acceso a su cuenta bancaria. Algo así sucede con nuestra salud: estamos preocupados, más incluso que si nos suspenden la cuenta bancaria, y somos capaces de aferrarnos a cualquier promesa sin ni siquiera pensar con calma qué pruebas tenemos de que dicha promesa sea fiable.

3. Lo «natural» no es sinónimo ni de «inocuo» ni de «sano».

4. Que un tratamiento sea seguro no es suficiente. Tiene que ser, además, eficaz. Y que un tratamiento sea eficaz tampoco es suficiente. Tiene que ser, además, seguro. O, por lo menos, sus beneficios tienen que superar ampliamente sus potenciales efectos adversos. Por si no nos explicamos bien, te rogamos que leas estas palabras que detalló el profesor Edzard Ernst en agosto de 2012:

El valor de un tratamiento no se determina solo por su seguridad; hay muchas intervenciones seguras pero inútiles, como también hay terapias dañinas pero útiles. El valor de un tratamiento concreto se determina preguntándonos si se generan más beneficios que daños. Si el tratamiento no es efectivo, incluso el más pequeño de los riesgos podría inclinar la relación beneficio-riesgo hacia el «riesgo». Si otro tratamiento viene cargado con serios efectos adversos, pero su implementación puede salvar una vida, podría ser de gran utilidad.

5. Nunca conviene automedicarse. Y tomarse por cuenta propia homeopatía, el extracto de una planta, un producto «ortomolecular» o, en general, un complemento alimenticio es automedicarse.

6. Debemos afilar el escepticismo en relación con los complementos alimenticios para no acabar desperdiciando el dinero y poniendo en riesgo la salud. ¿Por qué? A causa de sobredosificaciones de compuestos no evaluados en humanos, interacciones entre complementos alimenticios y fármacos, efectos adversos de los compuestos

presentes en los complementos alimenticios o daños por pesticidas o metales pesados presentes en el preparado. Y, también, porque muchísimos complementos alimenticios están adulterados con fármacos o sustancias que pueden generar efectos adversos graves, como mostró el equipo de la doctora Jenna Tucker el 12 de octubre de 2018 en la revista científica JAMA. Cuando leas embustes como «esta humilde planta es hasta cien veces más efectiva que la quimioterapia para tratar cáncer» (no, no nos lo hemos inventado), huye sin mirar atrás.

7. También debemos afilar el escepticismo ante propuestas «alternativas». En muchas ocasiones, los enfoques alternativos promueven una falsa sensación de seguridad que puede facilitar conductas nada saludables, de forma inconsciente, en quienes los siguen. Algo que puede empeorar su calidad de vida.

8. Abrazar lo alternativo o complementario jamás debe hacerse dejando de lado tratamientos de probada eficacia.

9. Ojo con los titulares. Cada día vamos a leer noticias sobre nutrición y salud, y unas pocas serán ciertas, la mayoría serán titulares sensacionalistas, otras serán medias verdades exageradas hasta el infinito y algunas simple y llanamente mentiras intolerables. Antes de creernos tales noticias debemos pensar que muchas veces los titulares responden a las necesidades del editor: atraer lectores para ganar más dinero a través de la publicidad. Cuando entres en la noticia pregúntate: ¿puedo hacer clic en el estudio que supuestamente sustenta las afirmaciones de titular? Si no es así, es momento de dar la vuelta.

10. Si una noticia se basa en un estudio al que puedes acceder, revisa si se ha realizado en ratones. En tal caso, muy probablemente no será extrapolable a humanos. Si es en humanos, realízate preguntas como las siguientes: ¿el estudio demuestra una relación causa-efecto o solo observa una correlación?, ¿el sueldo de los autores del estudio depende de sus resultados?, ¿los investigadores están buscando sinceramente la verdad sobre la cuestión estudiada o parecen querer demostrar a toda costa sus hipótesis? Si el resultado proviene de un estudio en humanos aparentemente serio y sin conflictos de interés, acude a Google Scholar y comprueba si la nueva noticia encaja con los conocimientos científicos ya establecidos sobre el tema o es más bien una hipótesis sin confirmar (los avances científicos son lentos, no bruscos).

Te invitamos, además, a que adquieras práctica en un pensamiento escéptico y crítico, por lo que no puedes olvidarte de lo comentado en el capítulo 1 y para lo que te sugerimos acudir a libros como *El arte de vender mierda*, de Fernando Cervera; *El peligro de creer*, de Luis Alfonso Gámez; *Medicina sin engaños*, de José Miguel Mulet; o *Que se le van las vitaminas* y *Todo es cuestión de química*, ambos de Deborah García Bello.

Por último, si eres un profesional sanitario debes ser consciente de que tu rechazo frontal delante del paciente a los tratamientos que pueda estar siguiendo (sean alternativos, complementarios o integrativos) podría ser contraproducente. En parte, porque tu brusquedad hará que se sienta tentado a alejarse de ti. Y, también en parte, porque algunas de las falsas promesas provienen de sanitarios supuestamente reputados (tanto o más que tú). Debes empatizar con el paciente, con una mente abierta que permita ponerte en su lugar (de modo que él lo note) para, a continuación, demostrarle con calma, con objetividad y basándote en fuentes fiables que no existen pruebas científicas de que las «terapias» no científicas funcionen y que algunas de ellas suponen asumir riesgos considerables.

En resumen

- Las terapias «alternativas», «complementarias» e «integrativas» son sinónimos de una misma cosa: de intervenciones que no cuentan con pruebas fiables de seguridad y eficacia.
- La etiqueta de «complementarias» les permite sobrevivir bajo el cobijo de las terapias médicas basadas en la evidencia, ya que pueden promocionarse sin cuestionarlas y disimular su ineficacia cuando simultáneamente se aplica un tratamiento de medicina convencional.
- Ni la homeopatía ni la acupuntura ni la naturopatía ni la medicina ayurvédica ni la medicina tradicional china son efectivas en el tratamiento de ningún cáncer.
- Las emociones tampoco curan el cáncer ni pueden predisponer la aparición de un cáncer. No existe evidencia que avale que las emociones positivas y el pensamiento positivo tengan efecto terapéutico alguno. No obstante, ello no resta importancia a la necesidad de preservar el bienestar psicológico del paciente a lo largo de su enfermedad.

- La utilización de la medicina complementaria se asocia también con un mayor rechazo de los tratamientos probados para el cáncer, lo que pone en peligro la vida de los pacientes. Se detectan asociaciones entre riesgo de morir prematuramente y el abandono de terapias basadas en la evidencia, así como con los efectos adversos de los «tratamientos alternativos».

- El abandono, en cambio, de los tratamientos convencionales en favor de las terapias alternativas incrementa hasta un 470 % el riesgo de muerte en pacientes con cáncer. Abrazar lo alternativo o complementario jamás debe hacerse dejando de lado tratamientos de probada eficacia.

- Ni la dieta alcalina ni la dieta macrobiótica, ni ninguna otra dieta «con apellido» contribuyen a prevenir o a curar el cáncer.

- Los profesionales deben ser capaces de empatizar con los pacientes que recurren a las «terapias» (alternativas, complementarias o integrativas) y demostrarles con calma, con objetividad y basándose en fuentes fiables que no existen pruebas científicas de que las «terapias» no científicas funcionen y que algunas de ellas suponen asumir riesgos considerables.

capítulo	¿Qué hago si me diagnostican
seis	un cáncer?

«De todas las formas de mentira, las más terribles son las que juegan con nuestras esperanzas y anhelos más íntimos (como la salud)».

DOCTOR MIGUEL MARCOS, en su cuenta
de Twitter (@drmiguelmarcos),
15 de agosto de 2017

No puedes imaginarte la cantidad de veces que nos han escrito o llamado familiares, amigos, conocidos y también desconocidos porque padecen un cáncer y quieren saber qué opinamos sobre el ayuno que han empezado a seguir porque lo han leído en un libro con «recetas anticáncer». Nos preguntan qué opinamos sobre las pastillas que se están tomando y que les ha «recetado» un homeópata en bata blanca. Qué opinamos de que beban agua de mar o zumo de limón por la mañana, tras ser aconsejados por un naturópata, también en bata blanca. Qué opinamos del cartílago de tiburón o del *ginseng*, que les ha insistido que tomen un vendedor de una «tienda de dietética» con la consabida bata blanca. O qué opinamos sobre la dieta alcalina, antroposófica, ayurvédica, cetogénica, macrobiótica (y un largo etcétera) que han decidido seguir, aconsejados por un «terapeuta alternativo». En ocasiones, quien ha emitido los (desacertados) consejos son incluso verdaderos profesionales sanitarios, lo que recibe el nombre de negligencia.

Nos lo preguntan porque somos activos en redes sociales, porque aparecemos en entrevistas o en diferentes medios, y también porque saben que hemos escrito conjuntamente un par de libros relacionados con la alimentación. Como nuestra respuesta suele ser bastante breve («¡Deja de hacer eso!»), dichas personas tienen ahora nuestra opinión ampliada en este capítulo.

Lo primero no es la alimentación

Ante un diagnóstico de cáncer, la alimentación no es, ni en sueños, lo más urgente. Lo prioritario, lo inaplazable, es seguir las instrucciones del oncólogo, que utilizará las terapias más eficaces disponibles en la actualidad para tratar la enfermedad. Como quizá alguien piense que el par de frases que acabas de leer se contradicen con lo expresado en capítulos anteriores, vamos a insistir en una idea central de este libro: el cáncer no se trata de la misma manera que se previene. Tampoco tratamos las consecuencias de un resbalón, de un accidente de tráfico, de un cortocircuito o de un incendio con las mismas estrategias que usamos para prevenirlos.

De hecho, el incendio nos sirve para entender la llamada «falacia de lo natural». Muchísimas personas prefieren tratamientos «naturales», pero, en la inmensa mayor parte de casos, tales tratamientos no han mostrado pruebas de efectividad y seguridad. Es decir, no sabemos si funcionan ni tampoco si provocan efectos adversos, por lo que es mejor decantarse por lo «no natural». Un incendio en el bosque (que puede ser provocado por fenómenos naturales, como una tormenta eléctrica), ¿lo tratamos con métodos «naturales»? No, recurrimos a la tecnología, en este caso: a equipos de bomberos con trajes ignífugos, bombas que dispersan el agua, cálculos matemáticos que permiten predecir la evolución del incendio, conocimientos de meteorología para valorar el estado del tiempo (humedad, viento…), hidroaviones equipados con modernos dispositivos, etc. En palabras del oncólogo Suneel D. Kamath:

> El cáncer es «natural». Los mejores tratamientos para el cáncer no lo son [...]. Debemos centrarnos en tomar decisiones que de manera realista tengan el mayor número de posibilidades de ayudarnos. A veces, la opción «antinatural» es la mejor.

Es cierto que cada vez se diagnostican más cánceres (somos más, vivimos más años, los métodos diagnósticos son más eficaces… y también seguimos estilos de vida muy mejorables), pero también lo es que en los últimos cuarenta años se ha duplicado la supervivencia frente esta enfermedad. La ciencia en cuestiones de salud avanza sin cesar. Lo hace lentamente, pero de forma segura, es decir, siempre intentando no poner en riesgo al enfermo.

Tengo cáncer. ¿Me sirve de algo seguir una alimentación sana? ¿Hago «dieta»? ¿Elimino el azúcar para «sanarme»?

La frase que acabas de leer («Tengo cáncer. ¿Me sirve de algo llevar una alimentación sana?»), con la que empezamos este difícil apartado, no es nuestra. La hemos copiado del «Código Europeo Contra el Cáncer», elaborado por Centro Internacional de Investigaciones sobre el Cáncer. Dicho centro, como ya indicamos en el capítulo 2 («Prevención del cáncer»), es una rigurosa entidad perteneciente a la Organización Mundial de la Salud y dedicada a las investigaciones oncológicas. Mira qué opina esta entidad sobre la dieta sana cuando ya está instaurado el cáncer:

> *Por desgracia, disponemos de muchos menos datos sobre el efecto de la alimentación en la evolución del cáncer que sobre la probabilidad de que este aparezca.*

Tenlo en cuenta cuando te propongan alimentos o dietas «anticáncer». El apartado del CIIC sobre esta cuestión continúa así:

> *Se sabe que en caso de cáncer de mama puede mejorar la calidad de vida gracias a un peso saludable y a la actividad física, y que ambos factores contribuyen a una mayor supervivencia. En cambio, no hay base suficiente para hacer recomendaciones en firme acerca de otros cánceres ni para afirmar que determinados alimentos o dietas ayuden.*

Cuidado, que han hablado del peso saludable y de la actividad física, no de «dietas». Y solo en el cáncer de mama, no en el resto de cánceres. Repetimos el final de la frase, para que quede bien claro: «no hay base suficiente para hacer recomendaciones en firme acerca de otros cánceres ni para afirmar que determinados alimentos o dietas ayuden». Con la palabra «ayuden» se refieren a la probabilidad de curarse del cáncer, por cierto, no al papel de la alimentación en los síntomas que se pueden derivar del cáncer o del tratamiento oncológico. Papel que revisaremos en breve.

Las dietas más «famosas» para el cáncer (la «dieta alcalina», la «dieta cetogénica», la «dieta macrobiótica», el «régimen Gerson» o el «régimen Kelley-González») no solo no cuentan con una sola prueba científica de utilidad, sino que pueden poner en riesgo a quienes las sigan por deficiencia de nutrientes imprescindibles para hacer frente a la enfermedad.

Aunque ya hemos hablado de ella en el capítulo 5, como la dieta macrobiótica es una de las más utilizadas por pacientes con cáncer hacemos una pequeña pausa. Es fácil encontrar investigaciones que observan mejoras en la salud de quien sigue una dieta macrobiótica..., pero ¿a qué debemos atribuir esa mejora? Lo lógico, sabiendo lo desequilibrada que es la alimentación en los países occidentales, es que dicha mejora sea atribuible al hecho de abandonar los malos hábitos nutricionales de nuestra alimentación y no a la mencionada dieta.

Sea como fuere, no existe ninguna revisión sistemática ni metaanálisis que sustente ninguna de las atribuciones de salud que suelen acompañar a esta dieta. Se puede comprobar escribiendo en la casilla de búsqueda de la base de datos de investigaciones científicas PubMed la siguiente estrategia de búsqueda: (Macrobiotic* AND Meta-Analysis[ptyp]) OR (macrobiotic* AND systematic[sb]). Dicha búsqueda desprende tres investigaciones, contrarias a la aplicación de la dieta macrobiótica para obtener supuestos beneficios de salud:

- Dagnelie PC, Van Staveren WA, Hautvast JG. Health and nutritional status of «alternatively» fed infants and young children, facts and uncertainties. I. Definitions and general health status indicators. Tijdschr Kindergeneeskd. 1985 Dic;53(6):201-8.
- Hübner J, Marienfeld S, Abbenhardt C, Ulrich CM, Löser C. How useful are diets against cancer? Dtsch Med Wochenschr. 2012 Nov;137(47):2417-22.
- Huebner J, Marienfeld S, Abbenhardt C, Ulrich C, Muenstedt K, Micke O, et al. Counseling patients on cancer diets: a review of the literature and recommendations for clinical practice. Anticáncer Res. 2014 Ene;34(1):39-48.

Así, no hay motivos para pensar que esta propuesta pueda prevenir de forma efectiva el cáncer ni tampoco los hay de que permita curarlo o contribuir a su curación. Sin embargo, sí existen razones para alejarse esta dieta, como hemos explicado en el apartado «La dieta macrobiótica» del capítulo 5.

Seguro que has oído hablar de la dieta cetogénica, ya que parece prometedora. Lo cierto es que en la historia del cáncer ha habido muchos abordajes prometedores que no han pasado el riguroso filtro que exige la ciencia antes de su implementación clínica. La aplicación terapéutica de la dieta cetogénica no ha sido bien evaluada. No es ético recomendarla sabiendo que no existen ensayos controlados y aleatorizados que hayan estudiado no solo su supuesta eficacia, sino sobre todo su seguridad. Tienes más información en estas dos investigaciones: *www.pubmed.gov/29443693* y *www.pubmed.gov/28455833.*

Algo que suelen también escuchar las personas con cáncer es que eliminando el azúcar de su vida matarán de hambre a las células cancerígenas. Sin duda, cualquier nutricionista serio coincidirá en recomendar una disminución en el consumo de azúcar para prevenir la caries, a corto plazo, y para disminuir, a largo plazo, el riesgo de padecer exceso de peso. Pero sostener que las células cancerígenas se alimentan de azúcar (un mito muy extendido) no es más que una desaconsejable simplificación de un asunto complejo. Un peligro de esta clase de mitos es que generan falsas expectativas, algo que a la larga provoca frustración. No menos importante: quien sostiene que el azúcar alimenta las células cancerígenas es muy probable que también realice afirmaciones sin ninguna clase de rigor científico y ponga en riesgo nuestra salud. La cuestión es que todas nuestras células, sanas o enfermas, necesitan glucosa para el metabolismo energético. La glucosa puede obtenerse del azúcar de mesa, pero, al ser un nutriente tan importante, nuestro cuerpo lo consigue de diferentes alimentos. Así, si bien todos coincidiremos en la importancia de tomar menos azúcar, promover un mito basado en una premisa falsa, como el que sostiene que el azúcar es cancerígeno, puede generar desequilibrios dietéticos de impredecible final. Tienes más información sobre azúcar y cáncer el documento «Don't believe the hype – 10 persistent cancer myths debunked», firmado por la entidad Cancer Research UK y que encontrarás en la bibliografía.

En 2018 se publicó una investigación de la que parecía concluirse que tomar frutos secos podría aumentar la supervivencia en pacientes con cáncer de colon. Sin embargo, tal y como justificó el doctor Dagfinn Aune en septiembre de 2018 dicha investigación no permitía de ninguna manera concluir: «¡Por fin un superalimento! », como pensaron muchos. Está en boca de todos una frase, atribuida a Hipócrates, de la que queremos renegar en este libro: «Que tu medicina sea tu alimento y el alimento, tu medicina». Los buenos alimentos son esenciales para una buena salud y previenen enfermedades serias. Pero no curan enfermedades ni sustituyen a los medicamentos cuando están indicados.

Sea como sea, cuando nos acaban de diagnosticar el cáncer o ya estamos recibiendo el tratamiento oncológico, es posible que o bien el tratamiento o bien la propia enfermedad dificulten (o contraindiquen, como indican el CIIC o el WCRF) seguir una alimentación saludable. También puede ocurrir que existan deficiencias nutricionales o problemas generados por la enfermedad o por el tratamiento oncológico (cuyo objetivo no es fastidiarnos ni enriquecer a las farmacéuticas, sino salvar la mayor parte de vidas posibles). De ahí que el WCRF recomiende a los pacientes con cáncer que reciban cuidados nutricionales por parte de profesionales sanitarios debidamente capacitados. Hablaremos de ello más adelante. Ahora queremos centrarnos en una frase que también detalla el CIIC... a la que vale la pena dedicarle un apartado para que quede bien claro.

¿Complementos alimenticios o plantas medicinales para el cáncer? ¡Ojo, cuidado!

La frase del CIIC a la que acabamos de aludir es la siguiente:

> No *tome suplementos alimenticios sin consultar al médico, porque algunos interfieren con los tratamientos contra el cáncer.*

Frase a la que nosotros añadiríamos «y porque no han mostrado mediante estudios rigurosos ser eficaces para tratar el cáncer; si fueran eficaces y seguros, el colectivo médico los incluiría sin falta en sus terapias». Pero no son ni eficaces ni seguros. Un ejemplo lo encontramos en los complementos que forman parte de la mal llamada «medicina tradicional china» basada en extractos de plantas que no son en absoluto inocuos. De ahí que no deba extrañarnos que los herbalistas chinos, es decir, quienes prescriben los extractos de plantas de la medicina tradicional china, presenten un alto riesgo de nefritis, insuficiencia renal, esclerosis renal y cáncer de riñón. Lo constataron Hsiao-Yu Yang y colaboradores en 2009 en la revista *Journal of Epidemiology* tras evaluar la salud de 6.548 herbalistas chinos y ajustar sus resultados por potenciales factores de confusión. Atribuyeron esta observación a la aristoloquina o ácido aristolóquico, un componente químico presente en muchas plantas. Tanto es así, que la Organización Mundial de la Salud considera que las plantas que contienen esta sustancia son cancerígenas.

Pero hay más. El doctor Weng F. Huang y sus colaboradores publicaron en la revista científica *American College of Clinical Pharmacology* el resultado de evaluar en el laboratorio 2.609 muestras de productos de la «medicina tradicional china». El 23,7 % estaban adulteradas y más de la mitad (52,8 %) de las muestras adulteradas tenían dos o más adulterantes. Resultado que seguro que no sorprendió al doctor Chor Kwan Ching y su equipo, porque encontraron, en enero de 2018, 1.234 adulterantes en las 487 medicinas chinas «naturales» que analizaron en su laboratorio. Las seis categorías más comunes de adulterantes detectadas fueron antiinflamatorios no esteroideos (fármacos para el dolor y/o la inflamación), anorexígenos (fármacos para disminuir el apetito), corticosteroides (fármacos para la inflamación y enfermedades autoinmunes, entre otras indicaciones), diuréticos/laxantes, antidiabéticos orales y medicamentos para la disfunción eréctil. La sibutramina (que todo el mundo conocía por el nombre comercial Reductil[1]) fue el adulterante más común en la muestra analizada. Como bien detalló el blog *La ciencia y sus demonios* el 10 de octubre de 2017, la medicina tradicional china es una «ruleta rusa».

¿Sabías que cada año se atienden 23.000 urgencias en Estados Unidos a causa de efectos adversos de los complementos alimenticios? Puede que pienses que estamos sobremedicados y que muchísimas muertes son atribuibles al mal uso de los fármacos. Te daremos la razón, pero en el caso de los complementos alimenticios hay dos diferencias que debes saber.

La primera diferencia es que los medicamentos, aunque pueden causar problemas serios (motivo por el cual no debemos «automedicarnos»), también salvan millones de vidas a diario. ¿Cuántas vidas salvan las «terapias alternativas»? Si navegas en la literatura científica, comprobarás que la respuesta a la anterior pregunta es «Ninguna». De hacerlo, la propia industria farmacéutica convertiría sus propuestas en medicamentos y la sanidad pública las integraría en sus guías clínicas. Encontramos un ejemplo en el yoga: sabemos que puede ayudar a combatir el cansancio generado por el cáncer o por su tratamiento, de ahí que aparezca recomendado en guías de referencia, como en una denominada «Educación para el paciente: cuando el tratamiento para el cáncer le hace sentir cansado» y publicada en *UpToDate*, un portal de referencia en medicina.

La segunda diferencia es que mientras que los medicamentos se someten a estrictos requisitos de efectividad y seguridad antes y después de aprobarse su comercialización (Francia, por ejemplo, acaba de dejar de

---

[1] La sibutramina es un fármaco anorexígeno (diseñado para reducir el apetito) relacionado químicamente con las anfetaminas. Se usó mucho para adelgazar hasta que fue prohibido por sus efectos adversos sobre la tensión arterial y el corazón.

subvencionar todos los fármacos para el Alzheimer, por comprobar que son más perjudiciales que beneficiosos), los complementos alimenticios están exentos de dichos requisitos. Los medicamentos también están obligados a recoger en su prospecto la dosis en que ejercen sus efectos terapéuticos y cuáles son los posibles efectos secundarios e interacciones que se puedan presentar. Nada de lo anterior ocurre con los complementos alimenticios. A modo de ejemplo, el doctor Roger W. Byard y sus colaboradores constataron que las plantas «medicinales» disponibles en Australia no solo no curan enfermedad alguna, sino que pueden poner en serio riesgo la salud de la población. En su artículo señalan que sus observaciones son extrapolables a otros países occidentales, algo que también apuntó el doctor Aaron E. Carroll el 2 de octubre en la revista *JAMA*.

¿Estás pensando: «Las farmacéuticas manejan mucho dinero»? Entonces te interesa conocer este dato: el mercado global de los complementos alimenticios rondó los 200.000 millones de dólares en 2017 y su tasa de crecimiento anual supera el 6 %. Es decir, es un lucrativo negocio y, por ello, las farmacéuticas también participan «del pastel». Por último, el hecho de que las farmacéuticas realicen en muchas ocasiones malas prácticas no prueba que las «terapias alternativas» sean fiables. Una metáfora que solemos utilizar para entender esto es la siguiente: que te traten mal en un hotel, ¿es la demostración de que en un *camping* tratan mejor a sus clientes? No, en absoluto. Pues lo mismo sucede con las farmacéuticas y las empresas que venden complementos alimenticios.

Es momento de acudir de nuevo al superventas «anticáncer» por antonomasia en España: *Mis recetas anticáncer*, escrito por una médica llamada Odile Fernández. Porque habla mucho (y sin criterio) sobre plantas medicinales. Pero, antes, un paréntesis para detenernos brevemente en un texto que redactó Rafael Méndez para el diario *El Confidencial*. En él leemos siguiente:

Ella [Odile Fernández] cuenta su experiencia, pero incide en la dieta y en la psicología, soslayando la terapia. «Quiero compartir este milagro, entre comillas, porque yo digo que esto es un milagro con un trabajo personal intenso bastante grande». [...] «La enfermedad me ha enseñado que si crees en los sueños los sueños se hacen realidad. Nunca hay que dejar de soñar. La enfermedad me ha enseñado que si crees eres capaz de hacer cualquier cosa. [...] Soy una mujer corriente que hizo algo extraordinario cuando creyó en ella misma. El mundo es de los soñadores».

¿Qué opinan los expertos sobre tales declaraciones? Tenemos sus opiniones en el mismo artículo de Rafael Méndez:

La psicóloga de la Asociación Española contra el Cáncer (AECC) Vanesa Jorge replica que no hay evidencia científica de que el estado de ánimo o pensar en la sanación influya en la enfermedad. [...] no influye en el pronóstico ni en la evolución. Jorge añade que estos mensajes «generan sentimientos de culpa. El estado emocional de un paciente diagnosticado de cáncer varía y tan válido es estar triste como estar contento. Criminaliza decir que si estás triste te va a ir peor. Ojalá tuviéramos evidencia científica de que sirve».

Eparquio Delgado, psicólogo [...], señala tras leer el último libro que [...] «Da la idea de que hay más probabilidades de supervivencia o menos en función de lo optimista que seas. Eso acaba responsabilizando de la enfermedad a la persona enferma».

También encontramos en el texto estas declaraciones de la doctora Paula Jiménez Fonseca, oncóloga y portavoz de la Sociedad Española de Oncología Médica (SEOM):

En el texto [Mis recetas anticáncer] hay intercalada información absolutista que carece de rigor científico y en la que, fruto de la simplificación, se cae en la falsedad y el error [...]. Como médico, como oncóloga, como profesional no podría recomendarlo con el contenido actual. Ciertos párrafos o comentarios sensacionalistas y erróneos pueden poner en peligro la salud del paciente. Valga el ejemplo de este proverbio recogido a página completa: «Cuando la alimentación es mala, la medicina no funciona. Cuando la alimentación es buena, la medicina no es necesaria». Este texto no solo es falso en relación con el cáncer, sino con otras múltiples enfermedades y ataca la dignidad de muchos pacientes.

Vayamos ya al capítulo «Plantas medicinales y su empleo en el cáncer» del libro *Mis recetas anticáncer*. En él, Odile recomienda alegremente que tomemos anís estrellado, canela, cardamomo, cardo mariano, *ginseng* coreano, jengibre, *kalanchoe*, llantén, muérdago, té verde y uña de gato. Como comprobarás ahora mismo, es recomendable detenerse en estas plantas o en sus extractos para comprender por qué nos parece tan desaconsejable este libro (o cualquier otro similar).

Empecemos con el anís estrellado. Para saber si existen estudios mínimamente serios sobre el anís estrellado hemos realizado una búsqueda en la base de datos de estudios científicos de referencia, denominada PubMed (*www.pubmed.gov*). La estrategia que hemos seguido (puedes copiarla y pegarla en la casilla de búsqueda de dicha base de datos) es esta: «Illicium»[Mesh] AND «Neoplasms»[Mesh] AND (Randomized Controlled Trial[ptyp] AND «humans»[MeSH Terms]). ¿Qué significa la anterior parrafada? Pues que le hemos pedido a PubMed (que recoge más de 28 millones de estudios científicos) que nos muestre ensayos controlados y aleatorizados en humanos, es decir, estudios mínimamente serios, sobre el anís estrellado. Hemos ampliado la búsqueda a todo el género al que pertenece el anís estrellado, denominado *Illicium*. ¿Resultado? Cero estudios que sugieran algún efecto «anticáncer» atribuibles al anís estrellado.

Sucede exactamente lo mismo con la canela (estrategia de búsqueda: «Cinnamomum zeylanicum»[Mesh] AND «Neoplasms»[Mesh] AND Randomized Controlled Trial[ptyp] AND «humans»[MeSH Terms]) o con el cardamomo («Elettaria»[Mesh] AND «Neoplasms»[Mesh] AND Randomized Controlled Trial[ptyp] AND «humans»[MeSH Terms]).

En el cardo mariano nos ahorramos el trabajo de navegar en PubMed, porque en la página web que dedica a esta planta el Instituto Nacional del Cáncer de Estados Unidos (*www.goo.gl/7U3xWD*) leemos lo siguiente: «No se recomienda el uso del cardo mariano».

El *ginseng* merece un punto y aparte. Porque, además de no existir pruebas en humanos de que sea «anticancerígeno», resulta que está desaconsejado consumirlo en pacientes que padecen cáncer, según la organización Cancer Research UK (*www.goo.gl/UGVVjC*). ¿Por qué? Porque puede disminuir o aumentar la absorción intestinal de los fármacos prescritos para tratar el cáncer (fármacos que sí cuentan con serios estudios de seguridad y efectividad y que se retiran del mercado cuando se sospecha que pueden generar efectos adversos que no compensen su beneficio). En resumen, que es potencialmente peligroso tomar *ginseng* si se padece cáncer.

En el caso del jengibre, aunque no hay una sola prueba que nos haga pensar que pueda ser útil para tratar el cáncer, sí existe algún estudio aislado que sugiere que puede aliviar las náuseas que muchas veces provoca la quimioterapia. Pero también existen investigaciones que sugieren lo contrario. De ahí que sea necesario recurrir a un metaanálisis (resumiendo mucho, un metaanálisis es una síntesis de los estudios publicados sobre un tema, realizada mediante complejos cálculos estadísticos). Lo publicaron las doctoras Jiyeon Lee y Heeyoung Oh en marzo de 2013 en la revista científica *Oncology nursing forum*. Aquí tienes la conclusión:

> *Las pruebas científicas actuales no respaldan el efecto del jengibre en el control de las náuseas y los vómitos inducidos por la quimioterapia.*

No hemos hallado ningún trabajo posterior de similares características que le lleve la contraria. Pero sí una investigación que ha evaluado qué sucede al consumir a la vez jengibre y un fármaco denominado Aprepitant, que los oncólogos prescriben en ocasiones precisamente para las náuseas y los vómitos inducidos por la quimioterapia. Y lo que sucede es lo siguiente:

> *Los participantes que consumieron a la vez jengibre y Aprepitant presentaron más náuseas agudas graves que quienes solo tomaron Aprepitant.*

Antes de acabar con el jengibre, queremos añadir una frase que leemos en la página web de Cancer Research UK:

> *Existe la posibilidad de que tomar mucho jengibre o suplementos de jengibre interfiera con la quimioterapia o sea dañino para la salud.*

Les toca al *kalanchoe* y al llantén. Repetimos la estrategia de búsqueda (en el caso del *kalanchoe*: «Kalanchoe»[Mesh] AND «Neoplasms»[Mesh] AND Randomized Controlled Trial[ptyp] AND «humans»[MeSH Terms]), para obtener cero resultados, los mismitos que obtenemos con el llantén («Plantago»[Mesh] AND «Neoplasms»[Mesh] AND Randomized Controlled Trial[ptyp] AND «humans»[MeSH Terms]).

El siguiente en la lista es el muérdago. Nos vuelve a ahorrar el trabajo el Instituto Nacional del Cáncer de Estados Unidos, que explica lo siguiente:

> *El muérdago es una de las sustancias de tratamientos de medicina complementaria y alternativa para el cáncer más ampliamente estudiadas* [...].

Interrumpimos la frase para aclarar que el hecho de que algo esté muy estudiado (es decir, que haya muchas investigaciones sobre un tema) no es la prueba de que ese algo sea sanador. Y es que la frase continúa así:

Sin embargo, la mayoría de los estudios clínicos conducidos hasta la fecha han tenido una o más debilidades que despiertan dudas acerca de la fiabilidad de los hallazgos.

Quizá pienses «Bueno, pero por probar no se pierde nada». Eso es porque no has leído el documento completo (lo puedes consultar aquí: *www.goo.gl/sc4Vn9*), en el que se detalla que de entre los posibles efectos adversos atribuibles al consumo de muérdago encontramos algunos leves (dolor de cabeza, escalofríos, fatiga, fiebre o síntomas gastrointestinales leves) y otros no tanto (como hepatotoxicidad [es decir, daños en el hígado], problemas circulatorios, tromboflebitis, inflamación de los ganglios linfáticos, reacciones alérgicas e incluso, en algunos casos, un choque anafiláctico [forma grave de reacción alérgica potencialmente mortal]). Vamos, que quien toma extractos de muérdago está haciendo de conejillo de Indias.

Le toca al té verde. Pese a que este capítulo se centra en el tratamiento del cáncer una vez instaurado, sentimos la obligación de dejar claro, antes de seguir adelante, que los indicios científicos sobre los supuestos beneficios de tomar té verde para prevenir el cáncer son, según el Instituto Nacional del Cáncer de Estados Unidos, inconcluyentes. Para hablar del tratamiento del cáncer con té verde cambiamos de entidad reputada para volver a Cancer Research UK, que deja claro lo siguiente: «No hay pruebas científicas reales de que el té verde pueda ayudar en el cáncer».

Como uno de los posibles problemas del cáncer es, en ocasiones, el incremento de peso y como al té verde también hay quien le atribuye la mágica capacidad de adelgazar, debemos citar el metaanálisis del nutricionista Eduard Baladia y sus colaboradores (marzo de 2014, *Nutrición Hospitalaria*), cuya conclusión es: «La ingesta de té verde o de sus extractos no ejerce efectos estadísticamente significativos sobre el peso de adultos con sobrepeso u obesidad».

Ya acabamos. Solo nos queda revisar la uña de gato. De nuevo, cero estudios serios (estrategia de búsqueda: «Cat's Claw»[Mesh] AND «Neoplasms»[Mesh] AND Randomized Controlled Trial[ptyp] AND «humans» [MeSH Terms]).

Por todo lo anterior no debería extrañarnos que Cancer Research UK afirme hoy por hoy que:

No existen pruebas científicas sólidas a partir de estudios en humanos de que los remedios a base de plantas puedan tratar, prevenir o curar ninguna clase de cáncer.

Lo ponemos en el idioma original, inglés, por si no nos crees: «There is no strong evidence from human studies that herbal remedies can treat, prevent or cure any type of cancer».

Como has podido comprobar, ninguna de las plantas «medicinales» que propone Odile Fernández en su libro tiene pruebas de eficacia, y algunas pueden poner en peligro tu vida. Lo curioso es que la autora acaba su capítulo escribiendo esto:

Nota: Antes de tomar cualquier suplemento herbal consulta con tu médico. No siempre los remedios herbales son beneficiosos y en ocasiones pueden interactuar con otros fármacos. Recuerda que no todos valen y algunos pueden tener efectos secundarios.

O sea, dedicas siete páginas a listar virtudes de una serie de plantas o extractos para luego lavarte las manos como Poncio Pilatos. A eso se le llama «tirar la piedra y esconder la mano». Otros complementos alimenticios muy usados por pacientes con cáncer, como el cartílago de tiburón o la amigdalina (conocida también como «laetril» o «nitrilosida») tienen mucho en común con los arriba descritos: la ciencia, que ha estudiado dichos compuestos, no solo no prueba su efectividad, sino que enumera los efectos adversos que pueden generar, como insomnio, confusión, dolores de cabeza, cólicos abdominales, mareos, diarrea, vómitos, debilidad, estreñimiento, hipotensión, hiperglucemia, dermatitis y, en algunos casos (sobre todo cuando se toman extractos concentrados), graves intoxicaciones e incluso la muerte.

Dos productos que también suelen encontrarse en la ilusoria lista de «milagros anticáncer» son el *reishi* o *lingzhi*, mal llamado «hongo de la inmortalidad» y la *kombucha*. En la bibliografía hallarás un texto de Laura Caorsi y otro de Julio Basulto que desmontan sus supuestos beneficios y enumeran sus conocidos riesgos.

Hablando de *reishi*, en Cataluña existe un embaucador que lo vende. Se llama Josep Pàmies y llena auditorios con sus engañosas promesas. Es conocido por asegurar que cura «el cáncer, el ébola y el sida con hierbas y lejía», según detallaba el 2 de abril el periodista Brais Cedeira en el diario *El Español*. Con la palabra «lejía», Cedeira hacía referencia a una sustancia denominada el MMS (Miracle Mineral Supplement), que no es otra cosa que dióxido de cloro, lejía utilizada como blanqueante industrial y como un depurador de agua. Es un producto tóxico sin beneficio alguno y muy arriesgado, cuya distribución y promoción está prohibida, y que ha supuesto condenas por conspiración y fraude. Pese a ello, tanto Pàmies como otra falsa experta, Teresa Forcades, defienden a capa y espada su utilización y la proponen como cura para enfermedades como el cáncer, la malaria o el autismo. No extraña que el 14 de octubre de 2018 la Generalitat de Catalunya abriera un expediente sancionador contra Dolça Revolució, la asociación presidida por Josep Pàmies. Juraríamos que no le entristecerá mucho, sabiendo que, como indica Cedeira, factura entre uno y dos millones de euros al año. Tenemos ahora mismo delante su página web (*www.pamiesvitae.com*), en la que podemos leer que vende, en el apartado «cáncer», además del *reishi*, los siguientes productos: artemisa, *kalanchoe*, jalea real, propóleo, *shiitake*, muérdago y ortiga verde. Comprándolos no solo entregas tu dinero a un embaucador, sino que puedes tirar tu salud por la borda. Al charlatán y al embaucador le interesa la salud. Pero no tu salud, sino la salud económica de su propia cuenta corriente. Tienes más información sobre esta monetaria cuestión en el texto «Los imperios económicos de los charlatanes de la pseudociencia» de las periodistas Olga Pereda y Valentina Raffio (*www.goo.gl/kqJa4k*).

Aunque los toman muchísimas personas, tampoco es útil (ni para curar el cáncer ni para ninguna otra condición) consumir complementos alimenticios con ácidos grasos omega-3. Puedes comprobarlo en los estudios del doctor Zhang y colaboradores y de la doctora Abdelhamid y colaboradores que hallarás en la bibliografía de este capítulo. Tampoco es útil tomar probióticos, por más que estén de moda (en buena medida porque es un mercado multimillonario)… e incluso puede ser arriesgado consumirlos si nuestro sistema inmunitario está delicado. Y tampoco es útil tomar cúrcuma. Lo sabemos gracias a una investigación rigurosa que concluyó que las supuestas pruebas científicas que sustentan su uso son inexistentes (*www.pubmed.gov/28074653*).

Acabamos este punto con una frase que compartió en agosto de 2018, en su cuenta de Twitter, la actual directora de la Agencia Española de Medicamentos y Productos Sanitarios (AEMPS), la doctora Chus Lamas:

Si te ofrecen «algo» más natural, menos químico y que reduce los efectos tóxicos de la quimioterapia, desconfía, huye o denuncia. Lo que puede aliviar la toxicidad de la quimio lo saben y lo indican los oncólogos, hematólogos y farmacéuticos oncológicos. #StopPseudociencias.

Alimentación cuando tenemos cáncer

Quizá te hayas comprado este libro para leer solamente lo que viene a continuación, así que existe la posibilidad de que te hayas saltado los apartados anteriores. Por ello, vamos a volver a repetir dos de los pilares del libro: cuando padecemos cáncer lo más sensato es, primero, ponernos en manos de un oncólogo, y, segundo, ser conscientes de que las mal llamadas «terapias alternativas» (no son una alternativa a la medicina moderna, por lo que es mejor denominarlas «falsas terapias») aumentan las posibilidades de que fallezcas prematuramente.

Dicho esto, vamos al grano. Mientras se padece la enfermedad, el Fondo Mundial para la Investigación del Cáncer (WCRF, en sus siglas en inglés) recomienda recibir cuidados nutricionales por parte de profesionales sanitarios debidamente capacitados. Tales cuidados no persiguen «curar» el cáncer, sino abordar deficiencias nutricionales que en ocasiones acompañan a la enfermedad o minimizar los posibles efectos secundarios que pueden generar los tratamientos médicos para el cáncer. Dos ejemplos de tales efectos secundarios son las náuseas o la alopecia (caída o pérdida de cabello) transitoria. Son muy molestos y, en ocasiones, incapacitantes. Pero más incapacitante es la muerte, que se evita en muchísimos casos gracias a los actuales tratamientos oncológicos. Muerte que es más frecuente, insistimos, en los pacientes que siguen falsas terapias.

A continuación, detallaremos una serie de consideraciones dietético-nutricionales para pacientes que padecen cáncer, pero antes debemos insistir en que no hay pruebas científicas que muestren efectos beneficiosos atribuibles a alimentos o nutrientes específicos. Es importante dejar esto claro, para no llevarnos a equívocos, y confiar en «superalimentos» o «supernutrientes», algo que solo existe en la ciencia ficción, como Superman.

El WCRF reconoce que la alimentación (en su conjunto) desempeña un papel en el manejo de algunos de los síntomas que puede padecer una persona con cáncer, tales como fatiga, náuseas, pérdida de apetito, pérdida no intencionada de peso y pérdida de masa muscular. Aunque el WCRF no revisa este tema, sí lo hacen otras instituciones. Hemos decidido basarnos, sobre todo, en la revisión bibliográfica sobre esta cuestión del Insituto Nacional del Cáncer de Estados Unidos (National Cancer Institute, NCI). La hemos escogido por ser la más reciente (se publicó en marzo de 2018) en el momento en el que redactamos estas líneas.

Es posible que cuando leas este libro dicho organismo haya actualizado algún dato, así que te animamos a comprobarlo entrando en este *link* (en inglés): *www.ncbi.nlm.nih.gov/books/NBK66004*. También nos ha parecido muy útil la información sobre esta cuestión que comparte en su página web la Sociedad Americana Contra el Cáncer (American Cancer Society), que puedes consultar aquí (en castellano): *www.goo.gl/mHG7DQ*.

Si eres un profesional sanitario te aconsejamos revisar el consenso sobre nutrición y cáncer publicado en 2017 por la European Society for Clinical Nutrition and Metabolism (ESPEN) (*www.pubmed.gov/27637832*), además del documento para sanitarios publicado también en 2017 por el National Cancer Institute (en adelante, NCI): *www.ncbi.nlm.nih.gov/books/NBK65854*.

Aspectos generales (e importantes) de la nutrición en el cuidado del cáncer

Aunque ninguna dieta (ni ningún alimento o nutriente concreto) va a curar un cáncer, mentiríamos si dijéramos que la nutrición no tiene nada que ver con el cáncer. Una buena nutrición es siempre importante, entre otros motivos, porque permite a nuestro cuerpo funcionar con normalidad y reemplazar las células y los tejidos que se desgastan o bien de forma natural o bien a causa de una patología. La entidad *UpToDate* señala, literalmente, que «Es importante comer lo suficiente para permanecer lo más saludable y fuerte que sea posible, especialmente durante tu tratamiento del cáncer». Un paciente bien nutrido tendrá menos dificultades para recuperarse que uno que no lo está y, por eso, las guías médicas de referencia aconsejan que todo paciente con cáncer sea atendido no solo por un oncólogo, sino también (aunque con menos prioridad, claro) por un dietista-nutricionista colegiado.

El NCI indica, literalmente, lo siguiente:

Un dietista registrado es una parte importante del equipo de atención médica. Un dietista registrado (o nutricionista) es parte del equipo de profesionales de la salud que ayudan con el tratamiento y la recuperación del cáncer.

Dicho nutricionista intentará, por ejemplo, que el paciente mantenga un peso saludable, que conserve en lo posible su masa muscular y sus tejidos y que disminuya los efectos secundarios del cáncer o del tratamiento. De entre los tratamientos que pueden afectar a la nutrición, el NCI cita los siguientes:

- Quimioterapia
- Terapia hormonal
- Radioterapia
- Cirugía
- Inmunoterapia
- Trasplante de células madre

Si tales tratamientos afectan a partes de nuestro cuerpo como la cabeza, el cuello, el esófago, el estómago, los intestinos, el páncreas o el hígado, alteran nuestras sensaciones de sabor, olor o apetito, dificultan nuestra capacidad de consumir suficiente comida o limitan la absorción intestinal de los nutrientes presentes en los alimentos, podemos ser víctimas de una malnutrición (falta de nutrientes clave para conservar la salud).

La malnutrición (que puede empeorar, lógicamente, si el cáncer crece o se extiende) hará que nos sintamos débiles, cansados, incapaces de seguir el tratamiento médico o dificultará que nuestro cuerpo pueda luchar contra las infecciones. En julio de 2016, el doctor Helfenstein y colaboradores apuntaban en la revista científica *Nutrition and Cancer* que «la pérdida severa de peso es directamente responsable de hasta una quinta parte de todas las muertes por cáncer y tiene un gran impacto en la calidad de vida».

Por todo lo anterior es crucial que huyamos de dietas bajas en energía y que consumamos, sobre todo, una suficiente cantidad de calorías y proteínas mediante la alimentación, dado que son dos elementos clave en la lucha contra las infecciones o el proceso de curación (lo cual no significa que por sí solos vayan a curarnos, claro).

Hay dos circunstancias que suelen conducir a la malnutrición si padecemos cáncer: la caquexia y la anorexia. Ojo, que nadie confunda la palabra «anorexia» con el trastorno denominado «anorexia nerviosa». Mientras que en la anorexia nerviosa hay un trastorno de conducta y alteración de la percepción corporal (de tal manera que el paciente rechaza la comida de forma voluntaria y siente un miedo intenso a engordar), el término «anorexia» no define un trastorno, sino un síntoma: una disminución en la sensación fisiológica de apetito o en el deseo de comer, que puede poner en riesgo la salud. Por desgracia, la anorexia es la principal causa de malnutrición en pacientes con cáncer y es un síntoma bastante común en todos ellos. Puede aparecer en cualquier momento de la evolución de la enfermedad, pero es mucho más frecuente si el cáncer está en una fase avanzada.

La caquexia, por su parte, es una condición en la que existe tanto debilidad como pérdida de peso, de grasa y de masa muscular. Se suele presentar en pacientes que padecen tumores que afectan a la ingesta y a la digestión (cabeza, cuello, estómago o intestinos). El doctor Mohammad Amin Sadeghi y sus colaboradores publicaron en julio de 2018 (*Critical Reviews in Oncology/Hematology*) un interesante trabajo sobre los actuales criterios de diagnóstico, valoración y tratamiento de esta condición. En él leemos que puede atribuirse a la caquexia alrededor de un 20 % de las muertes por cáncer y que es crucial que cualquier paciente con esta enfermedad cubra sus requerimientos energéticos. ¿Entiendes ahora que se nos pongan los pelos de punta cuando escuchamos o leemos a alguien proponiendo hacer «ayunos» para abordar el cáncer? Nos explica el nutricionista David Pradera, especializado en cáncer, quien ha tenido la impagable amabilidad de revisar este capítulo:

> *El objetivo fundamental [del abordaje nutricional de un paciente con cáncer] es evitar la caquexia mediante una alimentación que burle las trabas generadas por la enfermedad y su tratamiento (que no son pocas ni pequeñas) pero sin caer en trucos inconsistentes ni en recetas milagro.*

Podemos padecer caquexia aunque estemos comiendo bien si, pese a ello, nuestro organismo no está conservando nuestras reservas grasas o musculares a causa del crecimiento del tumor. A diferencia de lo que ocurre con la anorexia, es posible que el paciente parezca estar comiendo bien. Sin embargo, su cuerpo no es capaz de absorber los nutrientes presentes en los alimentos. También es posible que un paciente presente ambos síntomas (anorexia y caquexia) a la vez.

Efectos secundarios del tratamiento del cáncer en la nutrición

En el apartado «Abordaje nutricional del cáncer» abordaremos qué podemos hacer, desde un punto de vista dietético-nutricional, ante los posibles efectos causados por el tratamiento del cáncer. Ahora haremos un breve repaso a tales efectos (de nuevo basándonos en la postura científica del NCI). No los enumeramos para asustarte, sino todo lo contrario: para que entiendas por qué se producen y para que no te sorprendan si los padeces.

Antes de detallarlos queremos explicarte que por lo menos una parte de dichos efectos (por ejemplo, las náuseas) pueden producirse simplemente por el hecho de que estemos convencidos de que nos van a ocurrir o porque los hemos sufrido en una anterior ocasión. Estas dos situaciones se definen como «expectativas cognitivas» y «respuesta condicionada», respectivamente, según un estudio (metaanálisis de la literatura científica) coordinado por la investigadora Chloe Fletcher, del Centro Flinders para la Prevención y el Control del Cáncer de la Facultad de Medicina de Australia. Su trabajo, publicado en julio de 2018 en la revista *Cancer Treatment Reviews*, señala lo siguiente: «La anticipación de los efectos secundarios predice positivamente la experiencia de estos». Creemos que es buena idea, por tanto, no leer los siguientes apartados pensando «A mí me va a pasar».

Efectos secundarios de la quimioterapia y de la terapia hormonal

La quimioterapia afecta a todas las células de nuestro cuerpo y se utiliza para detener el crecimiento de las células cancerígenas (impidiendo su división) o para destruirlas. Las células de nuestro cuerpo que se dividan de forma rápida también se verán afectadas. ¿Dónde están? En el tejido que recubre las paredes de nuestra boca y nuestro estómago, así como en los folículos capilares. Afortunadamente, nuestras células normales se reparan a sí mismas, de ahí que los efectos secundarios de la quimioterapia suelan ser temporales. De hecho, en prácticamente todos los casos de caída del cabello ocasionada por la quimioterapia, este volverá a crecer después del tratamiento.

La terapia hormonal, por su parte, añade, bloquea o elimina hormonas y también se utiliza para frenar o detener el crecimiento de ciertos cánceres. Detallamos en la tabla 7 los posibles efectos adversos de uno y otro tratamiento.

Tabla 7. Posibles efectos secundarios de la quimioterapia y de la terapia hormonal relacionados con la nutrición	
Quimioterapia	*Terapia hormonal*
Falta de apetito.	Falta o aumento de apetito.
Náuseas y vómitos.	Náuseas y mareos.
Estreñimiento o diarrea.	Estreñimiento o diarrea.
Pérdida de peso.	Aumento de peso.
Boca seca y/o llagas en la boca o en la garganta, así como dificultades para tragar.	Riesgo de insuficiencia cardíaca temprana (en el tratamiento hormonal para el cáncer de próstata).
Cambios en los sabores de los alimentos.	
Sensación de plenitud tras comer una pequeña cantidad de alimentos.	

Los efectos secundarios que aparecen en la tabla son generales y pueden variar de un paciente a otro. Debemos avisar a nuestro médico o al personal de enfermería o de nutrición si padecemos algún efecto secundario, dado que pueden ayudarnos a reducirlos. Fuentes consultadas: 1) PDQ Supportive and Palliative Care Editorial Board. Nutrition in Cancer Care (PDQ®): Patient Version. 16 de marzo de 2018. Disponible en: *www.goo.gl/aegnjC*; 2) Cancer Research UK. Side effects of hormone therapy in women. 14 de junio de 2018. Disponible en: *www.goo.gl/HcFJcm*; 3) Cancer Research UK. About hormone therapy. 5 de julio de 2016. Disponible en: *www.goo.gl/nnQjLd*.

Radioterapia

La radioterapia elimina las células de la zona en la que se sabe que existen células cancerígenas. El doctor Geoff Delaney y sus colaboradores estimaron en la revista científica *Cancer* que aproximadamente la mitad de los pacientes con cáncer reciben radioterapia. Aunque puede generar los efectos secundarios que enumeraremos a continuación, debes saber que cada año puede aumentar las tasas de curación de 3,5 millones de individuos y proporcionar alivio paliativo a otros 3,5 millones. La severidad de los posibles efectos adversos de la radioterapia depende de la parte del cuerpo en que se aplica y de la dosis total de radiación utilizada.

Tabla 8. Posibles efectos secundarios de la radioterapia relacionados con la nutrición		
Radioterapia en la cabeza, el cerebro o el cuello	*Radioterapia en el abdomen, la pelvis o el recto*	*Radioterapia en el pecho*
Náuseas y vómitos.	Náuseas y vómitos.	Náuseas y vómitos.
Pérdida de apetito.	Obstrucción intestinal.	Pérdida de apetito.
Dificultades o dolor al tragar.	Colitis (inflamación del colon).	Dificultades o dolor al tragar.
Boca seca o saliva espesa.	Diarrea.	Problemas de ahogo o de respiración causados por cambios en el esófago superior.
Dolor de boca y encías.	Sangrado rectal.	
Cambios en la percepción del sabor de la comida.		
Incapacidad de abrir completamente la boca.		
Caries.		

Los efectos secundarios que aparecen en la tabla 8 son generales y pueden variar de un paciente a otro. Debemos avisar a nuestro médico o al personal de enfermería o de nutrición si padecemos algún efecto secundario, dado que pueden ayudarnos a reducirlos. Fuentes consultadas: 1) PDQ Supportive and Palliative Care Editorial Board. Nutrition in Cancer Care (PDQ®): Patient Version. 16 de marzo de 2018. Disponible en: *www.goo.gl/aegnjC*; 2) American Society of Clinical Oncology. Cancer.Net. Efectos secundarios de la radioterapia. Diciembre de 2016. Disponible en: *www.goo.gl/uUqcm6*.

La radioterapia también puede generar cansancio, lo que puede provocar una disminución del apetito. La mayoría de los efectos secundarios generados por esta intervención en el sistema digestivo comienzan de dos a tres semanas después del inicio de la radioterapia y desaparecen unas semanas después de que haya finalizado.

Cirugía

Casi todos los pacientes con cáncer precisan cirugía, un procedimiento fundamental para el tratamiento y la curación de la mayor parte de los cánceres en el mundo. Se estima que cada año entre siete y ocho millones de personas requieren una cirugía mayor para el cáncer. La cirugía, en particular la de cabeza, cuello, esófago, estómago o intestinos, aumenta los requerimientos energéticos y nutritivos de nuestro organismo, dado que este necesita dichos nutrientes para curar las heridas, luchar contra las infecciones y recuperarse de la propia intervención. Por ello, si los pacientes están malnutridos antes de la cirugía, pueden padecer problemas como dificultad en la curación de las heridas o en la capacidad de hacer frente a las infecciones. En estos pacientes debe revisarse la nutrición antes de proceder a la cirugía. Si esta intervención elimina órganos necesarios para el consumo o la digestión de alimentos, será imprescindible una ayuda nutricional.

De entre los problemas nutricionales que puede causar la cirugía, el NCI cita los siguientes:

- Pérdida de apetito
- Problemas para masticar
- Dificultad al tragar
- Sensación de plenitud después de comer una pequeña cantidad de comida

Inmunoterapia

Los potenciales efectos secundarios de la inmunoterapia son diferentes para cada paciente y el tipo de fármaco administrado. El NCI enumera los siguientes posibles problemas relacionados con la nutrición ante el tratamiento con inmunoterapia:

- Cansancio
- Fiebre
- Náuseas y vómitos
- Diarrea

Trasplante de células madre

La quimioterapia, la radioterapia y la utilización de otros fármacos antes o durante un trasplante de células madre pueden generar efectos secundarios que impidan que un paciente coma y digiera los alimentos como de costumbre. Los posibles efectos secundarios relacionados con la nutrición más habituales son, según el NCI:

- Llagas en la boca y la garganta
- Diarrea
- Mayor riesgo de toxiinfecciones alimentarias

Este último punto guarda relación con el hecho de que la quimioterapia o la radioterapia que se administran antes del trasplante disminuyen la cantidad de glóbulos blancos del paciente. Como los glóbulos blancos (o leucocitos) son los responsables de combatir las infecciones, es importante que estos pacientes manipulen los alimentos de forma segura y eviten consumir cualquier alimento que pueda generarles una infección. Ampliamos esta cuestión en el siguiente apartado.

Abordaje nutricional del cáncer

Lo que no vas a leer aquí

Lo que vas a leer a continuación es importante. Pero es casi tan importante lo que *no* vas a leer. No leerás en ningún momento que «la cebolla hace llorar al cáncer», que el ajo es un «curalotodo», que las crucíferas «repelen el cáncer», que la cúrcuma es «el oro en polvo que combate el cáncer», que las algas son «la quimioterapia del mar» o que es peligroso consumir agua del grifo, carbohidratos, alimentos no ecológicos, leche, pescado, gluten o alimentos cocinados en el microondas o en la olla exprés[2]. Son solo algunos de la infinidad de ejemplos sin lógica ni base científica que suelen aparecer en boca de falsos terapeutas o, también, en libros o en textos pseudocientíficos. Algunos de tales ejemplos no solo no benefician al paciente, sino que pueden incluso interaccionar de forma negativa con tratamientos de probada eficacia, generar efectos adversos o provocar que el paciente abandone la terapia oncológica. ¿Sabías, por ejemplo, que el consumo de antioxidantes, además de ser inútil contra el cáncer, puede hacer que la quimioterapia y la radioterapia sean menos eficaces? Incluso existen indicios que apuntan algo peor: «Pueden en realidad promover el crecimiento de tumores y la metástasis», en palabras del National Cancer Institute.

En una encuesta denominada «Encuesta nacional de entrevistas de salud» («National Health Interview Survey») se observó que cerca del 40 % de los pacientes con cáncer acude a terapias «alternativas», muchas de las cuales guardan relación con la alimentación (productos «naturales»

---

[2] Todos los ejemplos citados aparecen en el superventas *Mis recetas anticáncer*, de Odile Fernández. Tienes más información sobre esta cuestión en este texto que localizarás fácilmente en internet: «"Mis (descabelladas) recetas anticáncer", en "El Escéptico"» (*www.goo.gl/dP3qkx*).

tales como extractos de plantas, complementos alimenticios, vitaminas, etc.). Sin embargo, hoy por hoy, sabemos que creer que «lo natural» va a ayudarnos a hacer frente al cáncer puede empeorar el progreso de la enfermedad. Sobre todo si el paciente cree que existe algún abordaje «alternativo» y se aferra a él en sustitución de los modernos tratamientos que utilizan los oncólogos, tratamientos que han aumentado espectacularmente la esperanza y la calidad de vida de los pacientes con cáncer en los últimos años, algo que no podemos decir, en absoluto, de ninguna clase de enfoque «natural».

En enero de 2012, la doctora Heather Greenlee y el doctor Edzard Ernst se hicieron eco, en la revista científica *Preventive Medicine*, de un caso que quizá conozcas: el de Steve Jobs, uno de los dos fundadores de la empresa Apple. Tras recibir el diagnóstico de un cáncer de páncreas, Jobs renunció al tratamiento oncoterápico para lanzarse a «lo natural» durante nueve largos meses. Meses en los que el cáncer, lógicamente, se extendió. El tipo de cáncer pancreático que él padecía (a diferencia de otros cánceres de páncreas más agresivos) se puede curar mediante la cirugía si se elimina antes de que exista una metástasis. La consecuencia era predecible: su muerte prematura, en octubre de 2011. Todos los «tratamientos» que utilizó para hacer frente a su cáncer tienen algo en común: no hay ni una sola prueba científica que demuestre que sean útiles contra el cáncer y muchas que indican que pueden poner en peligro la vida del paciente.

Pero tenemos ejemplos más cercanos: el 20 de julio de 2018 el diario *El País* publicaba el siguiente artículo: «Un médico denuncia la muerte de una mujer con cáncer en Girona tras una pseudoterapia». El subtítulo es escalofriante: «La paciente llegó al hospital con un pecho "totalmente putrefacto" tras renunciar al tratamiento médico». El oncólogo que atendió a la mujer, el doctor Joaquim Bosch, miembro del Instituto Catalán de Oncología, preguntó lo siguiente a la paciente «¿Y tu terapeuta alternativo qué te dice de esto?», a lo que la mujer contestó «Dice que si sale fuera de la piel es bueno, porque significa que se está oxigenando». Respuesta que deja claro que dicho «terapeuta» era un embaucador peligrosísimo y que dicha mujer no tenía a su alcance información para darse cuenta de que estaba siendo víctima de una mortal estafa. La mujer murió dos semanas después. Es uno de los muchos y muy deprimentes ejemplos (muy frecuentes) de que lo «natural» puede ser claramente dañino. Y ya que hemos mencionado la falta de información al alcance de esta pobre mujer, queremos que leas el final del artículo de la doctora Heather Greenlee y el doctor Edzard Ernst que hemos citado hace un momento:

El ejemplo de Jobs enseña que incluso aquellas personas con acceso a la mayor cantidad de recursos no pueden tomar decisiones informadas sobre el uso de terapias convencionales y/o terapias complementarias o alternativas si dicha información no existe.

Vayamos con dicha información, pues.

Lo que sí vas a leer aquí

En febrero de 2017 y en marzo de 2018, la European Society for Clinical Nutrition and Metabolism (ESPEN) y el National Cancer Institute (NCI) publicaron, respectivamente, dos importantes documentos sobre nutrición y cáncer. Estas entidades, y otras similares, coinciden en que si los efectos secundarios del cáncer o de su tratamiento afectan a nuestra nutrición, existen cambios que pueden ayudarnos a obtener los nutrientes necesarios. Tales cambios no solo deben satisfacer las necesidades nutricionales del paciente, sino también intentar adaptarse a sus gustos y preferencias. De ahí la importancia de una revisión personalizada por parte de un dietista-nutricionista colegiado. Mejor si trata habitualmente a pacientes con cáncer…, como es el caso de David Pradera, quien, como hemos indicado más arriba, nos ha ayudado a redactar este capítulo.

Varias de las recomendaciones que leerás en esta serie de apartados no cuentan con unas pruebas científicas sólidas de efectividad. Pero no creemos que, en el peor de los casos, puedan perjudicarte si las sigues solo durante un tiempo limitado y siempre bajo supervisión sanitaria. Si aparecen alimentos que rechazas por razones culturales, religiosas o por cualquier otro motivo, debes saber que la obligación del personal sanitario es hacer lo posible por adaptarse a tus particularidades. No olvides avisar a tu oncólogo si padeces alguno de los síntomas que describimos a continuación.

Anorexia

Ya hemos señalado que no debemos confundir la anorexia nerviosa (trastorno mental que requiere de una intervención psicológica) con la anorexia (falta de apetito). La anorexia está presente entre el 15 y el 25 % de todos los pacientes con cáncer en el momento del diagnóstico, según el NCI, y también puede aparecer como un efecto secundario de los tratamientos (en un estudio, el 26 % de los pacientes que recibió quimioterapia presentó anorexia), a causa de la evolución del cáncer o a causa de la ansiedad, la pérdida de esperanza o de intereses personales o la depresión que puede sufrir el paciente en algún momento de la enfermedad.

A continuación, leerás los consejos dietético-nutricionales para pacientes con cáncer que sufren anorexia, emitidos, sobre todo, por el NCI. Tanto en este apartado como en los siguientes nos hemos tomado la libertad de añadir algunas consideraciones, basándonos tanto en otras revisiones científicas como en nuestros propios conocimientos sobre nutrición, así que si deseas consultar la fuente original no dudes en hacerlo (*www.ncbi.nlm.nih.gov/books/NBK66004*).

- Consume alimentos que presenten un notable contenido en proteínas y calorías, tales como legumbres, huevos, pescado o carne. Tales alimentos deben estar siempre bien cocinados (¡que no se queden medio crudos!) y es conveniente añadir cierta cantidad de aceite para incrementar su aporte calórico, aunque no tanto que afecte negativamente a su sabor. El yogur y la leche son también buenas opciones. En algunos casos es posible que sea preciso recurrir a leches fortificadas en proteínas.
- Los alimentos citados en el apartado anterior es mejor consumirlos al principio de cada comida principal, cuando nuestro apetito es mayor.
- Bebe solo pequeñas cantidades de líquidos durante las comidas.
- Si no tienes ganas de comer alimentos sólidos, bebe batidos, licuados, zumos y sopas (espesas).
- Come alimentos que huelan bien.
- Come con familia y/o amigos.
- Prueba nuevos alimentos y nuevas recetas.
- Prueba bebidas licuadas que presenten un alto contenido en nutrientes (tu médico o nutricionista sabrá asesorarte).
- Come a menudo, a lo largo del día, pequeñas raciones de comidas saludables.
- Escoge comidas más abundantes cuando te encuentres bien y descansado o cuando sientas más hambre (sea en el momento del día que sea).
- Deja preparadas (o pide a alguien que lo haga por ti) pequeñas cantidades de tus alimentos favoritos para que estén a mano cuando tengas hambre.

- Si te mantienes activo es posible que tu apetito mejore.
- Cepíllate los dientes y enjuaga tu boca para aliviar los síntomas y para eliminar el mal sabor de boca que puedas tener.

Nada de lo anterior (¡ni de lo posterior!) sustituye a los consejos que puedan darte tanto tu médico (quien puede decidir prescribirte algún fármaco para aumentar tu apetito) como tu nutricionista. En algunos casos es preciso recurrir a una alimentación por sonda para evitar una desnutrición que pondría en riesgo la salud del paciente.

Náuseas

- Escoge alimentos que te apetezcan y no te fuerces a comer alimentos que sabes que te sientan mal.
- Intenta evitar comer, cuando sientas náuseas, tus comidas favoritas, para no acabar relacionándolas inconscientemente con la enfermedad.
- Come alimentos suaves y fáciles de digerir (como pan tostado, yogur natural o una sopa clara) en vez de comidas pesadas, picantes o grasientas.
- Prueba a comer a lo largo del día alimentos secos como galletas saladas, palitos de pan o tostadas.
- Si tienes náuseas por la mañana, come tostadas secas o galletas saladas.
- Come alimentos y bebe líquidos a temperatura ambiente (ni muy calientes ni demasiado fríos).
- Bebe, despacio, líquidos a lo largo del día.
- Chupa caramelos duros, tales como caramelos de menta o de limón (mejor si son sin azúcar) si tu boca tiene mal sabor.
- Aléjate de cualquier comida o bebida que desprenda olores fuertes.
- Come cinco o seis comidas pequeñas todos los días en lugar de realizar tres grandes comidas.
- Bebe solo pequeñas cantidades de líquido durante las comidas para evitar sentirte lleno o hinchado.
- Un estómago vacío puede empeorar las náuseas, así que intenta no saltarte las comidas principales o las comidas entre horas.
- Enjuaga tu boca antes y después de comer.
- Evita comer en habitaciones que huelan a comida o que estén muy calientes. Intenta mantener tu casa bien ventilada y a una temperatura confortable.

- Después de comer, siéntate o acuéstate con la cabeza levantada durante una hora (al acostarnos, nuestro tronco debería quedar elevado un mínimo de 35 grados).
- Es mejor evitar ejercicios que incluyan posiciones invertidas (ojo con determinados tipos de yoga) o actividades que impliquen la necesidad de agacharse o esfuerzos de Valsalva (levantar pesos importantes), dado que ello favorecerá la regurgitación del contenido gástrico.
- Planea, en función de tu experiencia, cuáles son los mejores momentos para comer y beber. Mantén un registro de cuándo sientes náuseas y por qué.
- Intenta relajarte antes de cada tratamiento contra el cáncer. Hay personas que se encuentran mejor si comen o beben un poco antes del tratamiento, mientras que otras notan mejoría si no comen ni beben nada en dicho momento.
- Usa ropa suelta y cómoda.
- Espera al menos una hora después del tratamiento para comer o beber.

Existen medicamentos útiles para prevenir y afrontar las náuseas, así que puede ser que tu médico te los prescriba si lo considera necesario.

Vómitos

- No comas ni bebas nada hasta que los vómitos hayan desaparecido.
- Bebe pequeñas cantidades de líquidos fluidos después de que los vómitos remitan.
- Cuando ya puedas beber líquidos fluidos sin vomitar, bebe los que sean un poco más espesos, como sopas coladas o batidos, que sean fáciles de digerir por tu estómago.
- Come cinco o seis comidas pequeñas todos los días en lugar de realizar tres grandes comidas.
- Siéntate erguido e inclínate hacia adelante después de vomitar.
- Como en el apartado anterior, aquí también se aconseja evitar ejercicios que supongan colocar a nuestro cuerpo en una posición invertida (por ejemplo, algunos tipos de yoga) o actividades que impliquen que tengamos que agacharnos o levantar pesos importantes, porque ello aumentará las posibilidades de vomitar.
- Enjuágate bien la boca tras el vómito para eliminar cualquier sensación desagradable, evitando colutorios con base a alcohol, xilitol o exetidina.

Existen fármacos que tu médico puede prescribirte para prevenir o para controlar los vómitos.

Boca seca

- Escoge alimentos que sean fáciles de tragar.
- Humedece la comida con salsas, con el jugo de la cocción o con aderezos para ensalada.
- Puede ayudar a producir más saliva consumir alimentos y bebidas que sean muy dulces o ácidos, como la limonada.
- Mastica chicle sin azúcar o chupa caramelos duros (también sin azúcar), helados o trocitos de hielo.
- Se han comercializado algunos caramelos específicos para casos de xerostomía, que pueden recomendarse en ciertos casos por el médico o nutricionista.
- Bebe agua a lo largo del día.
- No ingieras alimentos que puedan dañar tu boca (como comidas picantes, agrias, saladas, duras o crujientes).
- Mantén los labios húmedos con protector labial.
- Enjuaga tu boca cada una o dos horas, pero nunca con un enjuague bucal que contenga alcohol.
- No fumes ni uses productos de tabaco y evita el humo de segunda mano (que fumen a tu lado).
- No bebas ninguna clase de bebida alcohólica (eso incluye, desde luego, la cerveza o el vino). Tanto el anterior consejo (el del tabaco) como este conviene aplicarlos antes, durante y después del cáncer, dado el indiscutible papel que desempeñan las bebidas alcohólicas y el tabaco en la promoción de varios tipos de cáncer a escala poblacional.

El médico y/o el dentista valorarán la pertinencia de aconsejarte el uso de saliva artificial o productos similares para cubrir, proteger y humedecer tu boca y tu garganta.

Úlceras en la boca

Si en tu boca aparecen úlceras (o aftas o llagas) conviene que revises las siguientes recomendaciones:

- Come alimentos blandos que sean fáciles de masticar, como batidos de leche, huevos revueltos o natillas. Las natillas no son muy saludables, pero estamos ante una situación puntual... y no conviene que aparezca una malnutrición por no comer. En todo caso, se pueden elaborar disminuyendo la cantidad de azúcar que contienen.

- Asegúrate de cocinar los alimentos hasta que estén suaves y tiernos.
- Corta los alimentos en trozos pequeños. Podemos utilizar una licuadora o cualquier clase de procesador de alimentos para prepararlos.
- Chupar trocitos de hielo puede adormecer las zonas afectadas (ejerciendo un pequeño efecto analgésico) y calmar las molestias bucales temporalmente.
- Evita los alimentos calientes, dado que pueden dañar todavía más la boca. Es mejor escoger alimentos fríos o a temperatura ambiente.
- Bebe con una pajita para evitar que el líquido recorra las partes dolorosas de la boca.
- Utiliza una cuchara pequeña, en vez de una grande, para así escoger raciones más pequeñas, que serán más fáciles de masticar.
- No fumes ni mastiques ninguna clase de productos del tabaco y evita consumir bebidas alcohólicas, cítricos (como naranjas, limones y limas), comida picante, tomates, kétchup, alimentos salados, verduras crudas y alimentos afilados y crujientes.
- Visita al dentista por lo menos dos semanas antes de comenzar la inmunoterapia, la quimioterapia o la radioterapia en la cabeza y el cuello.
- Revisa tu boca todos los días en busca de llagas, manchas blancas o áreas hinchadas y rojas.
- Enjuaga tu boca de tres a cuatro veces al día. Mezcla ¼ de cucharadita de bicarbonato sódico, ⅛ de cucharadita de sal y 1 taza de agua tibia para enjuagar la boca. Deben evitarse los enjuagues bucales que contengan alcohol.
- Se debe evitar el uso de mondadientes (palillos) o de cualquier otro objeto afilado.
- Utiliza cepillos suaves para tus dientes y evita el uso de pasta de dientes tradicional, pues puede resultar abrasiva en las aftas. Se aconseja sustituirla por cremas específicas indicadas por el dentista.

Cambios en el sabor de los alimentos

El NCI aconseja lo siguiente a los pacientes con cáncer que perciben cambios en el sabor de los alimentos (disgeusia):

- Sustituye la carne roja por otros alimentos como legumbres, frutos secos tostados, lácteos, pescado o carnes blancas (pollo, pavo o conejo).
- Cuando las disgeusia exacerba o distorsiona los sabores característicos del alimento hasta volverlo desagradable, es interesante la recomendación de probar alimentos con poco sabor pero nutritivos como la clara de huevo cocida fría, el tofu, el *tempeh* o el seitán, la soja texturizada (o extrusada) no saborizada o el queso fresco-blando sin sal. La ventaja de estos alimentos es que son una buena fuente de proteínas y de otros nutrientes, pudiéndose saborizar al gusto del paciente (un ejemplo: tofu con compota de fruta).
- Añade especias y salsas a los alimentos, o marínalos para que aumente su sabor.
- Si comes carne, puedes probar a añadir algo dulce como salsa de arándano, mermelada o puré de manzana.
- Prueba a consumir alimentos o bebidas con sabor amargo.
- Si tu boca presenta un sabor metálico o amargo, utiliza caramelos de limón o chicles de menta sin azúcar. También puedes realizar enjuagues con infusiones como manzanilla o jengibre.
- Utiliza utensilios de plástico (por ejemplo, cucharitas de bebé de material blando con bordes suaves) y no comas ni bebas directamente de utensilios metálicos si los alimentos parecen presentar un sabor metálico.
- Si no tienes náuseas, intenta comer tus platos favoritos. Prueba nuevos alimentos cuando te encuentres lo mejor posible.
- Busca recetas sin carne en un libro (o en un blog) de recetas vegetarianas o de comida china.
- Si la comida presenta un sabor insulso o desabrido, mastícala durante más tiempo. Así permitirás que tenga un mayor contacto con tus papilas gustativas.
- Si te molestan los olores, mantén cubiertos los alimentos y las bebidas, bebe con una pajita, enciende un ventilador mientras cocinas (además de la campana extractora de olores de la cocina, claro) o incluso, si puedes, cocina al aire libre. Y, sobre todo, pide a alguien que cocine para ti si tienes esa posibilidad.
- El cepillado de tus dientes y el cuidado de tu boca es importante, por lo que es conveniente visitar al dentista periódicamente.

Dolor de garganta y dificultades para tragar

- Consume alimentos blandos, que sean fáciles de masticar y tragar, tales como batidos de leche (por ejemplo, con plátano), huevos revueltos o cereales cocidos.
- Escoge alimentos y bebidas que presenten un alto contenido en calorías y proteínas.
- Humedece la comida con salsas, jugos de cocción del alimento, caldos o yogur.
- No consumas (porque pueden quemar o dañar la garganta): comidas y bebidas calientes, comida picante, alimentos y zumos ácidos, alimentos afilados o crujientes ni bebidas alcohólicas.
- Cocina los alimentos hasta que estén suaves y tiernos.
- Corta los alimentos en trozos pequeños. Utiliza una licuadora, batidora o cualquier clase de procesador de alimentos para prepararlos.
- Bebe con una pajita.
- En vez de realizar tres comidas principales, realiza de cinco a seis pequeñas ingestas a lo largo del día.
- Siéntate erguido e inclínate ligeramente hacia adelante cuando comas o bebas, y permanece erguido durante al menos 30 minutos después de comer.
- No fumes ni utilices ninguna clase de productos del tabaco.

En algunos casos el médico valorará la posibilidad de alimentarte a través de una sonda.

Intolerancia a la lactosa

Si tienes molestias tales como hinchazón abdominal, gases, malestar gastrointestinal o diarreas, es posible que se deba a una condición denominada «intolerancia a la lactosa». Se produce porque nuestro intestino tiene dificultades para absorber un carbohidrato presente de forma natural en la leche denominado «lactosa». Si tu médico considera que presentas esta condición (que suele ser pasajera), valorará los siguientes consejos:

- Es probable que los síntomas solo aparezcan si consumes de una sola vez una cantidad considerable de lácteos (sobre todo, leche). Por el contrario, las porciones pequeñas suelen provocar menores síntomas.

- El yogur o los quesos duros suelen ser mejor tolerados que la leche.
- En la farmacia encontrarás tabletas que contienen enzima lactasa. Si las consumes, cuando comas o bebas productos lácteos tendrás menos síntomas (o ninguno). Esto sucede porque dicha enzima descompone la lactosa, por lo que es más fácil de digerir.
- Utiliza productos lácteos sin lactosa o bajos en lactosa (revisa la etiqueta).
- Tanto las bebidas vegetales (como las de soja o avena), conocidas como «leches vegetales», como las preparaciones elaboradas con ellas suelen estar exentas de lactosa (aunque, de nuevo, conviene revisar la etiqueta).

Debes saber que evitar completamente los lácteos es compatible con una dieta saludable. De hecho, la creencia de que los lácteos son imprescindibles para una buena salud ósea está desacreditada científicamente, como puedes comprobar si tecleas esto en Google: «Calcio, leche y salud ósea no son sinónimos» (*www.goo.gl/eaPFKJ*).

Aumento de peso

Cuando alguien padece cáncer no suele ser momento de «ponerse a dieta», entre otros motivos porque del 30 al 85 % de los pacientes con cáncer presenta malnutrición y porque la pérdida de masa corporal magra en pacientes con cáncer (sarcopenia) aumenta el riesgo de mortalidad incluso aunque dichos pacientes padezcan obesidad.

En enero de 2018, la doctora Vickie E. Baracos y sus colaboradores explicaron en la revista científica *Nature Reviews. Disease Primers* que en pacientes con cáncer de mama puede observarse un incremento de peso que, sin embargo, se acompaña de importantes pérdidas de masa muscular que pueden pasar desapercibidas. De ahí que te aconsejemos encarecidamente, si estás ganando mucho peso, que no dejes de comentárselo al oncólogo y al nutricionista para que evalúen tu caso. Ellos serán quienes deberán valorar la pertinencia de aplicar en tu caso estos consejos del NCI cuando se está ganando mucho peso, sin que ello se acompañe de pérdidas de masa muscular:

- Aumenta tu consumo de frutas frescas y hortalizas.
- Escoge a menudo alimentos ricos en fibra, tales como cereales integrales (pan integral —mejor si es sin sal—, pasta integral, arroz inte-

gral u otros granos integrales), legumbres y frutos secos (crudos o tostados, pero que no tengan azúcar, chocolate ni sal).

- Las carnes rojas (sobre todo, cordero, ternera o cerdo) y procesadas (embutidos y fiambres) se relacionan más fuertemente con el riesgo de obesidad y de mortalidad que las blancas, por lo que tiene sentido escoger carnes blancas en sustitución de las rojas.
- Elige productos lácteos bajos en grasa (y sin azúcares añadidos, desde luego).
- Evita las bebidas alcohólicas y cualquier clase de bebida azucarada.
- Añade menos sal a los alimentos (cuando tienen más sal solemos comer más) y evita la utilización de salsas.
- Disminuye al máximo el consumo de bollería casera o industrial, galletas (que son bollería), aperitivos salados o dulces, barritas azucaradas de cereales, helados, miel, cereales «de desayuno», chocolate o productos chocolateados, *fast food*, fideos instantáneos, platos precocinados o zumos (sean caseros o industriales).
- Come solo cuando tengas hambre. Si comes por aburrimiento o porque estás viendo la televisión, intenta encontrar actividades que te distraigan y con las que disfrutes.
- Disminuye el tamaño de las raciones de comidas que aparecen en tu plato o que hay en la mesa.
- Aumenta la cantidad de ejercicio que realizas combinando ejercicios de resistencia suaves, como caminar, con ejercicios de tracción o fuerza adaptados a las posibilidades individuales que activen el tono de la musculatura. (Siempre con el asesoramiento de un fisioterapeuta y de un entrenador acreditado).

Debilidad del sistema inmunitario

En ocasiones, el cáncer o el tratamiento utilizado para curarlo pueden debilitar nuestro sistema inmunitario, afectando a los glóbulos blancos o leucocitos, células sanguíneas que nos protegen de los gérmenes. En la década de los 80 se pautaba en estos casos una dieta denominada «dieta neutropénica». No obstante, hoy está desacreditada en el ámbito científico (revisa, en el apartado de bibliografía de este capítulo, las investigaciones de Arends, Foster, Fox, Gardner, Sonbol, Trifilio y Van Dalen).

Actualmente se aconseja a los pacientes cuyo sistema inmunitario está debilitado seguir los mismos consejos generales de seguridad en la manipulación de alimentos que se recomienda al resto de la población... aunque tiene mucho sentido que los sigan de forma más estricta. Se podrían resumir en asegurar un buen lavado de manos antes de manipular alimentos y aplicar los consejos de seguridad e higiene generales en la compra, almacenamiento, descongelación, preparación, cocción y servicio de los alimentos. Como la anterior es una frase demasiado vaga, detallamos los consejos fundamentales sobre seguridad alimentaria en las tablas 9 y 10. Además de basarnos en la bibliografía que aparece en el pie de las tablas, hemos contado con la impagable ayuda de Gemma del Caño (en Twitter: @farmagemma), farmacéutica, especializada en I+D e industria y máster en Innovación, Biotecnología, Seguridad y Calidad (*www.medium.com/ cartas-desde-el-imperio*). Aunque antes de que leas dichas tablas queremos dejar algo claro: seguir los consejos de la tabla disminuirá las posibilidades de que sufras una infección que te puede salir cara, pero de ninguna manera elevará la cantidad de leucocitos de tu organismo. El ámbito de la nutrición está repleto de falsas promesas, por lo que nunca está de más explicar obviedades.

Tabla 9. Consejos de higiene alimentaria ante un sistema inmunitario debilitado
Hacer la compra
• Verifica las fechas de consumo preferente y caducidad. No compres productos caducados y elige los productos más frescos. • No compres latas dañadas, hinchadas, oxidadas o abolladas. • Escoge frutas y verduras sin defectos y con buen aspecto. No es un capricho, un golpe en una fruta o en una verdura es una vía de entrada a una posible contaminación. • En la panadería, evita los postres y pasteles con crema y sin refrigerar. • No consumas alimentos comprados en recipientes de autoservicio o a granel. • No ingieras yogur o yogur helado si proviene de máquinas de comida rápida. • No comas muestras gratuitas de comida como las que sirven a veces en los supermercados para promocionar ciertos tipos de alimentos.
Hacer la compra
• No compres huevos agrietados. En cuanto a si comprarlos refrigerados o frescos, lo más importante es que no tengan cambios de temperatura. De hecho, en el súper suelen estar sin refrigerar porque hace más daño el cambio de «refrigerar/transporte/refrigerar otra vez» que mantenerlos a temperatura ambiente y luego refrigerar. • Compra los alimentos congelados y refrigerados justo antes de pagar, sobre todo en verano. Creemos, además, que es una buena idea llevar una pequeña nevera de viaje para meterlos, sobre todo si vives algo alejado del supermercado. • Refrigera los comestibles lo antes posible y nunca los dejes en un automóvil caliente. No compres alimentos fuera de establecimientos autorizados.

Tabla 9. Consejos de higiene alimentaria ante un sistema inmunitario debilitado *(continuación)*

Manipulación de los alimentos

- Lávate las manos con agua tibia y jabón durante 20 segundos antes y después de preparar la comida, y antes de comer.
- Comprueba que tu nevera tiene una temperatura de 4,5 °C o menos.
- Mantén calientes los alimentos calientes (más de 60 °C) y fríos los alimentos fríos (menos de 4,5 °C).
- Nunca descongeles carne o pescado a temperatura ambiente (sí en microondas o en la nevera con un plato antigoteo).
- Usa los alimentos descongelados de inmediato y no los vuelvas a congelar. Puedes cocinarlos y después congelar de nuevo.
- Coloca los alimentos perecederos en el refrigerador antes de dos horas tras haberlos comprado o preparado. Los platos que llevan huevo, crema o mayonesa no deben estar sin refrigerar más de una hora.
- Lava bien las frutas y las verduras bajo un chorro de agua antes de pelarlas o cortarlas. No uses jabones, detergentes, soluciones blanqueadoras con cloro o enjuagues comerciales para limpiar frutas u hortalizas. Con un pelador de hortalizas limpio, frota los alimentos que tengan una cáscara dura, gruesa o áspera (melones, patatas, etc.) o cualquier producto que tenga suciedad.
- Enjuaga las hojas de las verduras de una en una bajo el chorro de agua.
- Las ensaladas envasadas, las mezclas de col y otros productos preparados, incluso cuando estén marcados como prelavados, se deben enjuagar nuevamente con agua corriente (es más fácil si se usa un colador).
- No comas brotes de vegetales crudos.
- Desecha las frutas y hortalizas que estén viscosas o mohosas.
- No compres productos cortados en el supermercado (como el melón o la col).
- Lava la parte superior de los alimentos enlatados con agua y jabón antes de abrir la lata.
- Utiliza diferentes utensilios para revolver el recipiente de los alimentos mientras cocinas o para probarlos. No pruebes la comida (ni permitas que otros la prueben) con ningún utensilio que vaya a volver a ir a la comida.
- Tira a la basura los huevos cuyas cáscaras estén rotas. Nunca laves los huevos.
- Nunca laves el pollo (es una costumbre frecuente y peligrosa).
- Si no estás seguro de cocinar el pescado fresco a más de 60 °C, es mejor que lo congeles antes de cocinarlo. Deberías congelar el pescado fresco durante, al menos, cinco días. Tiene que permanecer 48 horas congelado completamente y para eso hace falta tiempo. Una alternativa es el pescado ultracongelado.
- Desecha los alimentos si tienen un aspecto extraño o huelen mal. ¡Nunca los pruebes!

Evita la contaminación cruzada

- Utiliza un cuchillo limpio y distinto para cortar diferentes alimentos.
- En la nevera, almacena la carne o el pescado envueltos de forma hermética y lejos de cualquier alimento listo para el consumo, sobre todo frutas u hortalizas crudas.
- Mantén los alimentos separados en la encimera de la cocina. Usa una tabla de cortar diferente para manipular carne cruda o pescado crudo.
- Limpia las encimeras y las tablas de cortar con agua caliente y jabón, o bien con una solución elaborada con 1 parte de lejía y 10 partes de agua. Solo puedes usar toallitas desinfectantes húmedas si están diseñadas para ser usadas en alimentación.
- Cuando cocines a la parrilla, usa siempre una placa limpia para depositar la carne ya cocinada.

Tabla 9. Consejos de higiene alimentaria ante un sistema inmunitario debilitado *(continuación)*

Cocina bien los alimentos

- Coloca un termómetro alimentario en el medio de la parte más gruesa de la carne o del pescado para verificar que la temperatura es correcta. Prueba la precisión del termómetro poniéndolo en agua hirviendo (debería marcar 100 °C)..., con cuidado, no vayas a quemarte.
- Cocina la carne hasta que deje de estar rosada y los jugos salgan limpios. El termómetro alimentario debería marcar 71 °C en carnes rojas y 82 °C en aves de corral.
- Cocina el pescado fresco a más de 60 °C. Si no tienes claro si va a alcanzar dicha temperatura, es mejor que lo congeles antes de cocinarlo. Tienes información en el apartado «Manipulación de los alimentos» de esta misma tabla.
- Cocina los huevos hasta que la yema y la clara tengan una textura firme.
- Si tu microondas no tiene plato giratorio, gira un cuarto de vuelta el plato con la comida como mínimo una vez durante la cocción. Esto previene los puntos fríos en los alimentos, donde las bacterias podrían sobrevivir.
- Usa una tapa de plástico con agujeros para recalentar completamente las sobras y remueve a menudo el contenido del plato.

Comer fuera

- Intenta evitar las multitudes. Revisa la limpieza del restaurante. Comprueba que no tienen comida fuera de las cámaras que debería estar refrigerada. Si está sucio, no comas allí.
- Si vas a un restaurante de comida rápida, asegúrate de que preparen tu comida en el momento (que no te den una preparación que lleva tiempo a temperatura ambiente).
- Si usas condimentos, que sean de un solo uso. No uses recipientes a granel de autoservicio.
- No comas en bufés ni compres a vendedores ambulantes.
- No consumas frutas y verduras crudas cuando comas fuera.
- Si vas a tomar un zumo de fruta, pregunta si está pasteurizado. Evita los «recién exprimidos» fuera de casa.
- Asegúrate de que los utensilios que hay en tu mesa no estaban cuando tú llegaste.
- Si quieres llevarte las sobras, solicita un recipiente y coloca tú la comida dentro, en vez de pedirle al camarero que se lleve tu comida a la cocina para realizar esta operación.

Fuente: Adaptado de 1) American Cancer Society. Nutrition for the Person With Cancer During Treatment. For people with weakened immune systems. 15 de julio de 2015. Disponible en: *www.goo.gl/9b-VmEz*; 2) Fox N, Freifeld AG. The neutropenic diet reviewed: moving toward a safe food handling approach. Oncology (Williston Park). 2012 Jun;26(6):572-5, 580, 582 passim. Disponible en: *www.pubmed.gov/22870542*; 3) Foster M. Reevaluating the neutropenic diet: time to change. Clin J Oncol Nurs. 2014 Abr;18(2):239-41. Disponible en: *www.pubmed.gov/24675260*; 4) Food and Drug Administration. Food Facts. Febrero de 2018. Disponible en: *https://www.fda.gov/downloads/food/foodborneillnesscontaminants/ucm174142.pdf*; 5) AECOSAN. Anisakis. 25 de mayo de 2018. Disponible en: *http://www.aecosan.msssi.gob.es/AECOSAN/web/seguridad_alimentaria/subdetalle/anisakis.htm*.

Tabla 10. Consejos, ordenados por grupos de alimentos, ante un sistema inmunitario debilitado	
Carne (roja o blanca), pescado, tofu y frutos secos	
Puedes consumir	*A evitar (no consumir)*
• Carnes y pescados siempre bien cocinados. • Usa un termómetro alimentario y comprueba que la temperatura en carnes y pescados cocinados es correcta. • Corta el tofu fresco en cubos de unos dos o tres centímetros (o más pequeños) y hiérvelo cinco minutos antes de consumirlo. Esto no hace falta en tofu de larga conservación. • Consume frutos secos envasados al vacío o mantequillas de frutos secos de larga conservación.	• Pescado o marisco crudo, salmón ahumado (excepto si se cocina), *sushi* o *sashimi* crudos o poco cocidos. • Frutos secos crudos o mantequillas frescas de frutos secos. • *Carpaccio.*
Huevos	
Puedes consumir	*A evitar (no consumir)*
• Cocina los huevos hasta que clara y yema estén firmes. • Puedes comprar huevos pasteurizados para cocinar.	• Huevos crudos o poco cocidos (por ejemplo: escalfados). • Alimentos que puedan contener huevo crudo, como aderezo de ensalada César, ponche de huevo casero, batidos, masa cruda de galleta o pastel, y salsas caseras holandesa o mayonesa.
Lácteos	
Puedes consumir	*A evitar (no consumir)*
• Solo lácteos pasteurizados (leche, yogur, queso u otros lácteos).	• Quesos blandos, maduros con moho o con vetas azules (por ejemplo: brie, camembert, roquefort, stilton, queso gorgonzola o azul). • Quesos al estilo mexicano, como el queso blanco fresco (a menudo se hacen con leche sin pasteurizar) o con hortalizas crudas.
Panes, cereales, arroz y pasta	
Puedes consumir	*A evitar (no consumir)*
• Pan. • Los cereales, la pasta y el arroz son seguros siempre que se vendan envueltos y preenvasados (no en contenedores de autoservicio).	• Fuentes de cereales, granos y otros alimentos a granel. • Cereales crudos.

Tabla 10. Consejos, ordenados por grupos de alimentos, ante un sistema inmunitario debilitado
(continuación)

Frutas y hortalizas

Puedes consumir	*A evitar (no consumir)*
• Las verduras y frutas crudas y las hierbas frescas son seguras para comer si se lavan con agua corriente y se frotan ligeramente con un cepillo para verduras. • Brotes de vegetales siempre que estén cocinados.	• Salsas frescas y aderezos para ensaladas que se encuentren en la sección refrigerada de la tienda de comestibles. En su lugar, se debe escoger salsas y aderezos de larga conservación. • Cualquier brote de vegetales crudos (por ejemplo: brotes de soja, alfalfa, rábano, brócoli o de frijol *mungo*).

Postres y dulces

Puedes consumir	*A evitar (no consumir)*
• Pasteles, galletas, gelatinas con sabor, helados comerciales, sorbetes y helados, azúcar y mermeladas o confituras comerciales (que estos alimentos sean seguros no significa que sean saludables: es mejor no consumirlos habitualmente).	• Productos de pastelería sin refrigerar y rellenos de crema. • Miel no tratada con calor.

Agua y bebidas

Puedes consumir	*A evitar (no consumir)*
• Agua tratada por servicios municipales de aguas o agua embotellada. • Café o té. • Zumos de frutas u hortalizas pasteurizados. • Refrescos (que estos alimentos sean seguros no significa que sean saludables: es mejor no consumirlos habitualmente).	• Agua de lagos, pozos, ríos, arroyos o manantiales sin tratar. • Zumos de frutas u hortalizas sin pasteurizar. • «Té de sol» (té elaborado infusionándolo al sol). El té siempre debe prepararse con agua hirviendo y con bolsas de té comerciales. • Aguas suplementadas con vitaminas o hierbas (no son saludables).

Fuente: Adaptado de 1) American Cancer Society. Nutrition for the Person With Cancer During Treatment. For people with weakened immune systems. 15 de julio de 2015. Disponible en: *www.goo. gl/9bVmEz*; 2) Fox N, Freifeld AG. The neutropenic diet reviewed: moving toward a safe food handling approach. Oncology (Williston Park). 2012 Jun;26(6):572-5, 580, 582 passim. Disponible en: *www.pubmed.gov/22870542*; 3) Foster M. Reevaluating the neutropenic diet: time to change. Clin J Oncol Nurs. 2014 Abr;18(2):239-41. Disponible en: *www.pubmed.gov/24675260*; 4) Food and Drug Administration. Food Facts. Febrero de 2018. Disponible en: *https://www.fda.gov/downloads/food/ foodborneillnesscontaminants/ucm174142.pdf*.

¿Y si la dieta no es suficiente? (suplementos y nutrición enteral/parenteral)

Siempre que sea posible, es mejor ingerir alimentos por la boca. Cuando ninguna de las estrategias ya citadas es suficiente para mantener una buena nutrición, es preciso consumir, además de comida, bebidas preparadas específicamente para estas circunstancias, que serán pautadas por el personal sanitario. Nos explica el nutricionista David Pradera que existe un extenso abanico de fórmulas enterales completas saborizadas (batidos) de alta densidad energético-proteica y nutricional, pero nos advierte de lo siguiente: si se consumen sin la supervisión de un profesional, pueden comprometer la ya de por si escasa capacidad de ingesta de otros alimentos o incluso producir hartazgo y finalmente aversión. Por ello, el nutricionista debe integrar dichas fórmulas en una dieta personalizada compuesta por los alimentos «ordinarios» mejor tolerados. En general, su ingesta ha de ser fraccionada y separada de las comidas principales. En ningún caso deben sustituir a alimentos ordinarios bien tolerados. Este tipo de suplementos deben sumar energía y nutrientes a la dieta y en ningún caso restarlos o «usurparlos» de una alimentación ordinaria «optimizada».

Existen ocasiones en las que no queda otro remedio que recurrir (tras sopesar bien pros y contras) a la nutrición enteral por sonda o parenteral. En la nutrición enteral por sonda recibimos los nutrientes que necesitamos a través de un tubo insertado en el estómago o en los intestinos. ¿Cómo? Una opción (cuando la nutrición enteral solo va a ser necesaria durante unas pocas semanas) es alimentarnos mediante una sonda nasogástrica: un tubo entra por nuestra nariz y baja hasta el estómago o hasta el intestino delgado. Otra opción (si la nutrición enteral se va a mantener mucho tiempo o no se puede recurrir a la sonda nasogástrica) es utilizar una sonda de alimentación mediante ostomía (comunicación que se realiza entre una víscera y el exterior), es decir, se inserta la sonda a través de un orificio en el abdomen, hasta el estómago (sonda de gastrostomía). En algunas ocasiones la sonda puede prolongarse más allá del estómago, hasta el yeyuno (sonda de gastro-yeyunostomía). El «yeyuno» es el nombre que recibe la parte media del intestino delgado.

A diferencia de lo que ocurre con la nutrición enteral, la nutrición parenteral no entra en nuestro tubo digestivo, sino que los nutrientes se introducen directamente en el torrente sanguíneo a través de un catéter insertado en una vena. Se utiliza, lógicamente, cuando no es posible aplicar las opciones anteriores.

Si el paciente se encuentra en una fase terminal, la nutrición enteral o parenteral «puede ser más perjudicial que beneficiosa», en palabras del National Cancer Institute, por diversas complicaciones que pueden presentarse a causa del delicado estado del paciente.

Dieta vegetariana o vegana

Dado que hace poco escribimos un libro muy relacionado con la dieta vegetariana (*Más vegetales, menos animales*), hemos querido dedicarle un pequeño apartado a esta dieta. A lo detallado en dicho libro sobre el vegetarianismo queremos añadir aquí algunas consideraciones. La primera es su papel en la prevención del cáncer. El National Cancer Institute señala, en su documento dirigido a profesionales sanitarios, lo siguiente:

> *Existe una fuerte evidencia de que una dieta vegetariana reduce la incidencia de muchos tipos de cáncer, especialmente cánceres del tracto gastrointestinal.*

Como justificamos en nuestro anterior libro, es difícil dilucidar si dicha prevención debemos atribuirla a la dieta vegetariana o al estilo de vida de las personas que siguen esta alimentación (suelen no fumar, ser menos sedentarias, beber menos alcohol o, en el caso de las mujeres, dar más tiempo el pecho a sus hijos). Lo que es incuestionable es que el vegetarianismo o el veganismo no aumentan el riesgo de cáncer. ¿Servirán para tratar el cáncer? No, como ninguna otra dieta, tenga el apellido que tenga. Lo que nos lleva a la opinión del NCI:

> *No se ha publicado ningún ensayo clínico, estudios piloto o informe de casos sobre la efectividad de una dieta vegetariana para el tratamiento del cáncer o de sus síntomas. No hay pruebas científicas que sugieran un beneficio atribuible a adoptar una dieta vegetariana o vegana al momento del diagnóstico o durante el tratamiento del cáncer.*

El NCI incluye esta reflexión, que es importante tener en cuenta:

> *Por otro lado, no hay pruebas científicas que sustenten que una persona que sigue una dieta vegetariana o vegana antes de la terapia contra el cáncer deba abandonarla al comenzar el tratamiento.*

En cualquier caso, como cualquier otro paciente, conviene que quien siga una dieta vegetariana o vegana reciba asesoramiento nutricional porque existe el riesgo de no cubrir los requerimientos energéticos, algo que empeorará el pronóstico de la enfermedad. Sin olvidar que toda persona que siga una dieta vegetariana (sea ovolactovegetariana o vegana) se suplemente con vitamina B12. Encontrarás más información en el recomendable libro *Vegetarianos con ciencia*, de Lucía Martínez Argüelles, y en el texto «El peliagudo pero apasionante mundo de la vitamina B12 en vegetarianos», que aparece citado en la bibliografía de este capítulo.

Ejercicio físico cuando padecemos cáncer

Además de estar expuestos a riesgos nutricionales, los pacientes con cáncer también son proclives a perder su forma o condición física. Además, la inactividad genera pérdidas musculares, muy desaconsejables en esta enfermedad. Hoy nadie duda de que un paciente con cáncer debe mantenerse, en la medida de lo posible, físicamente activo. En 2017, la European Society for Clinical Nutrition and Metabolism (ESPEN) explicó que «el cuidado nutricional [en pacientes con cáncer] siempre debe ir acompañado de entrenamiento físico». Le dio la razón en 2018 un riguroso trabajo científico (revisión sistemática y metaanálisis de ensayos clínicos) publicado en 2018 por Joel T. Fuller y sus colaboradores en la revista *British Journal of Sports Medicine*. Su conclusión fue la siguiente:

Es probable que el ejercicio tenga un papel importante para ayudar a controlar la función física, la salud mental, el bienestar general y la calidad de vida de las personas que padezcan cáncer o que se estén recuperando de dicha enfermedad o de los efectos secundarios del tratamiento.

También se señala en este estudio que la incidencia de efectos adversos atribuibles al ejercicio físico es muy baja. La ESPEN emite la siguiente recomendación:

Para algunos pacientes, las recomendaciones para la actividad física deben consistir en motivar a los pacientes para que realicen una caminata diaria a fin de reducir los riesgos de atrofia debido a la inactividad. Otros pacientes probablemente se beneficiarían de programas supervisados por expertos debidamente capacitados [...]. Sugerimos ejercicios de fuerza individualizados, además del ejercicio aeróbico, para mantener la fuerza muscular y la masa muscular.

En julio de 2017, un metaanálisis de la literatura científica coordinado por la doctora Karen M. Mustian concluyó que el ejercicio físico y las intervenciones psicológicas reducen la fátiga relacionada con el cáncer en mayor medida que las actuales opciones farmacéuticas. Por eso hablamos a continuación, brevemente, del enfoque psicológico.

Tratamiento psicológico cuando padecemos cáncer

En el terreno de la psicología también abundan los charlatanes, así que te aconsejamos, como en el caso de la nutrición, que no te dejes embaucar por quiméricas promesas. Por eso mismo tienes en la tabla 11 las características fundamentales, en tono irónico, de un embaucador.

Una de las promesas peligrosas en psicología es la llamada «bioneuroemoción», «psicobiodescodificación» o «biodescodificación» (una secta derivada de una falsa terapia denominada «nueva medicina germánica de Hamer», a la que ya hemos aludido anteriormente). La Asociación para Proteger al Enfermo de Terapias Pseudocientíficas (APETP) le dedica una entrada en su (recomendable) blog y la define así:

La bioneuroemoción es, según sus practicantes, una terapia que se fundamenta en que las enfermedades no existen y son la respuesta biológica a un conflicto psicológico. Según ellos, la clave para sanar al enfermo es buscar la emoción inconsciente que ocasiona la enfermedad y modificarla de manera consciente.

Muchas personas mueren pensando que se sanarán buscando modificar esa «emoción inconsciente que ocasiona la enfermedad». No son más que mentiras decoradas con jerga pseudocientífica. Nos explica nuestra amiga Mónica Albelda (en Twitter: @psico_diet), excelente psicóloga y nutricionista (*www.psicologiaynutricion.es*), que en ocasiones es útil, para detectar embaucadores en el terreno de la psicología, fijarnos en si se utiliza la palabra «terapia» o «psicoterapia». El segundo término, salvo raras excepciones, la utilizan los psicólogos titulados, mientras que los primeros suelen autodenominarse «terapeutas» (y no «psicoterapeutas»). También nos cuenta Mónica que, además de recurrir a la psicoterapia para afrontar la situación, es importante que los psicólogos apoyen el propio proceso de la ingesta, ya que muchas veces existe una asociación directa entre las emociones y la manera de comer.

No somos especialistas en psicología, por lo que no profundizaremos en esta cuestión. Pero sí queremos insistir en que, por suerte, existen buenos psicooncólogos en la sanidad pública, cuyo papel en el equipo de sanitarios que atienden a los pacientes con cáncer es vital. De hecho, tenemos el placer de conocer a uno de ellos: la doctora Tania Estapé, una reputadísima psicooncóloga. Ha publicado un libro recientemente que te aconsejamos, titulado *Cómo afrontar los tres días esenciales*. Es un libro cuyo fin es dar apoyo a personas con cáncer y sus familias, pero que también es muy recomendable para cualquier profesional sanitario implicado en esta enfermedad. Los «tres días» hacen referencia a las tres situaciones más importantes a las que se enfrenta cualquier persona con cáncer: el diagnóstico, el tratamiento del cáncer y la curación de la enfermedad.

Tabla 11. El embaucador
El embaucador no nace, se reencarna; no muere, se conecta con el universo.
El embaucador no crece, sigue una senda predestinada; no camina, construye el camino.
El embaucador no aprende, confirma sus sospechas; no estudia, es estudiado.
El embaucador no habla con su voz, sino con la de sabios ancestros; no plagia, dice lo mismo que otros por pura casualidad.
El embaucador no aconseja, sienta cátedra; no orienta, prescribe la sanación.
El embaucador no sonríe, muestra su carisma; no agradece, nos da su bendición.
El embaucador no critica, describe; no olvida, explica una y otra vez nuestro error a los demás para redimirnos.
El embaucador no duerme, medita; no piensa, crea.
El embaucador no lee, corrige; no escribe, ilumina el mundo.
El embaucador no conversa, instruye; no escucha, juzga.

Tabla 11. El embaucador *(continuación)*

El embaucador no se equivoca, practica el autoconocimiento;
no miente, es la verdad la que nos engaña.

Al embaucador no le critican con razonamientos objetivos, sino porque tienen miedo a su gran potencial;
no necesita argumentos sólidos para criticar a los demás, con decir «se equivocan», basta.

El embaucador no vive, equilibra el yin con el yang;
no muestra, demuestra.

El embaucador no dice la verdad, pontifica;
no habla, deja un legado.

El embaucador no duda, siempre está seguro de todo;
no necesita investigaciones para sustentar sus consejos, su opinión es ciencia.

El embaucador no necesita investigar, le basta con su experiencia;
no descubre, tiene epifanías.

El embaucador no enferma, somatiza los errores de los demás para sanarlos;
no envejece, mejora.

Al embaucador no le trata un médico, sino un maestro sanador extrasensorial;
no le cura un fármaco, sino hierbas milenarias.

El embaucador no tiene salud, la reparte;
no cura la enfermedad, sino a la persona.

El embaucador reniega de la medicina alopática, prefiere la medicina integrativa holística;
desconfía de las farmacias, son más fiables las empresas que fabrican homeopatía.

El embaucador nos revela que el tabaco es nocivo, pero asegura que fumar marihuana es medicinal;
no se fía de avances científicos, prefiere el horóscopo.

El embaucador no tiene reuniones familiares, sino constelaciones familiares;
no se fía del psicólogo, prefiere el infinito poder de su mente para sanar.

El embaucador no suda, elimina toxinas;
no toma el sol, sintetiza la energía lumínica del astro rey.

El embaucador no pinta su casa, practica el *feng shui*;
no se ducha, regenera su piel.

El embaucador no hace el amor, practica el sexo tántrico;
no tiene una eyaculación, experimenta un orgasmo somático mental.

El embaucador no toma un solo gramo de azúcar (veneno mortal), consume un litro diario de miel (medicinal);
no se fía de ningún aditivo artificial, prefiere la estevia, que es natural (E-960).

Tabla 11. El embaucador *(continuación)*
El embaucador no mastica fruta fresca, bebe batidos *antiaging*; no toma sopa, sino caldos depurativos.
El embaucador no está vendido a las farmacéuticas, recibe justificados emolumentos de negocios familiares de complementos alimenticios; no cocina un plato, crea una receta anticáncer.
El embaucador no come verdura, alcaliniza su organismo; no cocina, transmite su energía a los alimentos.
El embaucador no bebe, respira agua; no respira, bebe aire.
El embaucador no se forra a nuestra costa, invierte nuestros donativos en una causa noble: él mismo.

Características, en tono irónico, de un embaucador. *Fuente: www.juliobasulto.com/el-embaucador-2*

En resumen

- Lo primero que debe preocupar a un paciente con cáncer no es la alimentación, sino seguir las terapias propuestas por su oncólogo.
- El cáncer no se trata de la misma manera que se previene. Tampoco tratamos un incendio, un accidente de tráfico, un resbalón o un cortocircuito de la misma manera que los prevenimos.
- No existe ninguna dieta que cure el cáncer. Las dietas más famosas para afrontar el cáncer (la «dieta alcalina», la «dieta cetogénica», la «dieta macrobiótica», el «régimen Gerson» o el «régimen Kelley-González») tienen el mismo rigor científico que la existencia del ratoncito Pérez, es decir, ninguno.
- Los complementos alimenticios no son útiles ni seguros. Eso incluye los que forman parte de la «medicina tradicional china», que no es más que una ruleta rusa. Y eso incluye sustancias como el anís estrellado, la canela, el cardamomo, el cardo mariano el, *ginseng* coreano, el jengibre, el *kalanchoe*, el llantén, el muérdago, el té verde, la uña de gato, el cartílago de tiburón o la amigdalina (conocida también como «laetril» o «nitrilosida»).
- Creer que «lo natural» va a ayudarnos a hacer frente al cáncer es perder tiempo y esperanzas, y aumentar las posibilidades de empeorar el pronóstico de la enfermedad. Sobre todo si creemos que existe

algún abordaje «alternativo» y nos abrazamos a él en sustitución de los modernos tratamientos que utilizan los oncólogos.

- Si se padece cáncer, existen consideraciones dietéticas útiles para abordar las posibles deficiencias nutricionales que en ocasiones acompañan a la enfermedad o para minimizar los posibles efectos adversos que pueden generar los tratamientos médicos para el cáncer. Por eso las guías médicas de referencia aconsejan que todo paciente con cáncer sea atendido no solo por un oncólogo, sino también por un dietista-nutricionista colegiado.

- La alimentación (en su conjunto) desempeña un papel en el manejo de algunos de los síntomas que puede padecer una persona con cáncer, tales como fatiga, náuseas, pérdida de apetito, pérdida no intencionada de peso y pérdida de masa muscular. Sin olvidar que no hay pruebas científicas que muestren efectos beneficiosos atribuibles a alimentos o nutrientes específicos.

- Como la pérdida severa de peso es responsable de hasta una quinta parte de todas las muertes por cáncer y tiene un gran impacto en la calidad de vida, resulta crucial que huyamos de dietas bajas en energía y que consumamos, sobre todo, una suficiente cantidad de calorías y proteínas mediante la alimentación.

- La anorexia (disminución en la sensación fisiológica de apetito o en el deseo de comer) es la principal causa de malnutrición en pacientes con cáncer y es un síntoma bastante común en todos ellos. Puede aparecer en cualquier momento de la evolución de la enfermedad, pero es mucho más frecuente si el cáncer está en una fase avanzada.

- La caquexia (debilidad unida a pérdida de peso, de grasa y de masa muscular) se suele presentar en pacientes que padecen tumores que afectan a la ingesta y a la digestión (estómago, intestinos o cabeza y cuello). Puede atribuirse a la caquexia alrededor de un 20 % de las muertes por cáncer, así que es importantísimo que cualquier paciente con esta enfermedad cubra sus requerimientos energéticos.

- Ten en cuenta los dos puntos anteriores para comprender que cuando alguien propone hacer ayunos o serias restricciones dietéticas para abordar el cáncer está cometiendo una imprudencia de gran calibre.

- El tratamiento del cáncer puede generar en ocasiones efectos adversos relacionados con la nutrición. Resulta útil conocerlos para entender por qué se producen y para no sorprendernos si los padecemos. Aparecen detallados en el apartado «Efectos secundarios del tratamiento del cáncer en la nutrición» de este capítulo.

- Incluimos en el apartado «Abordaje nutricional del cáncer» consejos para hacer frente a síntomas como anorexia, náuseas, vómitos, boca seca, úlceras en la boca, cambios en el sabor de los alimentos, dolor de garganta, dificultades para tragar, intolerancia a la lactosa, aumento de peso o debilidad del sistema inmunitario.

- No hay pruebas científicas que sustenten que una persona que sigue una dieta vegetariana o vegana antes de la terapia contra el cáncer deba abandonar dicha dieta al comenzar el tratamiento. Se aconseja, como al resto de pacientes con cáncer, que reciba asesoramiento nutricional. No hacerlo puede suponer, si la dieta está mal planteada, no cubrir los requerimientos energéticos, algo que empeorará el pronóstico de la enfermedad.

- Todo paciente con cáncer debe mantenerse, en la medida de lo posible, físicamente activo, tal y como se amplía en el apartado «Alimentación cuando tenemos cáncer» de este capítulo.

- El tratamiento psicológico cuando se padece cáncer es muy importante, pero debe realizarse por psicólogos colegiados, tener sustento científico y no basarse en pseudoterapias peligrosas como la «bioneuroemoción».

¿Qué hacer si nos han dado «el alta»?

> «Deberíamos integrar el ejercicio físico y la alimentación saludable en nuestra vida con la misma rutina con la que nos vestimos cada mañana».
>
> OLGA AYLLÓN, dietista-nutricionista

Gracias a los avances científicos, las tasas de curación del cáncer están mejorando. Existen razones para pensar que dentro de diez años la media de curación se acercará al 70 %.

Lo cierto es que millones de personas han sobrevivido a un cáncer. Un documento coordinado por la doctora Jennifer Ligibel y publicado en *UpToDate* el 25 de abril de 2018 detalló que los avances en la detección y el tratamiento del cáncer han permitido calcular que en 2012 había 32,6 millones de personas vivas en el mundo después de cinco años tras el diagnóstico de cáncer. No disponemos de datos más recientes, pero sí estamos seguros de que la cifra es hoy considerablemente superior.

¿Qué deben hacer todas esas personas que han sobrevivido a un cáncer? ¿Olvidarse del asunto? No, desde luego que no. Hablamos de ello, brevemente, en este capítulo.

¿Qué hará el equipo sanitario?

De entre los cuidados del equipo sanitario a cargo de alguien que ha superado un cáncer podemos destacar: vigilar la posibilidad de recurrencia del cáncer; realizar cribados para evitar el progreso de cánceres secundarios; monitorizar y controlar los posibles problemas médicos derivados de la enfermedad o del tratamiento; o abordar aspectos fisiológicos, psicosociales, nutricionales o relacionados con el estilo de vida.

Sobre este último aspecto es preciso recalcar que, si hemos superado un cáncer, conviene mejorar nuestros hábitos cotidianos relacionados con la salud (de hecho, deberíamos hacerlo aunque no hayamos padecido un cáncer). En julio de 2018, la doctora Larissa Nekhlyudov señaló, también en *UpToDate*, que las personas que han sobrevivido a un cáncer tienen más riesgo que el resto de la población de padecerlo (en este caso, por segunda vez) en relación con el estilo de vida.

Sin embargo, tenemos dos buenas noticias. La primera es que, con paciencia y, si es preciso, con ayuda, podemos mejorar nuestros hábitos. Y la segunda es que se ha demostrado que modificar (para bien, se entiende) el estilo de vida disminuye el riesgo de recurrencias e incluso puede aumentar la esperanza y la calidad de vida. Por eso resulta crucial que todos los profesionales sanitarios que atiendan a un paciente que ha sobrevivido a un cáncer insistan en la importancia de abandonar el tabaquismo, limitar el consumo de alcohol, seguir una alimentación saludable y realizar actividad física.

Tabaquismo

Cada 30 segundos muere alguien en el mundo por un cáncer de pulmón, y solo una de cada diez personas con cáncer de pulmón sigue viva cinco años después del diagnóstico. Sumemos que en 2015 fallecieron 170,9 millones de personas a causa del tabaco, según cálculos de la doctora Amy Peacock y su equipo (revista *Addiction*, mayo de 2018). Como la inmensa mayoría de los cánceres de pulmón son evitables abandonando el tabaquismo, y como el tabaquismo se relaciona no solo con el cáncer de pulmón sino con otros 16 tipos de cáncer, estamos ante un punto que no debemos pasar por alto.

Por increíble que parezca, la cantidad de personas que fuma tras sobrevivir a un cáncer ronda el 12-15 %. La cifra revela el inmenso poder de adicción del tabaco, pero debería disminuir drásticamente, porque quien ha sobrevivido a un cáncer y fuma tiene unas posibilidades considerablemente más altas de volver a padecer otro.

Así, si siempre es aconsejable pedir ayuda para dejar de fumar, en este caso es de capital importancia. A lo dicho sobre esta cuestión en el apartado («Si fumas, pide ayuda para dejar de fumar, por favor») del capítulo 2, solo repetiremos el consejo de pedir ayuda sanitaria, y la sugerencia de visitar esta página web del Ministerio de Sanidad: *www.msssi.gob.es/ ciudadanos/proteccionSalud/tabaco/ayuda.htm.*

Alcohol

Pese a que no disponemos de datos fiables sobre la recurrencia de cánceres que podemos atribuir al alcohol, sí sabemos que su consumo es actualmente el tercer factor de riesgo de enfermar más importante en el mundo. En el estudio de la doctora Amy Peacock, que acabamos de citar, leemos que el número de fallecimientos anuales atribuibles al alcohol ascendió a 85 millones. ¡Supone casi el doble de la población española! Su trabajo también constató que el 18,4 % de los habitantes del mundo consume alcohol de forma abusiva. ¿Entiendes ahora por qué nos irritamos cuando presenciamos anuncios de cervezas, vinos u otras bebidas alcohólicas?

Pero el problema no proviene solamente de quien abusa del alcohol. Lo sabemos porque el doctor Bagnardi y sus colaboradores publicaron en febrero de 2013 un metaanálisis en la revista *Annals of Oncology* cuya conclusión fue la siguiente:

> *El consumo bajo de alcohol aumenta el riesgo de cáncer de cavidad oral, faringe, esófago y mama femenino.*

Los investigadores definieron «consumo bajo» hasta una bebida al día. Por tanto, dado que el riesgo de cáncer aumenta con cualquier dosis de alcohol, nuestro consejo para adultos sanos que no quieran poner su vida o la de otros en riesgo no puede ser otro que el que ya detallamos en el capítulo 2 «Cuanto menos, mejor, y cuanto más, peor». En menores de edad, en personas cuyo médico haya desaconsejado el alcohol, en mujeres embarazadas o que puedan estarlo, en personas que vayan a conducir o en quien pueda poner en riesgo a terceros a causa del alcohol (por ejemplo: tiro con arco), el consejo es evitar cualquier dosis de alcohol.

En su informe publicado en 2018, el Fondo Mundial para la Investigación del Cáncer (WCRF, en sus siglas en inglés), señala que para prevenir el cáncer lo mejor es no beber nada de alcohol. Estamos de acuerdo.

Alimentación, exceso de peso y lactancia

No estábamos seguros de incluir en este libro el capítulo que tienes entre manos («¿Qué hacer si nos han dado "el alta"»?), pero nos decidimos tras pensar que muchas personas habrán variado sus hábitos de alimentación a causa del cáncer. Si has leído el capítulo anterior, entenderás que cuando padecemos un cáncer suele ser preciso realizar cambios en nuestras pautas alimenticias habituales, para adaptarlas a situaciones como pérdida de peso, disminución de la masa muscular, falta de apetito, fatiga, náuseas, etc. Como somos animales de costumbres, es probable que los cambios recién citados los mantengamos más tiempo del que deberíamos, de ahí la importancia de retomar (o de iniciar) una dieta saludable.

¿Cómo enfocamos la alimentación cuando ya hemos superado un cáncer? Para empezar, sabiendo que una dieta insana aumenta las posibilidades de que volvamos a padecer un cáncer (*www.pubmed.gov/29459359*). El Centro Internacional de Investigaciones sobre el Cáncer (CIIC) propone que sigamos «las recomendaciones generales de prevención (salvo que por razones médicas o de otro tipo esté contraindicado)». Así pues, si hemos sobrevivido a un cáncer y no estamos recibiendo ninguna clase de tratamiento, los consejos que deberíamos seguir son los mismos que hemos expuesto en los dos capítulos anteriores, salvo que el oncólogo o el nutricionista digan lo contrario. Uno de los motivos para seguir una dieta sana es prevenir la aparición de un nuevo cáncer, pero otro es que en algunos tipos (por ejemplo: cánceres de próstata y mama), la enfermedad cardiovascular será una causa de muerte prematura más común que el cáncer. Como la alimentación puede disminuir de forma clara el riesgo de enfermedad cardiovascular (y otras enfermedades crónicas), tiene sentido seguir lo antes posible una dieta sana.

Como recordarás, hemos citado en la introducción de este capítulo un trabajo coordinado por la doctora Jennifer Ligibel en 2018. En él se indica que seguir una alimentación saludable y prevenir el incremento excesivo de peso disminuye las posibilidades de mortalidad en las personas que han padecido un cáncer. Aconseja consumir, como mínimo, cinco raciones de frutas y hortalizas cada día y limitar la ingesta de alimentos procesados (eso incluye fiambres y embutidos), así como de carnes rojas.

El WCRF emite otros consejos para supervivientes de un cáncer que vale la pena detallar. Los dos principales son recibir asesoramiento por dietistas-nutricionistas y seguir (nos permitimos añadir «a rajatabla») las recomendaciones dietéticas dirigidas a prevenir el cáncer. Las tienes ampliadas en el capítulo 2, pero las resumimos a continuación:

- Sigue una alimentación rica en granos integrales (pan integral [mejor sin sal], pasta integral, arroz intégral, avena y otros granos integrales), verduras, hortalizas (eso no incluye las patatas *chips*), frutas frescas y legumbres. Deberíamos incluir dichos alimentos en todas nuestras comidas principales. Se aconseja consumir como mínimo 400 gramos de frutas y verduras a diario, e intentar cubrir la recomendación de «cinco al día» (un mínimo de cinco raciones de frutas y hortalizas cada día).

- Evita las bebidas azucaradas («refrescos»). El WCRF indica, literalmente, «No consumas bebidas azucaradas» (en inglés «Do not consume sugar sweetened drinks»). Se recomienda no consumir zumos habitualmente «ya que incluso los que no tienen azúcares añadidos es probable que promuevan el incremento de peso de forma similar a las bebidas azucaradas».

- Limita el consumo de alimentos procesados ricos en grasas, almidón o azúcares. En general, se hace referencia al *fast food* (o comida rápida), pero también se incluyen alimentos como las patatas *chips*, pasteles, galletas, bizcochos, confitería, pasta blanca, pizza elaborada con harina blanca y precocinada o pan blanco.

- Si consumes carne roja (tal como carne de cerdo, res o cordero), que sea en cantidades moderadas. No deberíamos superar las tres raciones semanales de carne roja (entre 350 y 500 gramos de peso tras la cocción) a la semana. El WCRF reconoce que «consumir carne no es una parte esencial de una dieta saludable».

- Consume muy poca, si es que consumes, carne procesada. El término «carne procesada» hace referencia a cualquier carne transformada a través del salado, curado, fermentación, ahumado u otros procesos para mejorar su sabor o mejorar su conservación. Lo que incluye, desde luego, cualquier fiambre (por ejemplo: jamón serrano o jamón de york) o embutido. En la página web del WCRF leemos que «las pruebas científicas que relacionan las carnes procesadas con el cáncer son claras». Es más, se apunta que cualquier nivel de ingesta aumenta el riesgo de cáncer colorrectal.

- No utilices complementos alimenticios para la prevención del cáncer.

- En el caso de ser madre: haz lo posible por amamantar a tu bebé.

- El mantenimiento de un peso corporal saludable (índice de masa corporal de 18,5 a 24,9) o su disminución, en caso de ser necesario, puede mejorar la calidad y la esperanza de vida. También son aplicables aquí todos los consejos que emitimos sobre esta cuestión en el capítulo 4 («Sobrepeso, obesidad y cáncer»).

Como las posibilidades de que caigas en manos de un embaucador siguen siendo altas tras sobrevivir a un cáncer, en la tabla 12 tienes un texto cuya ironía persigue que despiertes y sepas diferenciar a quien habla con criterio de quien cree que opinión y ciencia son sinónimos:

Tabla 12. Afirmaciones sobre nutrición
¿No tienes ni idea de nutrición humana ni tampoco ganas de estudiarla, pero sí quieres ganar popularidad (y ojalá dinero) a costa del desconocimiento generalizado sobre el tema? Enhorabuena, basta con que pronuncies con fervor patriótico máximas como: — Tomar leche es invocar a Satanás. Pero el yogur es sanador cual chamán mexicano. — La fruta tiene azúcares que fermentan, así que aléjala de tu vista y de tu alcance. Mejor toma batidos verdes. — La verdura no ecológica tiene tantos pesticidas que se ven a simple vista. ¡Lagarto, lagarto! — Nada de combinar carbohidratos con proteínas. Podrías estallar. Concéntrate en tomar carne bio. — El trigo en general y el gluten en particular son crueles instrumentos de tortura. — Las legumbres contienen antinutrientes. Ni mirarlas. — Los frutos secos engordan, como todo el mundo sabe. — La leche materna es lo ideal. Pero para que papá no tenga celos, deja que le dé un biberón al día a vuestro bebé. Se sentirá importante. — Saltarse el desayuno es garantía de hipoglucemia, hipotensión, hipotiroidisimo e hiponatremia. De hecho, provoca el hipo. — El aparato digestivo es tu segundo cerebro. Nútrelo con pastillas repletas de plantas medicinales. Esta última afirmación es la más importante de todas, así que es crucial que no te olvides de adornarla con palabras como «holístico», «integrativo», «antioxidante», «depurador», «detox» o «psiconeuroinmunomodulador». Acto seguido, inserta un hipervínculo que dirija a una tienda *online* en la que vendas tus pastillas sanadoras, asegurando que son 100 % purificadas y naturales, y sugiriendo que son las únicas que garantizan la mejora de la salud del más desahuciado de los enfermos.

Texto irónico que recoge algunas de las afirmaciones más usadas por los «falsos gurús». *Fuente: www. goosgl/2MQJxp.*

Ejercicio físico

Si la mayor parte de nosotros somos sedentarios, esta cifra aumenta en las personas que han padecido un cáncer. Es posible que esto tenga que ver con la propia enfermedad o con su tratamiento (que puede haber generado fatiga, incremento o pérdida de peso, entre otros factores). Sea como sea, nadie duda de que quien ha sobrevivido a un cáncer debe esforzarse en intentar cubrir las recomendaciones (y cuanto más, mejor) sobre actividad física. En palabras del WCRF: «Para la prevención del cáncer, es probable que cuanto más ejercicio hagas mayor sea el beneficio». Esta entidad indica que los pacientes que han sobrevivido a un cáncer constatarán beneficios si realizan actividad física (por ejemplo: ciclismo, entrenamiento con pesas, caminar y ejercicios aeróbicos, como correr). También señala que existen pruebas fehacientes de que entre los beneficios del ejercicio físico podemos encontrar: aumento de la capacidad aeróbica, reducción de la fatiga, reducción de los síntomas depresivos, mejor calidad de vida y una mayor esperanza de vida.

El mínimo a realizar cada semana son 150 minutos de actividad física moderada o 75 minutos de actividad física vigorosa. Insistimos, es una cifra mínima. Tienes más información en la tabla 1 («Recomendaciones sobre actividad física, sedentarismo y tiempo de pantalla»), del capítulo 2 («Prevención del cáncer»). Lo ideal es recibir asesoramiento individualizado por parte de expertos debidamente capacitados.

Bienestar emocional

La psicología no es nuestra especialidad, pero sí estamos seguros de que el personal sanitario que atiende a personas que han superado un cáncer debe preguntar a los pacientes sobre su bienestar emocional, evaluarlo y ofrecer, en su caso, un tratamiento adecuado, dado que dicho tratamiento puede mejorar su calidad de vida. Lo explicamos porque existen pruebas de que estas personas pueden experimentar en ocasiones dificultades tales como depresión, ansiedad, fatiga, limitaciones cognitivas, problemas de sueño, dolor, disfunción sexual e incluso dificultades financieras.

En resumen

- El personal sanitario a cargo de personas que hayan sobrevivido a un cáncer debería explicar a sus pacientes la importancia de seguir un buen estilo de vida.
- Se ha demostrado que modificar nuestros hábitos disminuye las posibilidades de volver a padecer un cáncer (además de aumentar nuestra esperanza y calidad de vida).
- Las personas que siguen fumando después de sobrevivir a un cáncer (del 12 al 15 %) presentan unas posibilidades considerablemente más altas de volver a padecer la enfermedad. Por ello resulta crucial pedir ayuda sanitaria lo antes posible para dejar de fumar.

- Cualquier dosis de alcohol aumenta el riesgo de padecer diversos tipos de cáncer. Lo más sensato, si ya se ha padecido esta enfermedad, es no beber nada de alcohol (eso incluye el vino o la cerveza).
- Si durante el tratamiento del cáncer hemos tenido que modificar nuestra alimentación, cuando ya estamos curados es importante seguir lo antes posible (y siempre que el oncólogo y el nutricionista no digan lo contrario) una dieta sana.
- Los consejos dietético-nutricionales relacionados con la prevención del cáncer son perfectamente aplicables a las personas que han sobrevivido a un cáncer. Aunque los tienes ampliados en el capítulo 2, los hemos resumido en este capítulo (páginas 242 a 243).
- Quien ha sobrevivido a un cáncer debe esforzarse en cubrir las recomendaciones de actividad física (ver la tabla 1, «Recomendaciones sobre actividad física, sedentarismo y tiempo de pantalla» del capítulo 2.
- El personal sanitario a cargo de personas que han superado un cáncer debe evaluar su bienestar emocional y ofrecer, en caso de ser preciso, un tratamiento adecuado.

En el I Simposio «Cáncer sin Bulos», llevado a cabo en septiembre de 2018, se constató que el cáncer es la enfermedad sobre la que más bulos se difunden en internet y redes sociales, en buena medida por la alarma que genera y por el desconocimiento que tenemos sobre ella. Por su parte, según leímos en octubre de 2018 en el portal Médicos y Pacientes de la Organización Médica Colegial, en el II Congreso Nacional de Nutrición en Oncología se constató que «cerca del 50 por ciento de pacientes afectados por patología tumoral recurre a dietas alternativas que, según han advertido oncólogos radioterápicos y especialistas en nutrición, carecen de "fundamentos científicos"». No debe extrañarnos, por tanto, que el Observatorio contra las Pseudociencias, Pseudoterapias, Intrusismo y Sectas Sanitarias (de la Organización Médica Colegial) haya recibido cerca de quinientas denuncias sobre pseudociencias en 2018. Esperamos que las líneas precedentes hayan sido de utilidad para compensar esta deprimente situación. Por nuestra parte, además de agradecerte el tiempo que has dedicado a la lectura de este libro, queremos acabar con tres citas. La primera es de Paul Auster, quien anotó en su obra *Brooklyn Follies* que «Los embaucadores y timadores dominan el mundo. Los granujas detentan el poder. ¿Y sabes por qué? [...] Porque son más insaciables que nosotros. Porque saben lo que quieren». Un pensamiento en línea con esta frase de Voltaire: «La ignorancia afirma o niega rotundamente; la Ciencia duda». Ambas frases explican en gran medida por qué las falsas terapias se extienden como la pólvora si las circunstancias externas lo permiten. Pero como nuestra intención con este libro ha sido no permitirlo, recurrimos a este fragmento de *David Copperfield* de Charles Dickens, con el que nos despedimos de ti: «Espero que el amor y la verdad acaben saliendo victoriosos sobre todas las injusticias y desgracias de este mundo».

AGRADECIMIENTOS

«El mejor homenaje que puede tributarse
a las personas buenas es imitarlas».

CONCEPCIÓN ARENAL

Como ocurre con cualquier otra enfermedad grave, el cáncer no lo cura una única persona. Lo cura un equipo multidisciplinar, dentro del que encontramos, desde luego, a un oncólogo. Equipo que cuenta, además, con la labor previa de muchísimas otras personas: los científicos e investigadores que han dedicado años de su vida a encontrar soluciones para preservar o restaurar la salud de sus congéneres. Sucede algo similar con este libro: no es mérito de Julio Basulto y Juanjo Cáceres, sino de un gran equipo de personas sin las que habría sido impensable redactar ni una línea. A esas personas queremos dedicar el libro, además de agradecer enormemente su apoyo. Debemos citar, en primer lugar, a (en orden alfabético): Ana Basulto, Ana Lafuente, Carles Mesa, Carlos Franco, Carlos González, Clara Basulto, Feli Muñoz, Francisco José Ojuelos, José Antonio Ayllón, Julio Basulto Santos, María Basulto, María Luisa Marset, Miguel Marcos y Sara Torrico.

No menos importante ha sido la ayuda de todas estas personas, a quienes enviamos un mayúsculo «¡GRACIAS!»: Aitor Sánchez, Alexis Rodríguez, Álvaro Rodríguez-Lescure, Anna Vilaró, Beatriz Robles, Carlos Casabona, Estefanía Ribes, Fernando Cervera, Fernando Díez Olivares, Gemma del Caño, Glòria Crosas, Jordi Casanovas, Jorge García Bastida, José Manuel Gómez Soriano, Josep Bermúdez, Juan Ramón Morales Galea,

Laura Caorsi, Lluís Amorós, Maite Vila, Maria Blanquer, Maria Manera, Martina Miserachs, Mercé Jiménez, Miguel Ángel Terriente, Mónica Albelda, Neus Terán, Nico Haros, Pablo Zumaquero, Pepe Serrano, Pilar Amigó, Rosario Armand y Vicente Baos.

También queremos agradecer su impagable labor cotidiana, que nos ha servido de inspiración y apoyo, a los responsables y miembros de cuatro importantes entidades: ARP Sociedad para el Avance del Pensamiento Crítico, Asociación para Proteger al Enfermo de Terapias Pseudocientíficas, Círculo Escéptico, Observatorio contra las Pseudociencias, Pseudoterapias, Intrusismo y Sectas Sanitarias de la Organización Médica Colegial y ¿Qué mal puede hacer? Su trabajo en defensa de la salud pública es imprescindible.

Nuestro último agradecimiento es para alguien tan especial que cualquier palabra de gratitud se queda corta: Olga Ayllón. Muchísimas gracias por ser tan maravillosa.

BIBLIOGRAFÍA

«Los defensores de la *anticiencia* suelen basar sus paranoias en dos ideas. Una es que existe una conspiración mundial —en la que estamos implicados periodistas científicos, divulgadores, investigadores, organismos como la OMS, y compañías energéticas, farmacéuticas y de telecomunicaciones—, destinada a negar los perjuicios de la ciencia *oficial* y los beneficios de la investigación *alternativa*. [...] por poner un simple ejemplo, la homeopatía ha tenido dos siglos para demostrar científicamente que funciona y aún no lo ha logrado. La otra idea es que la ciencia falla. Y por supuesto que es así. El método científico implica construir una hipótesis, testarla, analizar los resultados y llegar a una conclusión, que posteriormente será revisada por investigadores del mismo campo, para finalmente publicar los resultados en una revista científica. El estudio que vinculaba las vacunas y el autismo había pasado todos esos filtros y resultó ser un fiasco. El médico implicado falseó los resultados, pero se descubrió poco después, cuando investigadores independientes intentaron reproducir sin éxito sus hallazgos. El método científico falló, sí, pero también fue ese método el que permitió que conociéramos lo que realmente ocurrió. No es perfecto, pero es lo mejor que tenemos».

PATRICIA FERNÁNDEZ DE LIS (*El País*, 18/6/2017; *www.goo.gl/fCgpfa*)

Introducción

1. Cancer Research UK. Don't believe the hype – 10 persistent cancer myths debunked. 24 de marzo de 2014. [Consultado el 14 de octubre de 2018]. Disponible en: https://scienceblog.cancerresearchuk.org/2014/03/24/dont-believe-the-hype-10-persistent-cancer-myths-debunked.

2. Cesar Vasques. «No importa qué enfermedad tengas, puedes mejorar tomando oxígeno, deja tu correo y telef. https://mysynergyo2.com/204696». https://twitter.com/gotadeoxigeno/status/809427875065659392. [Consultado el 14 de octubre de 2018] [Tuit].

3. Ernst E. The harms of alternative medicine: what we see is just the tip of the iceberg. Spectator Health [internet]. 26 de mayo de 2017. [Consultado el 14 de octubre de 2018]. Disponible en: https://health.spectator. co.uk/the-harms-of-alternative-medicine-what-we-see-is-just-the-tip-of-the-iceberg/.

4. Fernández O. Mis recetas anticáncer. 15.ª ed. Barcelona: Ediciones Urano; 2014.

5. Gámez LA. El peligro de creer. Madrid: Léeme; 2015.

6. Goldacre B. Mala ciencia. Barcelona: Paidós; 2011.

7. Goldacre B. Mala farma. Barcelona: Paidós; 2013.

8. Johnson SB, Park HS, Gross CP, Yu JB. Complementary Medicine, Refusal of Conventional Cancer Therapy, and Survival Among Patients With Curable Cancers. JAMA Oncol. 2018 Oct 1;4(10):1375-81.

9. Maldito Bulo [internet]. No, no hay pruebas de que el protector solar sea la causa del cáncer de piel, y no el sol. [Consultado el 14 de octubre de 2018]. Disponible en: https://maldita.es/bulo/no-no-hay-pruebas-de-que-el-protector-solar-sea-la-causa-del-cancer-de-piel-y-no-el-sol.

10. Mulet JM. Medicina sin engaños: Todo lo que necesitas saber sobre los peligros de la medicina alternativa. Madrid: Ediciones Destino; 2015.

11. Mulet JM. ¿Qué es comer sano? Barcelona: Ediciones Destino; 2018.

12. Nova I.P. Sanidad va a denunciar a Pàmies por vender lejía (MMS) contra el autismo. Redacción Médica. 18 de octubre de 2018. [Consultado el 18 de octubre de 2018]. Disponible en: https://www.redaccionmedica.com/secciones/sanidad-hoy/sanidad-denuncia-a-pamies-ante-la-fiscalia-por-difundir-el-ilegalizado-mms--7332.

13. Organización Médica Colegial de España [internet]. Consejo General de Colegios Oficiales de Médicos. Propuesta de clasificación (modificada) de terapias naturales 2018. [Consultado el 14 de octubre de 2018]. Disponible en: https://www.cgcom.es/propuesta-de-clasificaci%c3%b3n-de-terapias-naturales.

14. Plaza Plaza JA. Sanidad prepara una estrategia global Stop Pseudociencias. Diario Médico [internet]. 3 de septiembre de 2018. [Consultado el 14 de octubre de 2018]. Disponible en: https://www.diariomedico.com/politica/sanidad-prepara-una-estrategia-global-stop-pseudociencias.html.

15. R P. «Ya lo hago cada vez que respiro y sin tener que darle dinero a usted @gotadeoxigeno». https://twitter.com/gotadeoxigeno/status/809427875065659392. 25 de diciembre de 2016. [Consultado el 14 de octubre de 2018] [Tuit].

Capítulo 1. Tener criterio

1. Ahn HK, Bae JH, Ahn HY, Hwang IC. Risk of cancer among patients with depressive disorder: a meta-analysis and implications. Psychooncology. 2016 Dec;25(12):1393-1399.

2. Allemani C, Matsuda T, Di Carlo V, Harewood R, Matz M, Nikšić M et al. Global surveillance of trends in cancer survival 2000-14 (CONCORD-3): analysis of individual records for 37 513 025 patients diagnosed with one of 18 cancers from 322 population-based registries in 71 countries. Lancet. 2018 Mar 17;391(10125):1023-75.

3. Asociación Española Contra el Cáncer [internet]. Observatorio del cáncer-AECC. Los datos del cáncer. 2018. [Consultado el 14 de octubre de 2018]. Disponible en: http://observatorio.aecc.es/?_ga=2.7297074.1854877160.1534514194-856860752.1534514194.

4. Basulto J. Comer o no comer [internet]. «El cloro del agua del grifo es tóxico», dicen algunos vendedores de agua embotellada o de jarras con filtros. 18 de marzo de 2018. [Consultado el 14 de octubre de 2018]. Disponible en: https://comeronocomer.es/con-respuesta/el-cloro-del-agua-del-grifo-es-toxico-dicen-algunos-vendedores-de-agua-embotellada-o.

5. Basulto J. Espacio abierto [internet]. Amimefuncionismo, flores de Bach y obesidad. ¿Tríada discordante? 18 de noviembre de 2014. [Consultado el 14 de octubre de 2018]. Disponible en: http://psicologiaynutricion.es/?p=892.

6. Biswas J. Debunk the myths: Oncologic misconceptions. Indian J Med Res. 2014 Feb;139(2):185-7.

7. Blasco A. Uno de cada cuatro pacientes con cáncer añade al tratamiento terapias alternativas. Faro de Vigo. 14 de octubre de 2018. [Consultado el 14 de octubre de 2018]. Disponible en: https://www.farodevigo.es/gran-vigo/2018/10/13/cuatro-pacientes-cancer-anaden-tratamiento/1978697.html.

8. Burnett D. El cerebro idiota. Un neurocientífico nos explica las imperfecciones de nuestra materia gris. Madrid: Ediciones Temas de Hoy; 2016.

9. Butler HA. Why Do Smart People Do Foolish Things? Scientific American. 3 de octubre de 2017. [Consultado el 14 de octubre de 2018]. Disponible en: https://www.scientificamerican.com/article/why-do-smart-people-do-foolish-things.

10. Cáceres J. Consumo inteligente. Barcelona: DeBolsillo; 2014.

11. Campos Sánchez E. Realidad y opinión: evidencia científica frente a la posverdad. Redacción Médica. 26 de marzo de 2017. [Consultado el 14 de octubre de 2018]. Disponible en: https://www.redaccionmedica.com/opinion/realidad-y-opinion-evidencia-cientifica-frente-a-la-posverdad-6288.

12. Coyne JC, Pajak TF, Harris J, Konski A, Movsas B, Ang K, Watkins Bruner D. Radiation Therapy Oncology Group. Emotional well-being does not predict survival in head and neck cancer patients: a Radiation Therapy Oncology Group study. Cancer. 2007 Dic 1;110(11):2568-75.

13. De la Cal, L. Miedo al cielo… «nos están fumigando». El Mundo. 22 de marzo de 2015. [Consultado el 14 de octubre de 2018]. Disponible en: http://www.elmundo.es/cronica/2015/03/22/550d55fb22601d-c1798b4579.html.

14. EFE Barcelona. La Generalitat multa al congreso que promocionó terapias alternativas al cáncer. El Mundo. 12 de febrero de 2018. [Consultado el 14 de octubre de 2018]. Disponible en: http://www.elmundo.es/cataluna/2018/02/12/5a8191a1468aebb06b8b4687.html.

15. EFSA (European Food Safety Authority). Monitoring data on pesticide residues in food: results on organic versus conventionally produced food. EFSA supporting publication 2018:EN-1397. [Consultado el 14 de octubre de 2018]. Disponible en: https://efsa.onlinelibrary.wiley.com/doi/epdf/10.2903/sp.efsa.2018.EN-1397.

16. EFSA (European Food Safety Authority). Report for 2016 on the results from the monitoring of veterinary medicinal product residues and other substances in live animals and animal products. EFSA supporting publication 2018:EN-1358. [Consultado el 14 de octubre de 2018]. Disponible en: https://efsa.onlinelibrary.wiley.com/doi/pdf/10.2903/sp.efsa.2018.EN-1358i.

17. Ernst E. El blog de Edzard Ernst [internet]. Critical thinking is good for you – please give it a try! 12 de enero de 2018. [Consultado el 14 de octubre de 2018]. Disponible en: http://edzardernst.com/2018/01/critical-thinking-is-good-for-you-please-give-it-a-try.

18. Estapé T, Estapé J, Grau JJ, Ferrer C. Cancer knowledge among Spanish women participating in literacy schemes. Psychooncology. 2003 Mar;12(2):194-7.

19. European Commission [internet]. New tool to report cancer burden statistics and trends across Europe. 5 de febrero de 2018. [Consultado el 14 de octubre de 2018]. Disponible en: https://ec.europa.eu/jrc/en/news/new-tool-report-cancer-burden-statistics-and-trends-across-europe.

20. Fernández O. Mis recetas anticáncer. 15.ª ed. Barcelona: Ediciones Urano; 2014.

21. Gilovich T. Convencidos, pero equivocados. Barcelona: MilRazones; 2009.

22. Larsson MO, Sloth Nielsen V, Bjerre N, Laporte F, Cedergreen N. Refined assessment and perspectives on the cumulative risk resulting from the dietary exposure to pesticide residues in the Danish population. Food Chem Toxicol. 2018 Ene;111:207-267.

23. Maldita Ciencia [internet]. No, calentar la comida en recipientes de plástico no causa 52 tipos de cáncer. Septiembre de 2018. [Consultado el 14 de octubre de 2018]. Disponible en: https://maldita.es/malditaciencia/no-calentar-la-comida-en-recipientes-de-plastico-no-causa-52-tipos-de-cancer.

24. Ministerio de Sanidad, Política Social e Igualdad. Análisis de situación de las terapis naturales. 2011. [Consultado el 14 de octubre de 2018]. Disponible en: https://www.mscbs.gob.es/novedades/docs/analisisSituacionTNatu.pdf

25. Méndez R. La iglesia pide rezar para que llueva: cómo las rogativas sirven para estudiar las sequías. El Confidencial. 10 de mayo de 2017. [Consultado el 14 de octubre de 2018]. Disponible en: https://www.elconfidencial.com/tecnologia/ciencia/2017-05-10/iglesia-pide-rezar-lluvia-rogativas-sirven-estudiar-sequias_1379438.

26. Mulet JM. Transgénicos sin miedo. Todo lo que necesitas saber sobre ellos de la mano de la ciencia. Barcelona: Editorial Planeta; 2017.

27. National Cancer Institute. Cancer stat facts: cancer of any site. 2018. [Consultado el 14 de octubre de 2018]. Disponible en: https://seer.cancer.gov/statfacts/html/all.html

28. Ogawa R, Watanabe H, Yazaki K, Fujita K, Tsunoda Y, Nakazawa K, et al. Lung cancer with spontaneous regression of primary and metastatic sites: A case report. Oncol Lett. 2015 Jul;10(1):550-52.

29. Organización Mundial de la Salud (OMS). Tabaco [internet]. Geneva: WHO; 9 de marzo de 2018. [Consultado el 14 de octubre de 2018]. Disponible en: http://www.who.int/es/news-room/fact-sheets/detail/tobacco.

30. Rodella F. Alarma por un brote récord de sarampión en Europa. El País. 21 de agosto de 2018. [Consultado el 14 de octubre de 2018]. Disponible en: https://elpais.com/elpais/2018/08/21/ciencia/1534840912_770017.html.

31. Rodríguez O. Multa millonaria a Monsanto por causar un cáncer terminal con glifosato de su herbicida. El Confidencial. 13 de agosto de 2018. [Consultado el 14 de octubre de 2018]. Disponible en: https://www.elconfidencial.com/tecnologia/ciencia/2018-08-13/cancer-juicio-monsanto-glifosato-300-millones_1603839.

32. Salas J. Donde la berenjena cura el cáncer y la lejía trata el autismo. El País. 18 de octubre de 2018. [Consultado el 18 de octubre de 2018]. Disponible en: https://elpais.com/elpais/2018/10/16/ciencia/1539703016_440582.html.

33. Stefan DC. Cancer Care in Africa: An Overview of Resources. J Glob Oncol. 2015 Sep 23;1(1):30-6.

34. Tavris C, Aronson E. Mistakes were made (but not by me). New York: Mariner; 2007.

35. World Health Organization (WHO). Global status report on noncommunicable diseases 2010. Geneva: WHO; 2011. [Consultado el 14 de octubre de 2018]. Disponible en: http://apps.who.int/iris/bitstream/handle/10665/44579/9789240686458_eng.pdf?sequence=1.

36. Zimmer S, Kirchner G, Bizhang M, Benedix M. Influence of various acidic beverages on tooth erosion. Evaluation by a new method. PLoS One. 2015 Jun 2;10(6):e0129462.

Capítulo 2. Prevención del cáncer

1. Agencia Española de Consumo, Seguridad Alimentaria y Nutrición (AECOSAN). Arsénico. 22 de marzo de 2018. [Consultado el 14 de octubre de 2018]. Disponible en: http://www.aecosan.msssi.gob.es/AECOSAN/web/seguridad_alimentaria/ampliacion/arsenico.htm.

2. Agencia Española de Seguridad Alimentaria y Nutrición. Evaluación nutricional de la dieta española II. Micronutrientes. Sobre datos de la encuesta Nacional de Ingesta Dietética (ENIDE). 2012. [Consultado el 14 de octubre de 2018]. Disponible en: http://www.fedn.es/docs/grep/newsletters/julio_agosto_2012.html.

3. Agencia SINC. La contaminación aumenta las muertes asociadas al tabaco. Público. 11 de abril de 2017. [Consultado el 14 de octubre de 2018]. Disponible en: https://www.publico.es/ciencias/contaminacion-aumenta-muertes-asociadas-al.html.

4. Alexandrov LB, Ju YS, Haase K, Van Loo P, Martincorena I, Nik-Zainal S et al. Mutational signatures associated with tobacco smoking in human cáncer. Science. 2016 Nov 4;354(6312):618-22.

5. Álvaro Rodríguez-Lescure. «Por desgracia, como bien sabe @ej_molina_c , ni es el primero ni el último de la interminable lista de charlatanes, lista de la infamia y de la indecencia, que abducen y parasitan pacientes, aprovechando su buena fe y su miedo. Ingenieros del vampirismo, huérfanos de la honradez». https://twitter.com/Baricorcho/status/1034457430770507778. 28 de agosto de 2018. [Consultado el 14 de octubre de 2018] [Tuit].

6. American Heart Association. Dietary Diversity: Implications for Obesity Prevention in Adult Populations: A Science Advisory From the American Heart Association. Circulation. 2018 Sep 11;138(11):e160-e168.

7. American Heart Association [internet]. Alcohol and Heart Health. 12 de enero de 2015. [Consultado el 14 de octubre de 2018]. Disponible en: https://www.heart.org/HEARTORG/HealthyLiving/HealthyEating/Nutrition/Alcohol-and-Heart-Health_UCM_305173_Article.jsp.

8. American Institute for Cancer Research [internet]. AICR-Cancer Infographics. 2018. [Consultado el 14 de octubre de 2018]. Disponible en: http://www.aicr.org/learn-more-about-cancer/infographics/.

9. American Institute for Cancer Research [internet]. Reduce Your Risk of Colorectal Cancer. 2017. [Consultado el 14 de octubre de 2018]. Disponible en: http://www.aicr.org/learn-more-about-cancer/infographics/colorectal-cancer-prevention.html.

10. Anderson P, Chisholm D, Fuhr DC. Effectiveness and cost-effectiveness of policies and programmes to reduce the harm caused by alcohol. Lancet. 2009 Jun 27;373(9682):2234-46.

11. Ansede M. El tabaco roba más de un millón de años de vida a los españoles cada año. El País. 28 de julio de 2018. [Consultado el 14 de octubre de 2018]. Disponible en: https://elpais.com/elpais/2018/07/26/ciencia/1532625151_990417.html.

12. Arena R, McNeil A. Let's Talk about Moving: The Impact of Cardiorespiratory Fitness, Exercise, Steps and Sitting on Cardiovascular Risk. Braz J Cardiovasc Surg. 2017 Mar-Abr;32(2):III-V.

13. Asociación Española Contra el Cáncer [internet]. Cáncer colorrectal. Una guía práctica. Madrid: Asociación Española Contra el Cáncer; 2002. [Consultado el 14 de octubre de 2018]. Disponible en: https://www.aecc.es/SobreElCancer/CancerPorLocalizacion/CancerAno/Documents/guia %20cancer %20colorrectal.pdf.

14. Basulto J. No comas mejor, deja de comer peor. El País. 12 de julio de 2017. [Consultado el 14 de octubre de 2018]. Disponible en: https://elpais.com/elpais/2017/07/10/ciencia/1499675543_320007.html.

15. Basulto J. Bebidas de arroz, a debate. Consumer. 8 de octubre de 2014. [Consultado el 14 de octubre de 2018]. Disponible en: http://www.consumer.es/web/es/alimentacion/aprender_a_comer_bien/alimentos_a_debate/2014/10/08/220724.php.

16. Basulto J. Comer o no comer [internet]. Con respuesta: ¿es conveniente tomar algas?. 16 de septiembre de 2013. [Consultado el 14 de octubre de 2018]. Disponible en: https://comeronocomer.es/con-respuesta/con-respuesta-es-conveniente-tomar-algas.

17. Basulto J. Comer o no comer [internet]. Cuanto menos alcohol, mejor. Cuanto más, peor. Y no hablo del orujo… 19 de mayo de 2014. [Consultado el 14 de octubre de 2018]. Disponible en: http://comeronocomer.es/la-carta/cuanto-menos-alcohol-mejor-cuanto-mas-peor-y-no-hablo-del-orujo.

18. Basulto J. Comer o no comer [internet]. La mayoría creemos que «5 al día» es un límite a no superar. 8 de julio de 2014. [Consultado el 14 de octubre de 2018]. Disponible en: http://comeronocomer.es/la-carta/la-mayoria-creemos-que-5-al-dia-es-un-limite-no-superar.

19. Basulto J. El blog de Julio Basulto [internet]. ¿Qué tienen que ver el alcohol, el film «El amigo de mi hermana» y JAMA Pediatrics?. 23 de agosto de 2018. [Consultado el 14 de octubre de 2018]. Disponible en: https://juliobasulto.com/tienen-ver-alcohol-film-amigo-hermana-jama-pediatrics/.

20. Basulto J. El blog de Julio Basulto [internet]. ¿Suplementos dietéticos? ¿Complementos alimenticios? ¿Multivitamínicos? Ojo con eso. 2 de febrero de 2017. [Consultado el 14 de octubre de 2018]. Disponible en: http://juliobasulto.com/suplementos-dieteticos-complementos-alimenticios-multivitaminicos-ojo.

21. Basulto J. El blog de Julio Basulto [internet]. El alcohol no es saludable. No, el vino tampoco. 16 de agosto de 2017. [Consultado el 14 de octubre de 2018]. Disponible en: http://juliobasulto.com/el_alcohol_no_es_saludable.

22. Basulto J. El microondas, ¿perjudica a los alimentos? Consumer. 6 de mayo de 2014. [Consultado el 14 de octubre de 2018]. Disponible en: http://www.consumer.es/web/es/alimentacion/aprender_a_comer_bien/curiosidades/2014/05/06/219862.php.

23. Birge M, Duffy S, Miler JA, Hajek P. What proportion of people who try one cigarette become daily smokers? A meta analysis of representative surveys. Nicotine Tob Res. 2017 Nov 4. [Publicación en línea previa a la publicación impresa].

24. Boletín Oficial del Estado. Real Decreto 1907/1996, de 2 de agosto, sobre publicidad y promoción comercial de productos, actividades o servicios con pretendida finalidad sanitaria. BOE, núm. 189, de 6 de agosto de 1996, páginas 24322 a 24325.

25. Bricker JB, Peterson AV, Robyn Andersen M, Leroux BG, Bharat Rajan K, Sarason IG. Close friends', parents', and older siblings' smoking: reevaluating their influence on children's smoking. Nicotine Tob Res. 2006 Abril;8(2):217-26.

26. Bruhn C, Harris LJ, Giovanni M, Metz D. Nuts: Safe Methods for Consumers to Handle, Store, and Enjoy. NR Publication, 8406, University of California Agriculture and Natural Resources. Agosto de 2010. [Consultado el 14 de octubre de 2018]. Disponible en: http://ucfoodsafety.ucdavis.edu/files/44384.pdf.

27. Buykx P, Li J, Gavens L, Hooper L, Lovatt M, Gomes de Matos E. Public awareness of the link between alcohol and cancer in England in 2015: a population-based survey. BMC Public Health. 2016 Nov 30;16(1):1194.

28. Cabañas L. Como cuando como [internet]. La mejor cantidad de alcohol: ninguna [Día Mundial Sin Alcohol]. 15 de noviembre de 2017. [Consultado el 14 de octubre de 2018]. Disponible en: https://comocuandocomo.wordpress.com/2017/11/15/la-mejor-cantidad-de-alcohol-ninguna-diamundialsinalcohol.

29. Cáceres J. Consumo inteligente. Barcelona: DeBolsillo; 2014.

30. Camarelles P. Grupo de educación sanitaria y promoción de la salud PAPPS [internet]. Muertes atribuidas al consumo de tabaco en España. 20 de marzo de 2017. [Consultado el 14 de octubre de 2018]. Disponible en: http://educacionpapps.blogspot.com.es/2017/03/muertes-atribuidas-al-consumo-de-tabaco.html?m=1.

31. Cancer Research UK [internet]. How does alcohol cause cancer? 9 de febrero de 2016. [Consultado el 14 de octubre de 2018]. Disponible

en: https://scienceblog.cancerresearchuk.org/2016/02/09/how-does-alco-hol-cause-cancer/

32. Cancer Research UK [internet]. Processed meat and cancer – what you need to know. 25 de octubre de 2015. [Consultado el 14 de octubre de 2018]. Disponible en: http://scienceblog.cancerresearchuk. org/2015/10/26/processed-meat-and-cancer-what-you-need-to-know.

33. Cancer Research UK [internet]. Tobacco statistics. 2018. [Consultado el 14 de octubre de 2018]. Disponible en: http://www.cancerresearchuk.org/health-professional/cancer-statistics/risk/tobacco.

34. Cano-Sancho G, Sanchis V, Marín S, Ramos AJ. Occurrence and exposure assessment of aflatoxins in Catalonia (Spain). Food Chem Toxicol. 2013 Enero;51:188-93.

35. Casabona C. Tú eliges lo que comes. Barcelona: Planeta; 2016.

36. Colditz GA, Sutcliffe S. The Preventability of Cancer: Stacking the Deck. JAMA Oncol. 2016 Sep 1;2(9):1131-3.

37. Colli Lista G. Tu lactancia de principio a fin. Madrid: Gloria Colli; 2018.

38. Collavorative on Health and the Environment [internet]. Cancer research and resources. Septiembre de 2016. [Consultado el 14 de octubre de 2018]. Disponible en: https://www.healthandenvironment.org/what-we-know/health-diseases-and-disabilities/cancer-research-and-resources.

39. Comisión Europea. Reglamento de Ejecución (UE) n.º 274/2012 de la comisión de 27 de marzo de 2012 que modifica el Reglamento (CE) n.º 1152/2009 por el que se establecen condiciones específicas para la importación de determinados productos alimenticios de algunos terceros países debido al riesgo de contaminación de dichos productos por aflatoxinas. Diario oficial de la Unión Europea. 28 de marzo de 2012. [Consultado el 14 de octubre de 2018]. Disponible en: https://www.mscbs.gob.es/profesionales/saludPublica/sanidadExterior/controlesSanitarios/productosControl/pdf/Regl_274_2012.pdf.

40. Comité Científico de la Agencia Española de Seguridad Alimentaria y Nutrición. Informe del Comité Científico de la Agencia Española de Seguridad Alimentaria y Nutrición (AESAN) en relación al efecto sobre la población española de la derogación de la normativa nacional sobre límites máximos permitidos para las aflatoxinas B1, B2, G1 y G2 en alimentos. Revista del Comité Científico de la Agencia Española de Seguridad Alimentaria y Nutrición. 2011; 11:27-43. [Consultado el 14 de octubre de 2018]. Disponible en: http://www.aecosan.msssi.gob.es/AECOSAN/docs/documentos/publicaciones/revistas_comite_cientifico/comite_cientifico_14.pdf.

41. Committee on Genetically Engineered Crops: Past Experience and Future Prospects; Board on Agriculture and Natural Resources; Division on Earth and Life Studies; National Academies of Sciences, Engineering, and Medicine. Genetically Engineered Crops: Experiences and Prospects. 2016. [Consultado el 14 de octubre de 2018]. Disponible en: http://www.nap.edu/catalog/23395/genetically-engineered-crops-experiences-and-prospects.

42. De Batlle J, Gracia-Lavedan E, Romaguera D, Mendez M, Castaño-Vinyals G, Martín V et al. Meat intake, cooking methods and doneness and risk of colorectal tumours in the Spanish multicase-control study (MCC-Spain). Eur J Nutr. 2018 Mar;57(2):643-53.

43. Eroski Consumer. Las carnes más saludables. Consumer. 12 de marzo de 2013. [Consultado el 14 de octubre de 2018]. Disponible en: http://www.consumer.es/web/es/alimentacion/guia-alimentos/carnes-huevos-y-derivados/2013/03/12/216095.php.

44. European Heart Network [internet]. European Cardiovascular Disease Statistics 2017. 2017. [Consultado el 14 de octubre de 2018]. Disponible en: http://www.ehnheart.org/cvd-statistics/cvd-statistics-2017.html.

45. Fernández O. Guía práctica para una alimentación y vida anticáncer. 2.ª ed. Barcelona: Ediciones Urano; 2015.

46. Fernández O. Mi revolución anticáncer. Barcelona: Editorial Planeta; 2017.

47. Fernández O. Mis recetas anticáncer. 15.ª ed. Barcelona: Ediciones Urano; 2014.

48. Fernández O. Recetas para vivir con salud. Barcelona: Editorial Planeta; 2018.

49. Francisco J. Ojuelos. «Un sanitario recomendando el consumo de alcohol para la salud es como un jurista recomendando solucionar un conflicto a puñetazos». https://twitter.com/fojuelosdotcom/status/888060896106487811. 20 de julio de 2017. [Consultado el 14 de octubre de 2018] [Tuit].

50. García Bello D. ¡Que se le van las vitaminas!: Mitos y secretos que solo la ciencia puede resolver. Barcelona: Paidós; 2018.

51. García Bello D. Todo es cuestión de química. Barcelona: Paidós; 2016.

52. GBD 2016 Alcohol Collaborators. Alcohol use and burden for 195 countries and territories, 1990–2016: a systematic analysis for the Global Burden of Disease Study 2016. Lancet. 2018 Sep 22;392(10152):1015-35.

53. Generalitat de Catalunya. Sala de prensa. Salut presenta la campaña «El humo es fatal» sobre los efectos del tabaco. 9 de diciembre de 2012. [Consultado el 14 de octubre de 2018]. Disponible en: http://premsa.gencat.cat/pres_fsvp/AppJava/salud/notapremsavw/94695/es/salut-presenta-campana-humo-fatal-efectos-tabaco.do.

54. González C. Lactancia materna. Preguntas y respuestas. Barcelona: Penguien Random House; 2016.

55. González C. Un regalo para toda la vida. Barcelona: Booket; 2012.

56. González Svatetz CA, Agudo A, Atalah E, López Carrillo L, Navarro A. Nutrición y cáncer. Lo que la ciencia nos enseña. Madrid: Editorial médica panamericana; 2016.

57. Grant BF, Chou SP, Saha TD, Pickering RP, Kerridge BT, Ruan WJ et al. Prevalence of 12-Month Alcohol Use, High-Risk Drinking, and DSM-IV Alcohol Use Disorder in the United States, 2001-2002 to 2012-2013: Results From the National Epidemiologic Survey on Alcohol and Related Conditions. JAMA Psychiatry. 2017 Sep 1;74(9):911-23.

58. Grant BF, Goldstein RB, Saha TD, Chou SP, Jung J, Zhang H et al. Epidemiology of DSM-5 Alcohol Use Disorder: Results From the National Epidemiologic Survey on Alcohol and Related Conditions III. JAMA Psychiatry. 2015 Ago;72(8):757-66.

59. Grummer-Strawn LM, Rollins N. Summarising the health effects of breastfeeding. Acta Paediatr. 2015 Dic;104(467):1-2.

60. Gutiérrez-Abejón E, Rejas-Gutiérrez J, Criado-Espegel P, Campo-Ortega EP, Breñas-Villalón MT, Martín-Sobrino N. Impacto del consumo de tabaco sobre la mortalidad en España en el año 2012. Med Clin (Barc). 2015 Dic 21;145(12):520-5.

61. Hackshaw A, Morris JK, Boniface S, Tang JL, Milenković D. Low cigarette consumption and risk of coronary heart disease and stroke: meta-analysis of 141 cohort studies in 55 study reports. BMJ. 2018 Ene 24;360:j5855.

62. Halldin Ankarberg E, Foghelberg P, Gustafsson K, Nordenfors H, Bjerselius R. Inorganic Arsenic in Rice and Rice Products on the Swedish Market. Swedish National Food Agency. 2015. [Consultado el 14 de octubre de 2018]. Disponible en: https://www.livsmedelsverket.se/globalassets/publikationsdatabas/rapporter/2015/inorganic-arsenic-in-rice-and-rice-products-on-the-swedish-market-2015---part-3-risk-management.pdf.

63. Harvard T. H. Chan School of Public Health. El plato para comer saludable. 2015. [Consultado el 14 de octubre de 2018]. Disponible en:

https://cdn1.sph.harvard.edu/wp-content/uploads/sites/30/2015/04/Spanish_Spain_HEP_May2015.jpg.

64. Harvard T. H. Chan School of Public Health. Healthy lifestyle could prevent half of all cancer deaths. 2016. [Consultado el 14 de octubre de 2018]. Disponible en: https://www.hsph.harvard.edu/news/hsph-in-the-news/healthy-lifestyle-could-prevent-half-of-all-cancer-deaths.

65. Harvard T. H. Chan School of Public Health. PURE study makes headlines, but the conclusions are misleading. 8 de septiembre de 2017. [Consultado el 14 de octubre de 2018]. Disponible en: https://www.hsph.harvard.edu/nutritionsource/2017/09/08/pure-study-makes-headlines-but-the-conclusions-are-misleading.

66. Hojsak I, Braegger C, Bronsky J, Campoy C, Colomb V, Decsi T et al. Arsenic in rice: a cause for concern. J Pediatr Gastroenterol Nutr. 2015 Ene;60(1):142-5.

67. Hua M, Talbot P. Potential health effects of electronic cigarettes: A systematic review of case reports. Prev Med Rep. 2016 Jun 10;4:169-78.

68. IARC Working Group on the Evaluation of Carcinogenic Risk to Humans. Red Meat and Processed Meat. Lyon (FR): International Agency for Research on Cancer; 2018. (IARC Monographs on the Evaluation of Carcinogenic Risks to Humans, No. 114.). [Consultado el 14 de octubre de 2018]. Disponible en: https://www.ncbi.nlm.nih.gov/books/NBK507971.

69. Instituto Catalán de Oncología [internet]. Unos hábitos saludables evitarían el 37 % de los casos de cáncer de colon y el 26 % de los de mama. 13 de enero de 2016. [Consultado el 14 de octubre de 2018]. Disponible en: http://ico.gencat.cat/es/detall/noticia/160113-Uns-hAbits-saludables-evitarien-el-37-per-cent-dels-casos-de-cAncer-de-cAlon-i-el-26-per-cent-dels-de-mama.

70. Instituto Nacional del Cáncer [internet]. Alcohol y el riesgo de cáncer. 24 de junio de 2013. [Consultado el 14 de octubre de 2018]. Disponible en: https://www.cancer.gov/espanol/cancer/causas-prevencion/riesgo/alcohol/hoja-informativa-alcohol

71. Instituto Nacional del Cáncer [internet]. Factores de riesgo de cáncer. Tabaco. 23 de enero de 2017. [Consultado el 14 de octubre de 2018]. Disponible en: https://www.cancer.gov/espanol/cancer/causas-prevencion/riesgo/tabaco

72. Jankovic N, Geelen A, Winkels RM, Mwungura B, Fedirko V, Jenab M et al. Adherence to the WCRF/AICR Dietary Recommendations for Cancer Prevention and Risk of Cancer in Elderly from Europe and the

United States: A Meta-Analysis within the CHANCES Project. Cancer Epidemiol Biomarkers Prev. 2017 Ene;26(1):136-44.

73. Jenkins DJA, Spence JD, Giovannucci EL, Kim YI, Josse R, Vieth R et al. Supplemental Vitamins and Minerals for CVD Prevention and Treatment. J Am Coll Cardiol. 2018 Jun 5;71(22):2570-84.

74. Jiménez J. Tras gastar ocho millones de dólares en estudiar las dietas basadas en tests de ADN, la conclusión es clara: no sirven para nada. Xataca. 23 de febrero de 2018. [Consultado el 14 de octubre de 2018]. Disponible en: https://www.xataka.com/medicina-y-salud/la-universidad-de-stanford-se-ha-gastado-ocho-millones-de-dolares-para-estudiar-las-dietas-basadas-en-adn-y-no-no-funcionan.

75. Kane-Diallo A, Srour B, Sellem L, Deschasaux M, Latino-Martel P, Hercberg S et al. Association between a pro plant-based dietary score and cancer risk in the prospective NutriNet-santé cohort. Int J Cancer. 2018 May 11. [Publicación en línea previa a la publicación impresa].

76. Kroke A, Boeing H, Rossnagel K, Willich SN. History of the concept of 'levels of evidence' and their current status in relation to primary prevention through lifestyle interventions. Public Health Nutr. 2004 Abr;7(2):279-84.

77. Kushi LH, Doyle C, McCullough M, Rock CL, Demark-Wahnefried W, Bandera EV et al. American Cancer Society Guidelines on nutrition and physical activity for cancer prevention: reducing the risk of cancer with healthy food choices and physical activity. CA Cancer J Clin. 2012 Ene-Feb;62(1):30-67.

78. Larsson MO, Sloth Nielsen V, Bjerre N, Laporte F, Cedergreen N. Refined assessment and perspectives on the cumulative risk resulting from the dietary exposure to pesticide residues in the Danish population. Food Chem Toxicol. 2018 Ene;111:207-67.

79. Larsson SC, Orsini N. Red meat and processed meat consumption and all-cause mortality: a meta-analysis. Am J Epidemiol. 2014 Feb 1;179(3):282-9.

80. López Iturriaga M. «Vas a vivir más», «es bueno para tu actividad sexual...»; los expertos desmienten en El Comidista TV los mitos más famosos sobre el alcohol. El comidista TV. 20 de agosto de 2017. [Consultado el 14 de octubre de 2018]. Disponible en: http://www.lasexta.com/programas/el-comidista-tv/entrevistas/vas-a-vivir-mas-es-bueno-para-tu-actividad-sexual-los-expertos-desmienten-en-el-comidista-tv-los-mitos-mas-famosos-sobre-el-alcohol_2017083059a724180cf22e-2da52e3853.html.

81. Lurueña MA. ¿Está la carne llena de antibióticos? Alimente. 28 de febrero de 2018. [Consultado el 14 de octubre de 2018]. Disponible en: https://blogs.alimente.elconfidencial.com/liofilizando/2018-02-28/carne-antibioticos-granjas-seguridad-alimentaria_1520295/.

82. Martínez Argüelles L. Vegetarianos con ciencia. Madrid: Arcopress; 2016.

83. Marzo-Castillejo M, Vela-Vallespín C, Bellas-Beceiro B, Bartolomé-Moreno C, Melús-Palazón E, Vilarrubí-Estrella M et al. Recomendaciones de prevención del cáncer. Actualización PAPPS 2018. Aten Primaria. 2018 May;50 Suppl 1:41-65.

84. Ministerio de Sanidad y Consumo [internet]. Prevención de los problemas derivados del alcohol. 1.ª Conferencia de prevención y promoción de la salud en la práctica clínica en España. 2008. [Consultado el 14 de octubre de 2018]. Disponible en: http://www.msssi.gob.es/alcoholJovenes/docs/prevencionProblemasAlcohol.pdf.

85. Ministerio de Sanidad, Consumo y Bienestar Social [internet]. Inmovilización de partidas. 2018. [Consultado el 14 de octubre de 2018]. Disponible en: https://www.mscbs.gob.es/profesionales/saludPublica/sanidadExterior/controlesSanitarios/procedControl/inmovil_partidas.htm.

86. Ministerio de Sanidad, Servicios Sociales e Igualdad [internet]. Actividad Física para la Salud y Reducción del Sedentarismo. Recomendaciones para la población. Estrategia de Promoción de la Salud y Prevención en el SNS. 2015. [Consultado el 14 de octubre de 2018]. Disponible en: http://www.mscbs.gob.es/profesionales/saludPublica/prevPromocion/Estrategia/docs/Recomendaciones_ActivFisica_para_la_Salud.pdf.

87. Ministerio de Sanidad, Servicios Sociales e Igualdad [internet]. Conoce la sal. 2018. [Consultado el 14 de octubre de 2018]. Disponible en: http://www.plancuidatemas.aesan.msssi.gob.es/conocelasal/el-etiquetado.htm.

88. Ministerio del Interior. Dirección General de Tráfico [internet]. El alcohol y la conducción. 2014. [Consultado el 14 de octubre de 2018]. Disponible en: http://www.dgt.es/PEVI/documentos/catalogo_recursos/didacticos/did_adultas/alcohol.pdf.

89. Mozaffarian D. Dietary and Policy Priorities for Cardiovascular Disease, Diabetes, and Obesity: A Comprehensive Review. Circulation. 2016 Ene 12;133(2):187-225.

90. Mulet JM. El azar del cáncer (y lo que usted puede hacer para no favorecerlo). El País. 20 de diciembre de 2017. [Consultado el 14 de octubre de 2018]. Disponible en: https://elpais.com/elpais/2017/12/12/eps/1513100777_668330.html.

91. Mulet JM. ¿Qué es comer sano? Barcelona: Ediciones Destino; 2018.

92. Muraki I, Wu H, Imamura F, Laden F, Rimm EB, Hu FB et al. Rice consumption and risk of cardiovascular disease: results from a pooled analysis of 3 U.S. cohorts. Am J Clin Nutr. 2015 Ene;101(1):164-72.

93. National Institute on Alcohol and Alcohol Abuse Behavior. Chapter 2: Alcohol and the brain: neuroscience and neurobehavior. In the 10th special report to the U.S. Congress on Alcohol and health: highlights from current research. Junio de 2000. [Consultado el 14 de octubre de 2018]. Disponible en: https://pubs.niaaa.nih.gov/publications/10report/10thspecialreport.pdf

94. Nestle M. Food Politics [internet]. The PURE study warrants some skepticism. 5 de septiembre de 2017. [Consultado el 14 de octubre de 2018]. Disponible en: https://www.foodpolitics.com/2017/09/the-pure-study-lets-get-skeptical.

95. Nico Haros. «Pensar que las bebidas alcohólicas "artesanales" no perjudican la salud mientras que las industriales sí es como creer que si te cae en la cabeza una maceta hecha a mano no te hará daño, mientras que si te cae un ladrillo de producción industrial sí». https://twitter.com/nutriNiko/status/1030509402892193793. 17 de agosto de 2018. [Consultado el 14 de octubre de 2018] [Tuit].

96. Ojuelos F, Baladia E, Basulto J. Crítica procesal y sustantiva [internet]. Consumo de alcohol y recomendaciones de salud: ya basta. 5 de noviembre de 2017. [Consultado el 14 de octubre de 2018]. Disponible en: http://criticaprocesal.blogspot.com.es/2017/11/consumo-de-alcohol-y-recomendaciones-de.html.

97. Ojuelos F. El derecho de la nutrición. Salamanca: Editorial Amarante; 2018.

98. Organización Mundial de la Salud. Agencia Internacional de Investigación sobre el Cáncer. Código Europeo Contra el Cáncer. 12 formas de reducir el riesgo de cáncer. 2016. [Consultado el 14 de octubre de 2018]. Disponible en: https://cancer-code-europe.iarc.fr/index.php/es/doce-formas.

99. Organización Mundial de la Salud. Agencia Internacional de Investigación sobre el Cáncer. Preguntas y respuestas sobre la carcinogenicidad del consumo de carne roja y de la carne procesada. 2015. [Consultado el 14 de octubre de 2018]. Disponible en: www.iarc.fr/en/media-centre/iarc-news/pdf/Monographs-Q&A_Vol114_S.pdf.

100. Organización Mundial de la Salud [internet]. Cáncer (datos y cifras sobre el cáncer). 12 de septiembre de 2018. [Consultado el 14 de octubre de 2018]. Disponible en: http://www.who.int/cancer/about/facts/es.

101. Organización Mundial de la Salud [internet]. Cáncer (prevención del cáncer). 2018. [Consultado el 14 de octubre de 2018]. Disponible en: http://www.who.int/cancer/prevention/es.

102. Organización Mundial de la Salud [internet]. Cáncer. 12 de septiembre de 2018. [Consultado el 14 de octubre de 2018]. Disponible en: http://www.who.int/mediacentre/factsheets/fs297/es.

103. Organización Mundial de la Salud [internet]. El tabaco es una amenaza para todos (infografías). 2017. [Consultado el 14 de octubre de 2018]. Disponible en: http://www.who.int/campaigns/no-tobacco-day/2017/social-media/es.

104. Ortí A. Comer o no comer [internet]. El evangelio (nutricional...) según Abel Mariné. 10 de diciembre de 2013. [Consultado el 14 de octubre de 2018]. Disponible en: http://comeronocomer.es/entrevistas-mitologicas/el-evangelio-nutricional-segun-abel-marine.

105. Padró A. Somos la leche. Barcelona: Grijalbo; 2017.

106. Patel AV, Hildebrand JS, Leach CR, Campbell PT, Doyle C, Shuval K et al. Walking in Relation to Mortality in a Large Prospective Cohort of Older U.S. Adults. Am J Prev Med. 2018 Ene;54(1):10-9.

107. Peddie MC, Bone JL, Rehrer NJ, Skeaff CM, Gray AR, Perry TL. Breaking prolonged sitting reduces postprandial glycemia in healthy, normal-weight adults: a randomized crossover trial. Am J Clin Nutr. 2013 Ago;98(2):358-66.

108. Popova S, Lange S, Probst C, Gmel G, Rehm J. Estimation of national, regional, and global prevalence of alcohol use during pregnancy and fetal alcohol syndrome: a systematic review and meta-analysis. Lancet Glob Health. 2017 Mar;5(3):e290-9.

109. Raab A, Baskaran C, Feldmann J, Meharg AA. Cooking rice in a high water to rice ratio reduces inorganic arsenic content. J Environ Monit. 2009 Ene;11(1):41-4.

110. Rehm J, Gmel G, Sierra C, Gual A. Reducción de la mortalidad mediante una mejor detección de la hipertensión y los problemas con el alcohol en atención primaria de salud en España. Adicciones. 2018 Ene 1;30(1):9-18.

111. Rehm J, Shield KD, Roerecke M, Gmel G. Modelling the impact of alcohol consumption on cardiovascular disease mortality for comparative risk assessments: an overview. BMC Public Health. 2016 Abr 28;16:363.

112. Rehm J. Why the relationship between level of alcohol-use and all-cause mortality cannot be addressed with meta-analyses of cohort studies. Drug Alcohol Rev. 2018. [Publicación en línea previa a la publicación impresa].

113. Reiss R, Johnston J, Tucker K, DeSesso JM, Keen CL. Estimation of cancer risks and benefits associated with a potential increased consumption of fruits and vegetables. Food Chem Toxicol. 2012 Dic;50(12):4421-7.

114. Revenga J. El comidista [internet]. ¿Hay que temer a los aditivos? 2 de enero de 2017. [Consultado el 14 de octubre de 2018]. Disponible en: https://elcomidista.elpais.com/elcomidista/2016/12/22/articulo/1482395986_534447.html.

115. Revenga J. El nutricionista de la general [internet]. ¿Sabes si eres alcohólico? 12 de noviembre de 2012. [Consultado el 14 de octubre de 2018]. Disponible en: http://juanrevenga.com/2012/11/sabes-si-eres-alcoholico.

116. Rimm EB, Appel LJ, Chiuve SE, Djoussé L, Engler MB, Kris-Etherton PM et al. Seafood Long-Chain n-3 Polyunsaturated Fatty Acids and Cardiovascular Disease: A Science Advisory From the American Heart Association. Circulation. 2018 Jul 3;138(1):e35-47.

117. Salas J. La mayoría de los europeos multiplica su riesgo de cáncer por beber alcohol. El País. 4 de julio de 2017. [Consultado el 14 de octubre de 2018]. Disponible en: https://elpais.com/elpais/2017/07/03/ciencia/1499071888_675038.html.

118. Sánchez A. Mi dieta ya no cojea. Barcelona: Paidós; 2018.

119. Schütze M, Boeing H, Pischon T, Rehm J, Kehoe T, Gmel G et al. Alcohol attributable burden of incidence of cancer in eight European countries based on results from prospective cohort study. BMJ. 2011 Abr 7;342:d1584.

120. Schwingshackl L, Schwedhelm C, Hoffmann G, Lampousi AM, Knüppel S, Iqbal K et al. Food groups and risk of all-cause mortality: a systematic review and meta-analysis of prospective studies. Am J Clin Nutr. 2017 Jun;105(6):1462-73.

121. Scragg R, Khaw KT, Toop L, Sluyter J, Lawes CMM et al. Monthly High-Dose Vitamin D Supplementation and Cancer Risk: A Post Hoc Analysis of the Vitamin D Assessment Randomized Clinical Trial. JAMA Oncol. 2018 Jul 19:e182178. [Publicación en línea previa a la publicación impresa].

122. Shield KD, Marant Micallef C, Hill C, Touvier M, Arwidson P, Bonaldi C et al. New cancer cases in France in 2015 attributable to different levels of alcohol consumption. Addiction. 2018 Feb;113(2):247-56.

123. Sikand G, Cole RE, Handu D, DeWaal D, Christaldi J, Johnson EQ et al. Clinical and cost benefits of medical nutrition therapy by registered dietitian nutritionists for management of dyslipidemia: A systematic review and meta-analysis. J Clin Lipidol. 2018 Jul 3. [Publicación en línea previa a la publicación impresa].

124. Song M, Giovannucci E. Preventable Incidence and Mortality of Carcinoma Associated With Lifestyle Factors Among White Adults in the United States. JAMA Oncol. 2016 Sep 1;2(9):1154-61.

125. Soriano JB, Rojas-Rueda D, Alonso J, Antó JM, Cardona PJ, Fernández E et al. La carga de enfermedad en España: resultados del Estudio de la Carga Global de las Enfermedades 2016. Med Clin (Barc). 2018 Sep 14;151(5):171-90.

126. The Obesity Society, Young DR, Hivert MF, Alhassan S, Camhi SM, Ferguson JF. Sedentary Behavior and Cardiovascular Morbidity and Mortality: A Science Advisory From the American Heart Association. Circulation. 2016 Sep 27;134(13):e262-79.

127. Topiwala A, Allan CL, Valkanova V, Zsoldos E, Filippini N, Sexton C et al. Moderate alcohol consumption as risk factor for adverse brain outcomes and cognitive decline: longitudinal cohort study. BMJ. 2017 Jun 6;357:j2353.

128. U.S. Food and Drug Administration [internet]. Questions & Answers: Arsenic in Rice and Rice Products. 21 de septiembre de 2018. [Consultado el 14 de octubre de 2018]. Disponible en: https://www.fda.gov/Food/FoodborneIllnessContaminants/Metals/ucm319948.htm.

129. UN Development. «Over 80 % of premature deaths worldwide are caused by #NCDs like #CardioVascularDisease, Type 2 #diabetes, cancer or chronic respiratory disease like smoking. Make our #GlobalGoals your #HealthGoal: http://ow.ly/9ibc30hoOQw». https://twitter.com/UNDP/status/944433649226743809. 23 de diciembre de 2017. [Consultado el 14 de octubre de 2018] [Tuit].

130. Unidos Contra El Cáncer. Asociación Española Contra el Cáncer. «El apoyo profesional puede multiplicar por diez las posibilidades de dejar de fumar http://bit.ly/cursosfumar». https://twitter.com/aecc_es/status/604566737158344704. 30 de mayo de 2015. [Consultado el 14 de octubre de 2018] [Tuit].

131. United European Gastroenterology [internet]. Alcohol and Digestive Cancers. 2018. [Consultado el 14 de octubre de 2018]. Disponible en: https://www.ueg.eu/publications/alcohol-and-digestive-cancers-report/

132. Vieira AR, Abar L, Vingeliene S, Chan DS, Aune D, Navarro-Rosenblatt D et al. Fruits, vegetables and lung cancer risk: a systematic review and meta-analysis. Ann Oncol. 2016 Ene;27(1):81-96.

133. Whitaker K, Webb D, Linou N. Commercial influence in control of non-communicable diseases. BMJ. 2018 Ene 12;360:k110.

134. Wilkinson AV1, Shete S, Prokhorov AV. The moderating role of parental smoking on their children's attitudes toward smoking among a predominantly minority sample: a cross-sectional analysis. Subst Abuse Treat Prev Policy. 2008 Jul 14;3:18.

135. Wood AM, Kaptoge S, Butterworth AS, Willeit P, Warnakula S, Bolton T et al. Risk thresholds for alcohol consumption: combined analysis of individual-participant data for 599 912 current drinkers in 83 prospective studies. Lancet. 2018 Abr 14;391(10129):1513-23.

136. World Cancer Research Fund / American Institute for Cancer Research. Food, Nutrition, Physical Activity, and the Prevention of Cancer: a Global Perspective. 2007. [Consultado el 14 de octubre de 2018]. Disponible en: http://www.wcrf.org/sites/default/files/english.pdf.

137. World Cancer Research Fund International/American Institute for Cancer Research. Continuous Update Project Report: Diet, Nutrition, Physical Activity and Liver Cancer. 2015. [Consultado el 14 de octubre de 2018]. Disponible en: https://www.wcrf.org/sites/default/files/Liver-Cancer-2015-Report.pdf.

138. World Cancer Research Fund International/American Institute for Cancer Research. Continuous Update Project: Diet, Nutrition, Physical Activity and the Prevention of Cancer. Summary of strong evidence on diet, nutrition, physical activity and prevention of cancer. Mayo de 2017. [Consultado el 14 de octubre de 2018]. Disponible en: http://www.wcrf.org/sites/default/files/WCRFI-Matrix-for-all-cancers.pdf.

139. World Cancer Research Fund/American Institute for Cancer Research. Diet, Nutrition, Physical Activity and Cancer: a Global Perspective. Continuous Update Project Expert Report 2018. Third Expert Report. 2018. [Consultado el 14 de octubre de 2018]. Disponible en: https://www.wcrf.org/sites/default/files/Summary-third-expert-report.pdf.

140. World Cancer Research Fund/American Institute for Cancer Research [internet]. Do not use supplements for cancer prevention. 2018. [Consultado el 14 de octubre de 2018]. Disponible en: www.wcrf.org/int/

research-we-fund/cancer-prevention-recommendations/dietary-supplements.

141. World Cancer Research Fund/American Institute for Cancer Research [internet]. Eat wholegrains, vegetables, fruit & beans. 2018. [Consultado el 14 de octubre de 2018]. Disponible en: https://www.wcrf.org/dietandcancer/recommendations/wholegrains-veg-fruit-beans.

142. World Cancer Research Fund/American Institute for Cancer Research [internet]. Limit red and processed meat. Eat no more than moderate amounts of red meat and little, if any, processed meat. 2018. [Consultado el 14 de octubre de 2018]. Disponible en: https://www.wcrf.org/dietandcancer/recommendations/limit-red-processed-meat.

143. World Cancer Research Fund/American Institute for Cancer Research [internet]. Liver cancer. How diet, nutrition and physical activity affect liver cancer risk. 2018. [Consultado el 14 de octubre de 2018]. Disponible en: http://www.wcrf.org/int/research-we-fund/continuous-update-project-findings-reports/liver-cancer.

144. World Cancer Research Fund/American Institute for Cancer Research [internet]. Lung cancer. How diet, nutrition and physical activity affect lung cancer risk. 2018. [Consultado el 14 de octubre de 2018]. Disponible en: http://www.wcrf.org/int/research-we-fund/continuous-update-project-findings-reports/lung-cancer.

145. World Cancer Research Fund/American Institute for Cancer Research. Recommendations and public health and policy implications. 2018. [Consultado el 14 de octubre de 2018]. Disponible en: https://www.wcrf.org/sites/default/files/Cancer-Prevention-Recommendations-2018.pdf.

146. World Cancer Research Fund/American Institute for Cancer Research. Wholegrains, vegetables and fruit and the risk of cancer. 2018. [Consultado el 14 de octubre de 2018]. Disponible en: https://www.wcrf.org/sites/default/files/Wholegrains-veg-and-fruit.pdf.

147. World Health Organization. «The World #HealthStatistics 2018 report is now available. Less than half the people in the world today get all of the essential health services they need. http://bit.ly/2rSTEq6 #HealthData». https://twitter.com/WHO/status/1001031803547906048. 28 de mayo de 2018. [Consultado el 14 de octubre de 2018] [Tuit].

148. World Health Organization. Alcohol-less is Better. Geneva: WHO; 1996.

149. World Health Organization. Regional Office for Europe [internet]. A healthy lifestyle. 2018. [Consultado el 14 de octubre de 2018].

Disponible en: http://www.euro.who.int/en/health-topics/disease-preven-tion/nutrition/a-healthy-lifestyle.

150. World Health Organization. Regional Office for Europe [internet]. New European code prescribes 12 ways to prevent cancer. 14 de octubre de 2014. [Consultado el 14 de octubre de 2018]. Disponible en: http://www.euro.who.int/en/health-topics/noncommunicable-diseases/cancer/news/news/2014/10/new-european-code-prescribes-12-ways-to-prevent-cancer.

151. Zhang R, Zhang X, Wu K, Wu H, Sun Q, Hu FB et al. Rice consumption and cancer incidence in US men and women. Int J Cancer. 2016 Feb 1;138(3):555-64.

152. Zhao Z, Feng Q, Yin Z, Shuang J, Bai B, Yu P et al. Red and processed meat consumption and colorectal cancer risk: a systematic review and meta-analysis. Oncotarget. 2017 Sep 6;8(47):83306-14.

153. Zong G, Lebwohl B, Hu FB, Sampson L, Dougherty LW, Willett WC et al. Gluten intake and risk of type 2 diabetes in three large prospective cohort studies of US men and women. Diabetologia. 2018 Oct;61(10):2164-73.

Capítulo 3. ¿Leche materna contra el cáncer?

1. Amitay EL, Keinan-Boker L. Breastfeeding and Childhood Leukemia Incidence: A Meta-analysis and Systematic Review. JAMA Pediatr. 2015 Jun;169(6):e151025.

2. Basulto J. El blog de Julio Basulto [internet]. ¿La manzana frena el crecimiento de las células tumorales? No, Odile, no. 13 de abril de 2018. [Consultado el 14 de octubre de 2018]. Disponible en: www.juliobasulto.com/manzana-cancer-no-odile.

3. Davis MK, Savitz DA, Graubard BI. Infant feeding and childhood cancer. Lancet. 1988 Ago 13;2(8607):365-8.

4. Delgado Y, Morales-Cruz M, Figueroa CM, Hernández-Román J, Hernández G, Griebenow K. The cytotoxicity of BAMLET complexes is due to oleic acid and independent of the α-lactalbumin component. FEBS Open Bio. 2015 May 4;5:397-404.

5. Fernández O. Mis recetas anticáncer. 15.ª ed. Barcelona: Ediciones Urano; 2014.

6. Fischer W, Gustafsson L, Mossberg AK, Gronli J, Mork S, Bjerkvig R, Svanborg C. Human α lactalbumin made lethal to tumor cells

(HAMLET) kills human glioblastoma cells in brain xenografts by an apoptosis-like mechanism and prolongs survival. Cancer Res. 2004 Mar 15;64(6):2105-12.

7. Guise JM, Austin D, Morris CD. Review of case-control studies related to breastfeeding and reduced risk of childhood leukemia. Pediatrics. 2005 Nov;116(5):e724-31.

8. Gustafsson L, Leijonhufvud I, Aronsson A, Mossberg AK, Svanborg C. Treatment of skin papillomas with topical α-lactalbumin-oleic acid. N Engl J Med. 2004 Jun 24;350(26):2663-72.

9. Håkansson A, Zhivotovsky B, Orrenius S, Sabharwal H, Svanborg C. Apoptosis induced by a human milk protein. Proc Natl Acad Sci U S A. 1995 Ago 15; 92(17): 8064–8.

10. Keim SA, Hogan JS, McNamara KA, Gudimetla V, Dillon CE, Kwiek JJ et al. Microbial contamination of human milk purchased via the Internet. Pediatrics. 2013 Nov;132(5):e1227-35.

11. Keim SA, Kulkarni MM, McNamara K, Geraghty SR, Billock RM, Ronau R et al. Cow's milk contamination of human milk purchased via the Internet. Pediatrics. 2015 May;135(5):e1157-62.

12. McKinney PA, Cartwright RA, Saiu JM, Mann JR, Stiller CA, Draper GJ et al. The inter-regional epidemiological study of childhood cancer (IRESCC): a case control study of aetiological factors in leukaemia and lymphoma. Arch Dis Child. 1987 Mar;62(3):279-87.

13. Mossberg AK, Wullt B, Gustafsson L, Månsson W, Ljunggren E, Svanborg C. Bladder cancers respond to intravesical instillation of HAMLET (human α-lactalbumin made lethal to tumor cells). Int J Cancer. 2007 Sep 15;121(6):1352-9.

14. Mossberg AK, Hou Y, Svensson M, Holmqvist B, Svanborg C. HAMLET treatment delays bladder cancer development. J Urol. 2010 Abr;183(4):1590-7.

15. Puthia M, Storm P, Nadeem A, Hsiung S, Svanborg C. Prevention and treatment of colon cancer by peroral administration of HAMLET (human α-lactalbumin made lethal to tumour cells). Gut. 2014 Ene;63(1):131-42.

16. Rammer P, Groth-Pedersen L, Kirkegaard T, Daugaard M, Rytter A, Szyniarowski P et al. BAMLET activates a lysosomal cell death program in cancer cells.Mol Cancer Ther. 2010 Ene;9(1):24-32.

17. Rough SM, Sakamoto P, Fee CH, Hollenbeck CB. Qualitative analysis of cancer patients' experiences using donated human milk. J Hum Lact. 2009 May;25(2):211-9.

18. Sullivan LM, Kehoe JJ, Barry L, Buckley MJ, Shanahan F, Mok KH, Brodkorb A. Gastric digestion of α-lactalbumin in adult human subjects using capsule endoscopy and nasogastric tube sampling. Br J Nutr. 2014 Ago 28;112(4):638-46.

19. Svensson M, Håkansson A, Mossberg AK, Linse S, Svanborg C. Conversion of α-lactalbumin to a protein inducing apoptosis. Proc Natl Acad Sci USA. 2000 Abril 11;97(8):4221-6.

20. Wang KL, Liu CL, Zhuang Y, Qu HY. Breastfeeding and the risk of childhood Hodgkin lymphoma: a systematic review and meta-analysis. Asian Pac J Cancer Prev. 2013;14(8):4733-7.

21. Xiao Z, Mak A, Koch K, Moore RB. A molecular complex of bovine milk protein and oleic acid selectively kills cancer cells in vitro and inhibits tumour growth in an orthotopic rat bladder tumour model. BJU Int. 2013 Jul;112(2):E201-10.

Capítulo 4. Sobrepeso, obesidad y cáncer

1. Abdelaal M, le Roux CW, Docherty NG. Morbidity and mortality associated with obesity. Ann Transl Med. 2017 Abr;5(7):161.

2. Acosta A, Streett S, Kroh MD, Cheskin LJ, Saunders KH, Kurian M et al. White Paper AGA: POWER - Practice Guide on Obesity and Weight Management, Education, and Resources. Clin Gastroenterol Hepatol. 2017 May;15(5):631-49.e10.

3. Allen K. Overweight, obesity and cancer – the importance of prevention. World Cancer Research Fund. 20 de diciembre de 2017. [Consultado el 14 de octubre de 2018]. Disponible en: http://www.wcrf.org/int/blog/articles/2017/12/overweight-obesity-and-cancer- %E2 %80 %93-importance-prevention.

4. American Institute for Cancer Research [internet]. Stomach Cancer Infographic. 2017. [Consultado el 14 de octubre de 2018]. Disponible en: http://www.aicr.org/learn-more-about-cancer/infographics/stomach-cancer-infographic.html.

5. Barry VW, Baruth M, Beets MW, Durstine JL, Liu J, Blair SN. Fitness vs. fatness on all-cause mortality: a meta-analysis. Prog Cardiovasc Dis. 2014 Ene-Feb;56(4):382-90.

6. Basulto J, Caorsi L. Descubre a un falso gurú de la alimentación en seis pasos. Consumer. 19 de junio de 2013. [Consultado el 14 de octubre

de 2018]. Disponible en: http://www.consumer.es/web/es/alimentacion/aprender_a_comer_bien/alimentos_a_debate/2013/06/19/217057.php.

7. Basulto J, Caorsi L. Dietas extremas. Consumer. 4 de septiembre de 2013. [Consultado el 14 de octubre de 2018]. Disponible en: http://www.consumer.es/web/es/alimentacion/aprender_a_comer_bien/alimentos_a_debate/2013/09/04/217820.php.

8. Basulto J, Manera M, Baladia E, Miserachs M, Rodríguez VM, Mielgo-Ayuso J et al. ¿Cómo identificar un producto, un método o una dieta «milagro»? Noviembre de 2012. [Consultado el 14 de octubre de 2018]. Disponible en: http://fedn.es/docs/grep/docs/dietas_milagro.pdf.

9. Basulto J, Ortí A. Comer o no comer [internet]. Alimentación «interruptus»: la dieta del ayuno intermitente. 19 de marzo de 2013. [Consultado el 14 de octubre de 2018]. Disponible en: http://comeronocomer.es/mitos-de-las-dietas-milagro/alimentacion-interruptus-la-dieta-del-ayuno-intermitente.

10. Basulto J, Ortí A. Comer o no comer [internet]. La enzima prodigiosa. 7 de abril de 2013. [Consultado el 14 de octubre de 2018]. Disponible en: http://comeronocomer.es/libros-muy-nutritivos/la-enzima-prodigiosa.

11. Basulto J, Ortí A. Comer o no comer [internet]. La infraestructura de la charlatanería nutricional (primera parte). 1 de julio de 2013. [Consultado el 14 de octubre de 2018]. Disponible en: https://comeronocomer.es/mitos-de-los-alimentos/la-infraestructura-de-la-charlataneria-nutricional-primera-parte.

12. Basulto J. Dietas depurativas: superstición a la carta. Consumer. 28 de enero de 2014. [Consultado el 14 de octubre de 2018]. Disponible en: http://www.consumer.es/web/es/alimentacion/aprender_a_comer_bien/alimentos_a_debate/2014/01/28/219223.php.

13. Basulto J. Dietas disociadas: cinco preguntas con respuesta. Consumer. 15 de abril de 2014. [Consultado el 14 de octubre de 2018]. Disponible en: http://www.consumer.es/web/es/alimentacion/aprender_a_comer_bien/alimentos_a_debate/2014/04/15/219754.php.

14. Basulto J. Dime con quién andas y te diré qué política alimentaria tienes. El País. 30 de diciembre de 2016. [Consultado el 14 de octubre de 2018]. Disponible en: https://elpais.com/elpais/2016/12/26/ciencia/1482742942_496331.html.

15. Basulto J. El blog de Julio Basulto [internet]. Delgadez y salud. 4 de septiembre de 2017. [Consultado el 14 de octubre de 2018]. Disponible en: https://juliobasulto.com/delgadez-salud-2/.

16. Basulto J. El blog de Julio Basulto [internet]. Tomen pocos carbohidratos, dice Lancet. ¿Y si dijera «tomen pocos líquidos»? 6 de septiembre de 2017. [Consultado el 14 de octubre de 2018]. Disponible en: http://juliobasulto.com/tomen-carbohidratos-dice-lancet-dijera-tomen-liquidos/.

17. Basulto J. El zumo de fruta no es «fruta», ni siquiera si es casero. El País. 12 de abril de 2018. [Consultado el 14 de octubre de 2018]. Disponible en: https://elpais.com/elpais/2017/04/10/ciencia/1491821250_324473.html.

18. Basulto J. Espacio abierto [internet]. Un billete arrugado no es «una arruga», y una persona que presenta obesidad no es «un obeso». [Consultado el 14 de octubre de 2018]. Disponible en: http://psicologiaynutricion.es/?p=845.

19. Basulto J. La pereza, ¿engorda? Consumer. 25 de julio de 2013. [Consultado el 14 de octubre de 2018]. Disponible en: http://www.consumer.es/web/es/alimentacion/aprender_a_comer_bien/curiosidades/2013/07/25/217415.php.

20. Basulto J. Los riesgos ocultos de la dieta macrobiótica. El País. 25 de octubre de 2017. [Consultado el 14 de octubre de 2018]. Disponible en: https://elpais.com/elpais/2017/10/19/ciencia/1508411268_172778.html.

21. Basulto J. Paleodieta: ¿lo primitivo es saludable? El País. 10 de abril de 2018. [Consultado el 14 de octubre de 2018]. Disponible en: https://elpais.com/elpais/2018/04/06/ciencia/1523028510_167819.html.

22. Basulto J. Por qué no engorda la fruta, si tiene azúcar. El País. 13 de junio de 2018. [Consultado el 14 de octubre de 2018]. Disponible en: https://elpais.com/elpais/2018/06/08/ciencia/1528469553_586735.html.

23. Basulto J. Por qué no funcionan las tres dietas más buscadas. El País. 8 de enero de 2016. [Consultado el 14 de octubre de 2018]. Disponible en: https://elpais.com/elpais/2015/09/16/ciencia/1442392260_294964.html.

24. Basulto J. Sorpresas ocultas en los complementos alimenticios. Consumer. 9 de diciembre de 2014. [Consultado el 14 de octubre de 2018]. Disponible en: http://www.consumer.es/web/es/alimentacion/aprender_a_comer_bien/alimentos_a_debate/2014/11/26/221023.php.

25. Camarelles Guillem F. Los retos de la prevención y promoción de la salud, y los del PAPPS. Aten Primaria 2018;50 Supl 1:1-2.

26. Casagrande DS, Rosa DD, Umpierre D, Sarmento RA, Rodrigues CG, Schaan BD. Incidence of cancer following bariatric surgery: systematic review and meta-analysis. Obes Surg. 2014 Sep;24(9):1499-509.

27. Centers for Disease Control and Prevention (CDC). National Diabetes Statistics Report, 2017. 2017. [Consultado el 14 de octubre de 2018]. Disponible en: https://www.cdc.gov/diabetes/pdfs/data/statistics/national-diabetes-statistics-report.pdf.

28. Centers for Disease Control and Prevention [internet]. Vital Signs: Trends in Incidence of Cancers Associated with Overweight and Obesity — United States, 2005–2014. 2017. [Consultado el 14 de octubre de 2018]. Disponible en: https://www.cdc.gov/mmwr/volumes/66/wr/mm6639e1.htm?s_cid=mm6639e1_w.

29. Changing the Weight-loss Subject. JAMA. 2017 Jun 27;317(24): 2477.

30. ConscienHealth [internet]. The Counterintuitive Physiology of Obesity. 8 de agosto de 2018. [Consultado el 14 de octubre de 2018]. Disponible en: https://conscienhealth.org/2018/08/the-counterintuitive-physiology-of-obesity.

31. Council on Communications and Media, Strasburger VC. Children, adolescents, obesity, and the media. Pediatrics. 2011 Jul;128(1):201-8.

32. Cuervo M, Abete I, Baladia E, Corbalán M, Manera M, Basulto J, Martínez A, Federación Española de Sociedades de Nutrición, Alimentación y Dietética (FESNAD). Ingestas dietéticas de referencia para la población española. Navarra: Ediciones Universidad de Navarra, S.A (EUNSA); 2010.

33. Dalle Grave R, Calugi S, Centis E, El Ghoch M, Marchesini G. Cognitive-behavioral strategies to increase the adherence to exercise in the management of obesity. J Obes. 2011;2011:348293.

34. Daniel Ursúa. «Si en tu armario no tienes unos zapatos con un clavo en la suela porque ponértelos te haría daño, por qué tienes refrescos en la nevera?». https://twitter.com/Nutri_Daniel/status/904016804133134337. 2 de septiembre de 2017. [Consultado el 14 de octubre de 2018] [Tuit].

35. Dollar E, Berman M, Adachi-Mejia AM. Do No Harm: Moving Beyond Weight Loss to Emphasize Physical Activity at Every Size. Prev Chronic Dis. 2017 Abril 20;14:E34.

36. Eichner S, Maguire M, Shea LA, Fete MG. Banned and discouraged-use ingredients found in weight loss supplements. J Am Pharm Assoc (2003). 2016 Sep-Oct;56(5):538-43.

37. Ernst E. El blog de Edzard Ernst [internet] Two compelling reasons for avoiding weight-loss supplements. 13 de agosto de 2016. [Consultado el 14 de octubre de 2018]. Disponible en: https://edzardernst.com/2016/08/two-compelling-reasons-for-avoiding-weight-loss-supplements/.

38. Fernández Escobar C. Mejor Prevenir [internet]. La receta de una sociedad nutritiva. 19 de julio de 2018. [Consultado el 14 de octubre de 2018]. Disponible en: https://mejorprevenirblog.wordpress.com/2018/07/18/la-receta-de-una-sociedad-nutritiva/.

39. Franco M, Sanz B, Otero L, Domínguez-Vila A, Caballero B. Prevention of childhood obesity in Spain: a focus on policies outside the health sector. SESPAS report 2010. Gac Sanit. 2010 Dic;24 Suppl 1:49-55.

40. Gargallo Fernández M, Basulto Marset J, Breton Lesmes I, Quiles Izquierdo J, Formiguera Sala X, Salas-Salvadó J et al. Evidence-based nutritional recommendations for the prevention and treatment of overweight and obesity in adults (FESNAD-SEEDO consensus document). Methodology and executive summary (I/III). Nutr Hosp. 2012 May-Jun;27(3):789-99.

41. GBD 2015 Obesity Collaborators, Afshin A, Forouzanfar MH, Reitsma MB, Sur P, Estep K et al. Health Effects of Overweight and Obesity in 195 Countries over 25 Years. N Engl J Med. 2017 Jul 6;377(1):13-27.

42. Helfenstein SF, Uster A, Rühlin M, Pless M, Ballmer PE, Imoberdorf R. Are Four Simple Questions Able to Predict Weight Loss in Outpatients With Metastatic Cancer? A Prospective Cohort Study Assessing the Simplified Nutritional Appetite Questionnaire. Nutr Cancer. 2016 Jul;68(5):743-9.

43. Heyman MB, Abrams SA; Section on Gastroenterology, Hepatology, and Nutrition; Committee on Nutrition. Fruit Juice in Infants, Children, and Adolescents: Current Recommendations. Pediatrics. 2017 Jun;139(6). pii: e20170967.

44. Institute of Medicine. Dietary Reference Intakes for Energy, Carbohydrate, Fiber, Fat, Fatty Acids, Cholesterol, Protein, and Amino Acids. Washington: The National Academies Press; 2005.

45. International Food Policy Research Institute. 2016. Global Nutrition Report 2016: From Promise to Impact: Ending Malnutrition by 2030. Washington, DC. [Consultado el 14 de octubre de 2018]. Disponible en: www.goo.gl/X539wB

46. International Food Policy Research Institute –IFPRI. Global nutrition report 2017. 2017. [Consultado el 14 de octubre de 2018]. Disponible en: http://globalnutritionreport.org/the-report/.

47. Jensen MD, Ryan DH, Apovian CM, Ard JD, Comuzzie AG, Donato KA et al. 2013 AHA/ACC/TOS guideline for the management of overweight and obesity in adults: a report of the American College of Cardiology/American Heart Association Task Force on Practice Guidelines and The Obesity Society. Circulation. 2014 Jun 24;129(25 Suppl 2):S102-38.

48. Kanamori S, Takamiya T, Inoue S, Kai Y, Kawachi I, Kondo K. Exercising alone versus with others and associations with subjective health status in older Japanese: The JAGES Cohort Study. Sci Rep. 2016 Dic 15;6:39151.

49. Kelly B, Jacoby E. Public Health Nutrition special issue on ultra-processed foods. Public Health Nutr. 2018 Ene;21(1):1-4.

50. Kickbusch I, Allen L, Franz C. The commercial determinants of health. Lancet Glob Health. 2016 Dic;4(12):e895-e896.

51. Kwok CS, Pradhan A, Khan MA, Anderson SG, Keavney BD, Myint PK et al. Bariatric surgery and its impact on cardiovascular disease and mortality: a systematic review and meta-analysis. Int J Cardiol. 2014 Abr 15;173(1):20-8.

52. Latasa P, Louzada MLDC, Martinez Steele E, Monteiro CA. Added sugars and ultra-processed foods in Spanish households (1990-2010). Eur J Clin Nutr. 2018 Oct;72(10):1404-12.

53. Lenz M, Richter T, Mühlhauser I. The morbidity and mortality associated with overweight and obesity in adulthood: a systematic review. Dtsch Arztebl Int. 2009 Oct;106(40):641-8.

54. Ma C, Avenell A, Bolland M, Hudson J, Stewart F, Robertson C et al. Effects of weight loss interventions for adults who are obese on mortality, cardiovascular disease, and cancer: systematic review and meta-analysis. BMJ. 2017 Nov 14;359:j4849.

55. Martínez Steele E, Baraldi LG, Louzada ML, Moubarac JC, Mozaffarian D, Monteiro CA. Ultra-processed foods and added sugars in the US diet: evidence from a nationally representative cross-sectional study. BMJ Open. 2016 Mar 9;6(3):e009892.

56. MedlinePlus [internet]. Cirugías para la obesidad. 9 de julio de 2018. [Consultado el 14 de octubre de 2018]. Disponible en: https://medlineplus.gov/spanish/weightlosssurgery.html.

57. Moholdt T, Lavie CJ, Nauman J. Sustained Physical Activity, Not Weight Loss, Associated With Improved Survival in Coronary Heart Disease. J Am Coll Cardiol. 2018 Mar 13;71(10):1094-110.

58. National Heart, Lung and Blood Institute [internet]. Classification of overweight and obesity according to waist circumference. 2013. [Con-

sultado el 14 de octubre de 2018]. Disponible en: https://www.nhlbi.nih.
gov/health-pro/guidelines/current/obesity-guidelines/e_textbook/
txgd/4142.htm.

59. National Institute for Health and Care Excellence. Obesity in adults: prevention and lifestyle weight management programmes. 2016. [Consultado el 14 de octubre de 2018]. Disponible en: https://www.nice. org.uk/guidance/QS111.

60. National Institute for Health and Care Excellence, NICE. Obesity prevention. Clinical guideline [CG43]. Marzo de 2015. [Consultado el 14 de octubre de 2018]. Disponible en: www.nice.org.uk/guidance/cg43

61. National Institute for Health and Care Excellence, NICE. Obesity: working with local communities. Public health guideline [PH42]. Junio de 2017. [Consultado el 14 de octubre de 2018]. Disponible en: www.nice. org.uk/guidance/ph42

62. Nestle M. Soda Politics. New York: Oxford University Press; 2015.

63. Nutrimedia [internet]. ¿El ayuno esporádico es beneficioso para salud? 28 de septiembre de 2018. [Consultado el 14 de octubre de 2018]. Disponible en: https://www.upf.edu/web/nutrimedia/-/-el-ayuno-esporadi-co-es-beneficioso-para-salud-#.W8Q6ofZoTIW.

64. Ojuelos F. El derecho de la nutrición. Salamanca: Editorial Ama-rante; 2018.

65. Onakpoya IJ, Collins DRJ, Bobrovitz NJH, Aronson JK, Heneghan CJ. Benefits and Harms in Pivotal Trials of Oral Centrally Acting Antio-besity Medicines: A Systematic Review and Meta-Analysis. Obesity (Silver Spring). 2018 Mar;26(3):513-521.

66. Oncina A. Palmeras de fruta [internet]. No necesitamos reformular los productos ultraprocesados, necesitamos reformular las políticas de salud pública. 6 de febrero de 2018. [Consultado el 14 de octubre de 2018]. Disponible en: https://palmerasdefruta.com/2018/02/06/no-necesi-tamos-reformular-los-productos-ultraprocesados-necesitamos-reformu-lar-las-politicas-de-salud-publica/.

67. Ortí A, Basulto J. Comer o no comer [internet]. El misterio (sonda-ble...) de la dieta del mango africano. 26 de septiembre de 2013. [Consulta-do el 14 de octubre de 2018]. Disponible en: http://comeronocomer.es/mitos-de-las-dietas-milagro/el-misterio-sondable-de-la-dieta-del-mango-africano.

68. Panagiotou OA, Markozannes G, Adam GP, Kowalski R, Gazula A, Di M et al. Comparative Effectiveness and Safety of Bariatric Procedu-res in Medicare-Eligible Patients: A Systematic Review. JAMA Surg. 2018 Sep 5:e183326. [Publicación en línea previa a la publicación impresa].

69. Piepoli MF, Hoes AW, Agewall S, Albus C, Brotons C, Catapano AL et al. 2016 European Guidelines on cardiovascular disease prevention in clinical practice: The Sixth Joint Task Force of the European Society of Cardiology and Other Societies on Cardiovascular Disease Prevention in Clinical Practice (constituted by representatives of 10 societies and by invited experts) Developed with the special contribution of the European Association for Cardiovascular Prevention & Rehabilitation (EACPR). Eur Heart J. 2016 Ago 1;37(29):2315-81.

70. Pietrobelli A, Agosti M; MeNu Group. Nutrition in the First 1000 Days: Ten Practices to Minimize Obesity Emerging from Published Science. Int J Environ Res Public Health. 2017 Dic 1;14(12). pii: E1491.

71. Raynor HA, Champagne CM. Position of the Academy of Nutrition and Dietetics: Interventions for the Treatment of Overweight and Obesity in Adults. J Acad Nutr Diet. 2016 Ene;116(1):129-47.

72. Reinberg S. Obesity Linked to 13 Types of Cancer. HealthDay. 3 de octubre de 2017. [Consultado el 14 de octubre de 2018]. Disponible en: https://consumer.healthday.com/cancer-information-5/mis-cancer-news-102/obesity-linked-to-13-types-of-cancer-727177.html.

73. Revenga J. Adelgázame, miénteme. Barcelona: Ediciones B; 2015.

74. Royo-Bordonada MA. Setting up childhood obesity policies in Europe. Lancet. 2016 Nov 19;388(10059):2475.

75. Rutter H, Bes-Rastrollo M, de Henauw S, Lahti-Koski M, Lehtinen-Jacks S, Mullerova D et al. Balancing Upstream and Downstream Measures to Tackle the Obesity Epidemic: A Position Statement from the European Association for the Study of Obesity. Obes Facts. 2017;10(1):61-3.

76. Smith ME, Ghaferi AA. Understanding the Benefits of Bariatric Surgery: How Much Evidence Is Enough? JAMA Surg. 2018 Sep 5:e183332. [Publicación en línea previa a la publicación impresa].

77. Suter PM. Is alcohol consumption a risk factor for weight gain and obesity? Crit Rev Clin Lab Sci. 2005;42(3):197-227.

78. Swinburn BA. Obesity prevention: the role of policies, laws and regulations. Aust New Zealand Health Policy. 2008 Jun 5;5:12.

79. Veerman JL, Van Beeck EF, Barendregt JJ, Mackenbach JP. By how much would limiting TV food advertising reduce childhood obesity? Eur J Public Health. 2009 Ago;19(4):365-9.

80. Ward ZJ, Long MW, Resch SC, Giles CM, Cradock AL, Gortmaker SL. Simulation of Growth Trajectories of Childhood Obesity into Adulthood. N Engl J Med. 2017 Nov 30;377(22):2145-2153.

81. Waters E, de Silva-Sanigorski A, Hall BJ, Brown T, Campbell KJ, Gao Y, et al. Interventions for preventing obesity in children. Cochrane Database Syst Rev. 2011 Dic 7;(12):CD001871

82. Whitaker K, Webb D, Linou N. Commercial influence in control of non-communicable diseases. BMJ. 2018 Ene 12;360:k110.

83. World Cancer Reseach Fund [internet]. Energy balance and body fatness. The determinants of weight gain, overweight and obesity. 2018. [Consultado el 14 de octubre de 2018]. Disponible en: https://www.wcrf.org/dietandcancer/energy-balance-body-fatness.

84. World Cancer Research Fund/American Institute for Cancer Research [internet]. Be a healthy weight. 2018. [Consultado el 14 de octubre de 2018]. Disponible en: http://www.wcrf.org/int/research-we-fund/our-cancer-prevention-recommendations/body-fatness.

85. World Cancer Research Fund/American Institute for Cancer Research [internet]. Body fatness & weight gain. 2018. [Consultado el 14 de octubre de 2018]. Disponible en: http://www.wcrf.org/int/cancer-facts-figures/link-between-lifestyle-cancer-risk/weight-cancer.

86. World Cancer Research Fund/American Institute for Cancer Research [internet]. Limit 'fast foods'. 2018. [Consultado el 14 de octubre de 2018]. Disponible en: https://www.wcrf.org/dietandcancer/recommendations/limit-fast-foods-fat-sugar.

87. World Cancer Research Fund/American Institute for Cancer Research [internet]. Limit sugar sweetened drinks. 2018. [Consultado el 14 de octubre de 2018]. Disponible en: https://www.wcrf.org/dietandcancer/recommendations/limit-sugar-sweetened-drinks.

88. World Cancer Research Fund/American Institute for Cancer Research. Recommendations and public health and policy implications. 2018. [Consultado el 14 de octubre de 2018]. Disponible en: https://www.wcrf.org/sites/default/files/Cancer-Prevention-Recommendations-2018.pdf.

89. World Health Organization [internet]. Obesity: preventing and managing the global epidemic. Report of a WHO Consultation (WHO Technical Report Series 894). Geneva: World Health Organization; 2000. [Consultado el 14 de octubre de 2018]. Disponible en: http://www.who.int/nutrition/publications/obesity/WHO_TRS_894/en/.

90. World Health Organization. Waist circumference and waist-hip ratio. Geneva: WHO Library Cataloguing-in-Publication Data; 2008. [Consultado el 14 de octubre de 2018]. Disponible en: http://apps.who.int/iris/bitstream/10665/44583/1/9789241501491_eng.pdf.

91. Yee AZ, Lwin MO, Ho SS. The influence of parental practices on child promotive and preventive food consumption behaviors: a systematic review and meta-analysis. Int J Behav Nutr Phys Act. 2017 Abr 11;14(1):47.

92. Zalewski BM, Patro B, Veldhorst M, Kouwenhoven S, Crespo Escobar P, Calvo Lerma J. Nutrition of infants and young children (one to three years) and its effect on later health: A systematic review of current recommendations (EarlyNutrition project). Crit Rev Food Sci Nutr. 2017 Feb 11;57(3):489-500.

93. Zheng Y, Manson JE, Yuan C, Liang MH, Grodstein F, Stampfer MJ et al. Associations of Weight Gain From Early to Middle Adulthood With Major Health Outcomes Later in Life. JAMA. 2017 Jul 18;318(3):255-69.

Capítulo 5. Riesgos de creer que las terapias (o las dietas) alternativas curan el cáncer

1. Andorra A. Deixar sortir les emocions negatives. Ara Andorra. 27 de septiembre de 2017. [Consultado el 14 de octubre de 2018]. Disponible en: https://www.ara.ad/societat/Deixar-sortir-emocions-negatives_0_1877212491.html.

2. Ansede M. Las «medicinas alternativas» aumentan hasta un 470 % el riesgo de muerte en pacientes de cáncer. El País. 31 de agosto de 2017. [Consultado el 14 de octubre de 2018]. Disponible en: https://elpais.com/elpais/2017/08/30/ciencia/1504118737_744798.html.

3. Armsby C, Baron EL, Barss VA, Bloom, A, Bond S, Chen W et al. Patient education: When your cancer treatment makes you tired (The Basics). UpToDate. 2018. [Consultado el 14 de octubre de 2018]. Disponible en: https://www.uptodate.com/contents/es-419/when-your-cancer-treatment-makes-you-tired-the-basics/.

4. Asociación Española Contra el Cáncer [internet]. Consejos de utilización de las terapias alternativas. 2018. [Consultado el 14 de octubre de 2018]. Disponible en: https://www.aecc.es/es/todo-sobre-cancer/tratamientos/otros-tratamientos/consejos-utilizacion-terapias-alternativas.

5. Basulto J, Baladia E, Manera M, Sotos M, Blanquer M, Revenga J et al. «Nutrición ortomolecular». Postura del GREP-AEDN. Febrero de 2012. [Consultado el 14 de octubre de 2018]. Disponible en: http://fedn.es/docs/grep/docs/ortomolecular.pdf.

6. Basulto J, Manera M, Baladia E, Miserachs M, Rodríguez VM et al. ¿Cómo identificar un producto, un método o una dieta «milagro»? Noviembre de 2012 [Consultado el 14 de octubre de 2018]. Disponible en: http://fedn.es/docs/grep/docs/dietas_milagro.pdf.

7. Basulto J. Complementos alimenticios: ¿qué les decimos a nuestros pacientes? Consumer. 3 de abril de 2015. [Consultado el 14 de octubre de 2018]. Disponible en: http://observatorio.escueladealimentacion.es/entradas/nutricion-basica/complementos-alimenticios-que-les-decimos-nuestros-pacientes.

8. Basulto J. El blog de Julio Basulto [internet]. I Jornadas Socioeducativas (Villanueva de Córdoba) y reflexión sobre bioneuroemoción. 3 de abril de 2018. [Consultado el 14 de octubre de 2018]. Disponible en: https://juliobasulto.com/i-jornadas-socioeducativas-bioneuroemocion/.

9. Basulto J. Los riesgos ocultos de la dieta macrobiótica. El País. 25 de octubre de 2017. [Consultado el 14 de octubre de 2018]. Disponible en: https://elpais.com/elpais/2017/10/19/ciencia/1508411268_172778.html.

10. Basulto J. Por qué no funcionan las tres dietas más buscadas. El País. 8 de enero de 2016. [Consultado el 14 de octubre de 2018]. Disponible en: https://elpais.com/elpais/2015/09/16/ciencia/1442392260_294964.html.

11. Blasco A. Uno de cada cuatro pacientes con cáncer añade al tratamiento terapias alternativas. Faro de Vigo. 14 de octubre de 2018. [Consultado el 14 de octubre de 2018]. Disponible en: https://www.farodevigo.es/gran-vigo/2018/10/13/cuatro-pacientes-cancer-anaden-tratamiento/1978697.html.

12. Brindell Fradin D. We Have Conquered Pain: The Discovery of Anesthesia. New York: Prentice Hall & IBD; 1995.

13. Cáceres J. Consumo inteligente. Barcelona: DeBolsillo; 2014.

14. Carpallo SC. 6 cosas que no debes decirle a una persona que tiene cáncer. El País. 10 de noviembre de 2016. [Consultado el 14 de octubre de 2018]. Disponible en: http://smoda.elpais.com/belleza/6-cosas-no-debes-decirle-una-persona-cancer.

15. Cedeira B. Enric Corbera, el «charlatán» que dice curar el cáncer sin tratarlo y gana así tres millones al año. El Español. 26 de marzo de 2017. [Consultado el 14 de octubre de 2018]. Disponible en: https://www.elespanol.com/reportajes/grandes-historias/20170324/203230241_0.html.

16. Cervera F. El arte de vender mierda. Madrid: Laetoli; 2014.

17. Cervera F. Miles de muertos al año por pseudoterapias en España. ULÛM. 14 de octubre de 2018. [Consultado el 14 de octubre de 2018]. Disponible en: http://ulum.es/miles-muertos-ano-pseudoterapias/.

18. Ching CK, Chen SPL, Lee HHC, Lam YH, Ng SW, Chen ML et al. Adulteration of proprietary Chinese medicines and health products with undeclared drugs: experience of a tertiary toxicology laboratory in Hong Kong. Br J Clin Pharmacol. 2018 Ene;84(1):172-8.

19. Cunningham E, Marcason W. Is there any research to prove that a macrobiotic diet can prevent or cure cancer? J Am Diet Assoc. 2001 Sep;101(9):1030.

20. El Telégrafo. Las terapias alternativas de salud se abren campo en los hospitales públicos del país. El Telégrafo. 31 de enero de 2016. [Consultado el 14 de octubre de 2018]. Disponible en: https://www.eltelegrafo.com.ec/noticias/buen/37/las-terapias-alternativas-de-salud-se-abren-campo-en-los-hospitales-publicos-del-pais.

21. Ernst E. Integrative medicine: more than the promotion of unproven treatments? Med J Aust. 2016 Mar 21;204(5):174-174e1.

22. Ernst E, Drews RE, Savarese DMF. Patient education: Complementary and alternative medicine treatments (CAM) for cancer (Beyond the Basics). UpToDate. Septiembre de 2018. [Consultado el 14 de octubre de 2018]. Disponible en: https://www.uptodate.com/contents/complementary-and-alternative-medicine-treatments-cam-for-cancer-beyond-the-basics.

23. Ernst E, Hesketh PJ, Savarese DMF. Complementary and alternative therapies for cáncer. UpToDate. Septiembre de 2018. [Consultado el 14 de octubre de 2018]. Disponible en: https://www.uptodate.com/contents/complementary-and-alternative-therapies-for-cancer/.

24. Ernst E. The «natural» equals «safe» fallacy. The BMJ Opinion. 15 de agosto de 2012. [Consultado el 14 de octubre de 2018]. Disponible en: https://blogs.bmj.com/bmj/2012/08/15/edzard-ernst-the-natural-equals-safe-fallacy/.

25. Fenton TR, Huang T. Systematic review of the association between dietary acid load, alkaline water and cancer. BMJ Open. 2016 Jun 13;6(6):e010438.

26. Fenton TR, Lyon AW. Milk and acid-base balance: proposed hypothesis versus scientific evidence. J Am Coll Nutr. 2011 Oct;30(5 Suppl 1):471S-5S.

27. Gámez LA. El peligro de creer. Madrid: Léeme; 2015.

28. García Bello D. ¡Que se le van las vitaminas!: Mitos y secretos que solo la ciencia puede resolver. Barcelona: Paidós; 2018.

29. García Bello D. Todo es cuestión de química. Barcelona: Paidós; 2016.

30. Goldacre B. Mala ciencia. Barcelona: Paidós; 2011.

31. Goldacre B. Mala farma. Barcelona: Paidós; 2013.

32. González C. En defensa de las vacunas. Madrid: Planeta; 2011.

33. Gómez Fuentes A. Condenada la doctora que pretendía curar el cáncer con psicología y manzanilla. ABC. 11 de abril de 2017. [Consultado el 14 de octubre de 2018]. Disponible en: https://www.abc.es/sociedad/abci-condenada-doctora-pretendia-curar-cancer-psicologia-y-manzanilla-201704110321_noticia.html

34. HealthDay. La supervivencia al cáncer se reduce con la terapia complementaria, según un estudio. HealthDay. 19 de julio de 2018. [Consultado el 14 de octubre de 2018]. Disponible en: https://consumer.healthday.com/espanol/cancer-information-5/mis-cancer-news-102/la-supervivencia-al-c-aacute-ncer-se-reduce-con-la-terapia-complementaria-seg-uacute-n-un-estudio-736002.html.

35. Huang WF, Wen KC, Hsiao ML. Adulteration by synthetic therapeutic substances of traditional Chinese medicines in Taiwan. J Clin Pharmacol. 1997 Abril;37(4):344-50.

36. Instituto Nacional de Estadística [internet]. Defunciones según la causa de muerte en 2016. 2018. [Consultado el 14 de octubre de 2018]. Disponible en: http://www.ine.es/jaxiT3/Datos.htm?t=7947

37. Instituto Nacional del Cáncer [internet]. Estrés psicológico y el cáncer. 10 de diciembre de 2012. [Consultado el 14 de octubre de 2018]. Disponible en: https://www.cancer.gov/espanol/cancer/sobrellevar/sentimientos/hoja-informativa-estres.

38. Johnson SB, Park HS, Gross CP, Yu JB. Complementary Medicine, Refusal of Conventional Cancer Therapy, and Survival Among Patients With Curable Cancers. JAMA Oncol. 2018 Oct 1;4(10):1375-81.

39. Johnson SB, Park HS, Gross CP, Yu JB. Use of Alternative Medicine for Cancer and Its Impact on Survival. J Natl Cancer Inst. 2018 Ene 1;110(1).

40. Liu B, Floud S, Pirie K, Green J, Peto R, Beral V et al. Does happiness itself directly affect mortality? The prospective UK Million Women Study. Lancet. 2016 Feb 27;387(10021):874-81.

41. Mathie RT, Ramparsad N, Legg LA, Clausen J, Moss S, Davidson JR et al. Randomised, double-blind, placebo-controlled trials of non-indi-

vidualised homeopathic treatment: systematic review and meta-analysis. Syst Rev. 2017 Mar 24;6(1):63. doi: 10.1186/s13643-017-0445-3.

42. Mesa C. Falsas creencias y pseudociencias con Luis Alfonso Gámez. Gente Despierta (Radio Nacional de España). Barcelona; 2018; 12 de octubre de 2018 [Consultado el 14 de octubre de 2018]. [Podcast: 24 min.]. Disponible en: http://www.rtve.es/alacarta/audios/gente-despierta/gente-despierta-falsas-creencias-pseudociencias-luis-alfonso-gamez/4787831.

43. Mulet JM. ¿Qué es comer sano? Barcelona: Ediciones Destino; 2018.

44. Mulet JM. Medicina sin engaños: Todo lo que necesitas saber sobre los peligros de la medicina alternativa. Madrid: Ediciones Destino, 2015.

45. Organización Médica Colegial de España [internet]. Consejo General de Colegios Oficiales de Médicos. Técnicas de la mente y el cuerpo. Organización Médica Colegial de España 2018. [Consultado el 14 de octubre de 2018]. Disponible en: http://www.cgcom.es/t%C3%A9cnicas-de-la-mente-y-el-cuerpo.

46. Posadzki P, Alotaibi A, Ernst E. Adverse effects of homeopathy: a systematic review of published case reports and case series. Int J Clin Pract. 2012 Dic;66(12):1178-88.

47. Revenga J. Adelgázame, miénteme. Barcelona: Ediciones B; 2015.

48. Risberg T, Vickers A, Bremnes RM, Wist EA, Kaasa S, Cassileth BR. Does use of alternative medicine predict survival from cancer? Eur J Cancer. 2003 Feb;39(3):372-7.

49. Rodríguez J. Homicidio de un enfermo. Madrid: Letrame; 2018.

50. Saiz Escolano E. Hospitalizada en Córdoba una mujer en la UCI tras someterse a tratamientos naturistas. El País. 9 de octubre de 2018. [Consultado el 14 de octubre de 2018]. Disponible en: https://elpais.com/sociedad/2018/10/08/actualidad/1539010803_745581.html.

51. Salas J. Críticas por un programa de promoción de pseudociencias en la radio pública. El País. 15 de marzo de 2018. [Consultado el 14 de octubre de 2018]. Disponible en: http://elpais.com/elpais/2017/03/14/ciencia/1489481534_146125.html.

52. Sampedro J. Pseudoterapias. El País. 20 de julio de 2018. [Consultado el 14 de octubre de 2018]. Disponible en: https://elpais.com/elpais/2018/07/20/ciencia/1532107350_965302.html.

53. Santillán García A. Responsabilidad, ciencia y evidencia frente a las pseudoterapias. Index Enferm [internet]. 2017 Dic;26(4):303-4.

54. Sokal A. Beyond the Hoax, Sciencie Philosophy and Culture. New York: Oxford University Press; 2008.

55. Tucker J, Fischer T, Upjohn L, Mazzera D, Kumar M. Unapproved Pharmaceutical Ingredients Included in Dietary Supplements Associated With US Food and Drug Administration Warnings. JAMA Netw Open. 2018;1(6):e183337.

56. US Food and Drug Administration [internet]. FDA confirms elevated levels of belladonna in certain homeopathic teething products. 27 de enero de 2017. [Consultado el 14 de octubre de 2018]. Disponible en: https://www.fda.gov/NewsEvents/Newsroom/PressAnnouncements/ucm538684.htm.

57. Vicente Baos. «Las personas vulnerables no abandonan una terapia por "aversión a la quimioterapia" si no hay un caldo de cultivo (oferta "natural") de un negocio basado en la mentira y la manipulación mediante fantasías ilusorias». https://twitter.com/vbaosv/status/1013344879726952453. 1 de julio de 2018. [Consultado el 14 de octubre de 2018] [Tuit].

58. Yun YH, Lee MK, Park SM, Kim YA, Lee WJ, Lee KS et al. Effect of complementary and alternative medicine on the survival and health-related quality of life among terminally ill cancer patients: a prospective cohort study. Ann Oncol. 2013 Feb;24(2):489-94.

Capítulo 6. ¿Qué hago si me diagnostican un cáncer?

1. Abdelhamid AS, Martin N, Bridges C, Brainard JS, Wang X, Brown TJ et al. Polyunsaturated fatty acids for the primary and secondary prevention of cardiovascular disease. Cochrane Database Syst Rev. 2018 Jul 18;7:CD012345.

2. ACN. Salut obre un expedient per una conferència sobre un fals medicament contra l'autisme. 14 de octubre de 2018. [Consultado el 14 de octubre de 2018]. Disponible en: https://www.vilaweb.cat/noticies/salut-obre-un-expedient-a-lassociacio-de-josep-pamies-per-una-conferencia-sobre-un-medicament-illegal-contra-lautisme/?fbclid=IwAR3upqlBoU-9Y8laMEucv4m1VrdzbdISo-ux-pbenhT5Bha0o0ZJ4srSmJJs.

3. AECOSAN [internet]. Anisakis. 25 de mayo de 2018. [Consultado el 14 de octubre de 2018]. Disponible en: http://www.aecosan.msssi.gob.es/AECOSAN/web/seguridad_alimentaria/subdetalle/anisakis.htm.

4. American Cancer Society [internet]. Nutrición para la persona con cáncer durante su tratamiento. 24 de septiembre de 2015. [Consultado el 14 de octubre de 2018]. Disponible en: https://www.cancer.org/es/trata-

miento/supervivencia-durante-y-despues-del-tratamiento/bienestar-duran-te-el-tratamiento/nutricion/nutricion-durante-el-tratamiento/beneficios. html.

5. American Cancer Society [internet]. Nutrition for the Person With Cancer During Treatment. For people with weakened immune systems. 15 de julio de 2015. [Consultado el 14 de octubre de 2018]. Disponible en: www.goo.gl/9bVmEz.

6. Ansede M. Un médico denuncia la muerte de una mujer con cáncer en Girona tras una pseudoterapia. El País. 20 de julio de 2018. [Consultado el 14 de octubre de 2018]. Disponible en: https://elpais.com/ elpais/2018/07/19/ciencia/1532022059_293471.html.

7. Arends J, Bachmann P, Baracos V, Barthelemy N, Bertz H, Bozzetti F. ESPEN guidelines on nutrition in cancer patients. Clin Nutr. 2017 Feb;36(1):11-48.

8. Asociación para Proteger al Enfermo de Terapias Pseudocientífi-cas-APETP [internet]. BioNeuroEmoción, psicobiodescodificación o bio-descodificación. 2018. [Consultado el 14 de octubre de 2018]. Disponible en: http://www.apetp.com/index.php/bioneuroemocion-psicobiodescodifi-cacion-o-biodescodificacion/.

9. Aune D. Can nut consumption improve colon cancer survival? Transl Gastroenterol Hepatol. 2018 Sep 26;3:73.

10. Baladia E, Basulto J, Manera M, Martínez R, Calbet D. Efecto del consumo de té verde o extractos de té verde en el peso y en la composi-ción corporal; revisión sistemática y metaanálisis. Nutr Hosp. 2014 Mar 1;29(3):479-90.

11. Baracos VE, Martin L, Korc M, Guttridge DC, Fearon KCH. Can-cer-associated cachexia. Nat Rev Dis Primers. 2018 Ene 18;4:17105.

12. Basulto J. Dieta macrobiótica. Asociación para Proteger al Enfer-mo de Terapias Pseudocientíficas-APETP [internet]. 27 de novembre de 2017. [Consultado el 14 de octubre de 2018]. [Consultado el 14 de octu-bre de 2018]. Disponible en: http://www.apetp.com/index.php/dieta-ma-crobiotica/.

13. Basulto J. El blog de Julio Basulto [internet]. El embaucador. 16 de marzo de 2017. [Consultado el 14 de octubre de 2018]. Disponible en: https://juliobasulto.com/el-embaucador-2/.

14. Basulto J. El blog de Julio Basulto [internet]. I Jornadas Socioedu-cativas (Villanueva de Córdoba) y reflexión sobre bioneuroemoción. 3 de abril de 2018. [Consultado el 14 de octubre de 2018]. Disponible en: https://juliobasulto.com/i-jornadas-socioeducativas-bioneuroemocion.

15. Basulto J. El blog de Julio Basulto [internet]. El peliagudo pero apasionante mundo de la vitamina B12 en vegetarianos. 24 de octubre de 2017. [Consultado el 14 de octubre de 2018]. Disponible en: https://julio-basulto.com/peliagudo-apasionante-mundo-la-vitamina-b12-vegetarianos.

16. Basulto J. El blog de Julio Basulto [internet]. Probióticos: ¿puede ser saludable una bacteria? (texto). 21 de marzo de 2018. [Consultado el 14 de octubre de 2018]. Disponible en: https://juliobasulto.com/probioti-cos-puede-saludable-una-bacteria-texto/.

17. Basulto J. El cartílago de tiburón no solo es inútil contra el cáncer, es algo más. El País. 13 de febrero de 2018. [Consultado el 14 de octubre de 2018]. Disponible en: https://elpais.com/elpais/2018/02/06/ciencia/1517916027_823830.html.

18. Basulto J. El hongo de la inmortalidad. Consumer. 22 de octubre 2014. [Consultado el 14 de octubre de 2018]. Disponible en: http://www.consumer.es/web/es/alimentacion/aprender_a_comer_bien/alimentos_a_debate/2014/10/22/220822.php.

19. Basulto J. Los riesgos ocultos de la dieta macrobiótica. El País. 26 de octubre de 2017. [Consultado el 14 de octubre de 2018]. Disponible en: https://elpais.com/elpais/2017/10/19/ciencia/1508411268_172778.html.

20. Basulto J. Por qué no funcionan las tres dietas más buscadas. El País. 8 de enero de 2016. [Consultado el 14 de octubre de 2018]. Disponible en: https://elpais.com/elpais/2015/09/16/ciencia/1442392260_294964.html.

21. Byard RW, Musgrave I, Maker G, Bunce M. What risks do herbal products pose to the Australian community? Med J Aust. 2017 Feb 6;206(2):86-90.

22. Caccialanza R, Pedrazzoli P, Cereda E, Gavazzi C, Pinto C, Paccagnella A et al. Nutritional Support in Cancer Patients: A Position Paper from the Italian Society of Medical Oncology (AIOM) and the Italian Society of Artificial Nutrition and Metabolism (SINPE). J Cancer. 2016 Ene 1;7(2):131-5.

23. Calabozo Freile B. Francia deja de financiar los medicamentos para el Alzheimer. Portal del Medicamento. 1 de agosto de 2018. [Consultado el 14 de octubre de 2018]. Disponible en: https://www.saludcastillayleon.es/portalmedicamento/es/noticias-destacados/destacados/francia-deja-fi-nanciar-medicamentos-alzheimer.

24. Cancer Research UK [internet]. Don't believe the hype – 10 persistent cancer myths debunked. 24 de marzo de 2014. [Consultado el 14 de

octubre de 2018]. Disponible en: https://scienceblog.cancerresearchuk.org/2014/03/24/dont-believe-the-hype-10-persistent-cancer-myths-debunked.

25. Cancer Research UK [internet]. Approach root therapy gingerly warns Cancer Research UK. 6 de abril de 2006. [Consultado el 14 de octubre de 2018]. Disponible en: http://www.cancerresearchuk.org/about-us/cancer-news/news-report/2006-04-06-approach-root-therapy-gingerly-warns-cancer-research-uk.

26. Cancer Research UK [internet]. Food and drink to avoid during cancer treatment. 19 de enero de 2015. [Consultado el 14 de octubre de 2018]. Disponible en: http://www.cancerresearchuk.org/about-cancer/cancer-in-general/treatment/cancer-drugs/how-you-have/taking-medicines/foods-drinks-avoid.

27. Cancer Research UK [internet]. Green tea (Chinese tea). 12 de enero de 2015. [Consultado el 14 de octubre de 2018]. Disponible en: http://www.cancerresearchuk.org/about-cancer/cancer-in-general/treatment/complementary-alternative-therapies/individual-therapies/green-tea.

28. Cancer Research UK [internet]. Herbal medicine. 2 de febrero de 2015. [Consultado el 14 de octubre de 2018]. Disponible en: http://www.cancerresearchuk.org/about-cancer/cancer-in-general/treatment/complementary-alternative-therapies/individual-therapies/herbal-medicine.

29. Cancer Research UK [internet]. Macrobiotic Diet. 5 de enero de 2015. [Consultado el 14 de octubre de 2018]. Disponible en: http://www.cancerresearchuk.org/about-cancer/cancer-in-general/treatment/complementary-alternative-therapies/individual-therapies/macrobiotic.

30. Caorsi L. La kombucha y los siete milagritos. Consumer. 14 de agosto de 2017. [Consultado el 14 de octubre de 2018]. Disponible en: http://www.consumer.es/web/es/alimentacion/aprender_a_comer_bien/2017/08/14/225455.php

31. Carroll AE. Given Their Potential for Harm, It's Time to Focus on the Safety of Supplements. JAMA. 2018 Oct 2;320(13):1306-7.

32. Ching CK, Chen SPL, Lee HHC, Lam YH, Ng SW, Chen ML, et al. Adulteration of proprietary Chinese medicines and health products with undeclared drugs: experience of a tertiary toxicology laboratory in Hong Kong. Br J Clin Pharmacol. 2018 Ene;84(1):172-8. Disponible en: https://www.ncbi.nlm.nih.gov/pubmed/28965348.

33. Chus Lamas. «Si te ofrecen "algo" más natural, menos químico y que reduce los efectos tóxicos de la quimioterapia, desconfía, huye o denuncia. Lo que puede aliviar la toxicidad de la quimio lo saben y lo indican

los oncólogos, hematólogos y farmacéuticos oncológicos. #StopPseudociencias». https://twitter.com/chuslamas/status/1030386479112093697. 17 de agosto de 2018. [Consultado el 14 de octubre de 2018] [Tuit].

34. Dagnelie PC, Van Staveren WA, Hautvast JG. Health and nutritional status of «alternatively» fed infants and young children, facts and uncertainties. I. Definitions and general health status indicators. Tijdschr Kindergeneeskd. 1985 Dic;53(6):201-8.

35. Dare AJ, Anderson BO, Sullivan R, et al. Surgical Services for Cancer Care. En: Gelband H, Jha P, Sankaranarayanan R, et al., editores. Cancer: Disease Control Priorities, Tercera Edición (Volumen 3). Washington (DC): The International Bank for Reconstruction and Development / The World Bank; 2015 Nov 1. Chapter 13. [Consultado el 14 de octubre de 2018]. Disponible en: https://www.ncbi.nlm.nih.gov/books/NBK343623/.

36. Delaney G, Jacob S, Featherstone C, Barton M. The role of radiotherapy in cancer treatment: estimating optimal utilization from a review of evidence-based clinical guidelines. Cancer 2005;104:1129-37.

37. Dewey A, Baughan C, Dean TP, Higgins B, Johnson I. Eicosapentaenoic acid (EPA, an omega-3 fatty acid from fish oils) for the treatment of cancer cachexia. Cochrane Database Syst Rev. 2007 Ene 24;(1):CD004597.

38. El Periódico. Teresa Forcades defiende a Josep Pàmies: el «suplemento mineral milagroso» es seguro para el consumo humano. El Periódico. 19 de octubre de 2018. [Consultado el 20 de octubre de 2018]. Disponible en: https://www.elperiodico.com/es/sociedad/20181019/forcades-defiende-suplemento-mineral-milagroso-7098838

39. Ernst E, Drews RE, Savarese DMF. Patient education: Complementary and alternative medicine treatments (CAM) for cancer (Beyond the Basics). UpToDate. Septiembre de 2018. [Consultado el 14 de octubre de 2018]. Disponible en: https://www.uptodate.com/contents/complementary-and-alternative-medicine-treatments-cam-for-cancer-beyond-the-basics.

40. Ernst E, Hesketh PJ, Savarese DMF. Complementary and alternative therapies for cancer. UpToDate. Septiembre de 2018. [Consultado el 14 de octubre de 2018]. Disponible en: https://www.uptodate.com/contents/complementary-and-alternative-therapies-for-cancer/.

41. Ernst E. Edzard Ernst [internet]. Alternative cancer diets, what does the evidence say? 24 de enero de 2014. [Consultado el 14 de octubre de 2018]. Disponible en: https://edzardernst.com/2014/01/alternative-cancer-diets-what-does-the-evidence-say/.

42. Estapé T. Cáncer. Cómo afrontar los tres días esenciales. Barcelona: Editorial UOC; 2017.

43. Fenton TR, Huang T. Systematic review of the association between dietary acid load, alkaline water and cancer. BMJ Open. 2016 Jun 13;6(6):e010438.

44. Fernández O. Mis recetas anticáncer. 15.ª ed. Barcelona: Ediciones Urano; 2014.

45. Fletcher C, Wilson C, Hutchinson AD, Grunfeld EA. The relationship between anticipated response and subsequent experience of cancer treatment-related side effects: A meta-analysis comparing effects before and after treatment exposure. Cancer Treat Rev. 2018 Jul;68:86-93.

46. Food and Drug Administration [internet]. Food Facts. Febrero de 2018. [Consultado el 14 de octubre de 2018]. Disponible en: https://www.fda.gov/downloads/food/foodborneillnesscontaminants/ucm174142.pdf

47. Foster M. Reevaluating the neutropenic diet: time to change. Clin J Oncol Nurs. 2014 Abr;18(2):239-41.

48. Fox N, Freifeld AG. The neutropenic diet reviewed: moving toward a safe food handling approach. Oncology (Williston Park). 2012 Jun;26(6):572-5, 580, 582 passim.

49. Fuller JT, Hartland MC, Maloney LT, Davison K. Therapeutic effects of aerobic and resistance exercises for cancer survivors: a systematic review of meta-analyses of clinical trials. Br J Sports Med. 2018 Oct;52(20):1311.

50. Gardner AE. Eat your vegetables. Oncology (Williston Park). 2012 Jun;26(6):585-6.

51. GBD 2013 Risk Factors Collaborators, Forouzanfar MH, Alexander L, Anderson HR, Bachman VF, Biryukov S et al. Global, regional, and national comparative risk assessment of 79 behavioural, environmental and occupational, and metabolic risks or clusters of risks in 188 countries, 1990-2013: a systematic analysis for the Global Burden of Disease Study 2013. Lancet. 2015 Dic 5;386(10010):2287-323.

52. Geller AI, Shehab N, Weidle NJ, Lovegrove MC, Wolpert BJ, Timbo BB et al. Emergency Department Visits for Adverse Events Related to Dietary Supplements. N Engl J Med. 2015 Oct 15;373(16):1531-40.

53. Giles KH, Kubrak C, Baracos VE, Olson K, Mazurak VC. Recommended European Society of Parenteral and Enteral Nutrition protein and energy intakes and weight loss in patients with head and neck cancer. Head Neck. 2016 Ago;38(8):1248-57.

54. Greenlee H, Ernst E. What can we learn from Steve Jobs about complementary and alternative therapies? Prev Med. 2012 Ene;54(1):3-4.

55. Helfenstein SF, Uster A, Rühlin M, Pless M, Ballmer PE, Imoberdorf R. Are Four Simple Questions Able to Predict Weight Loss in Outpatients With Metastatic Cancer? A Prospective Cohort Study Assessing the Simplified Nutritional Appetite Questionnaire. Nutr Cancer. 2016 Jul;68(5):743-9.

56. Huang WF, Wen KC, Hsiao ML. Adulteration by synthetic therapeutic substances of traditional Chinese medicines in Taiwan. J Clin Pharmacol. 1997 Abril;37(4):344-50.

57. Hübner J, Marienfeld S, Abbenhardt C, Ulrich CM, Löser C. How useful are diets against cancer? Dtsch Med Wochenschr. 2012 Nov;137(47):2417-22.

58. Huebner J, Marienfeld S, Abbenhardt C, Ulrich C, Muenstedt K, Micke O, et al. Counseling patients on cancer diets: a review of the literature and recommendations for clinical practice. Anticancer Res. 2014 Ene;34(1):39-48.

59. Instituto Nacional del Cáncer [internet]. Cardo mariano (PDQ®)–Versión para profesionales de salud. 11 de octubre de 2018. [Consultado el 14 de octubre de 2018]. Disponible en: https://www.cancer.gov/espanol/cancer/tratamiento/mca/pro/cardo-mariano-pdq.

60. Instituto Nacional del Cáncer [internet]. Extractos de muérdago (PDQ®)–Versión para profesionales de salud. 14 de diciembre de 2017. [Consultado el 14 de octubre de 2018]. Disponible en: https://www.cancer.gov/espanol/cancer/tratamiento/mca/pro/muerdago-pdq.

61. Instituto Nacional del Cáncer [internet]. Laetrilo (amigdalina) (PDQ®)–Versión para profesionales de salud. 28 de julio de 2017. [Consultado el 14 de octubre de 2018]. Disponible en: https://www.cancer.gov/espanol/cancer/tratamiento/mca/pro/laetrilo-pdq.

62. Instituto Nacional del Cáncer [internet]. Té y prevención de cáncer. 17 de noviembre de 2010. [Consultado el 14 de octubre de 2018]. Disponible en: https://www.cancer.gov/espanol/cancer/causas-prevencion/riesgo/dieta/hoja-informativa-te.

63. Instituto Nacional del Cáncer. Temas sobre terapias integrales, alternativas y complementarias (PDQ®)–Versión para pacientes. 6 de julio de 2018. [Consultado el 14 de octubre de 2018]. Disponible en: https://www.cancer.gov/espanol/cancer/tratamiento/mca/paciente/temas-mca-pdq

64. Instituto Nacional del Cáncer [internet]. Temas sobre terapias integrales, alternativas y complementarias (PDQ®)–Versión para pacientes. Antioxidantes y prevención del cáncer. 6 de julio de 2018. [Consultado el

14 de octubre de 2018]. Disponible en: https://www.cancer.gov/espanol/cancer/tratamiento/mca/paciente/temas-mca-pdq#section/_54.

65. Jaffray DA, Gospodarowicz MK. Radiation Therapy for Cancer. En: Gelband H, Jha P, Sankaranarayanan R, et al., editores. Cancer: Disease Control Priorities, tercera edición (volumen 3). Washington (DC): The International Bank for Reconstruction and Development / The World Bank; 2015 Nov 1. Capítulo 14. [Consultado el 14 de octubre de 2018]. Disponible en: https://www.ncbi.nlm.nih.gov/books/NBK343621/#_ncbi_dlg_citbx_NBK343621.

66. Johnson SB, Park HS, Gross CP, Yu JB. Complementary Medicine, Refusal of Conventional Cancer Therapy, and Survival Among Patients With Curable Cancers. JAMA Oncol. 2018 Oct 1;4(10):1375-81.

67. Johnson SB, Park HS, Gross CP, Yu JB. Use of Alternative Medicine for Cancer and Its Impact on Survival. J Natl Cancer Inst. 2018 Ene 1;110(1).

68. Kamath SD. Cancer is 'natural.' The best treatments for it aren't. Stat News. 29 de Agosto de 2017. [Consultado el 14 de octubre de 2018]. Disponible en: https://www.statnews.com/2017/08/29/cancer-treatment-alternative-medicine.

69. La ciencia y sus demonios [internet]. La ruleta rusa de la medicina tradicional China. La ciencia y sus demonios.10 de octubre de 2017. [Consultado el 14 de octubre de 2018]. Disponible en: https://lacienciaysusdemonios.com/2017/10/10/la-ruleta-rusa-de-la-medicina-tradicional-china/.

70. Lee J, Oh H. Ginger as an antiemetic modality for chemotherapy-induced nausea and vomiting: a systematic review and meta-analysis. Oncol Nurs Forum. 2013 Mar;40(2):163-70.

71. Maldita Ciencia [internet]. MMS: la lejía gourmet y supuesta solución milagrosa para todo que no cura nada y puede ser peligrosa. 2018. [Consultado el 14 de octubre de 2018]. Disponible en: https://maldita.es/malditaciencia/mms-la-supuesta-solucion-milagrosa-para-todo-que-no-cura-nada-y-puede-ser-peligrosa.

72. Martínez Vélez I. Casos médicos: productos milagro en medicina: muerte por intoxicación por ingesta de ClO_2 (MMS). ¿Qué mal puede hacer? [Consultado el 14 de octubre de 2018]. Disponible en: http://quemalpuedehacer.es/dk/doku.php?id=wiki:casos-medicos:prod-milagro-med:2009-08-08-mms-silvia-fink-solis.

73. Méndez R. La «doctora anticáncer» y sus libros milagro: dieta sana, abrazos y pseudociencia. El Confidencial. 12 de febrero de 2017. [Consultado el 14 de octubre de 2018]. Disponible en: https://www.elcon-

fidencial.com/alma-corazon-vida/2017-02-12/odile-fernandez-recetas-an-
ticancer-libros-milagro-autoayuda-dieta-pseudociencia_1330123/.

74. Miguel Marcos. «De todas las formas de mentira, las más terribles
son las que juegan con nuestras esperanzas y anhelos más íntimos (como la
salud)». https://twitter.com/drmiguelmarcos/status/897395685582045184.
15 de agosto de 2017. [Consultado el 14 de octubre de 2018] [Tuit].

75. Mustian KM, Alfano CM, Heckler C, Kleckner AS, Kleckner IR,
Leach CR et al. Comparison of Pharmaceutical, Psychological, and Exercise Treatments for Cancer-Related Fatigue: A Meta-analysis. JAMA Oncol.
2017 Jul 1;3(7):961-8.

76. National Cancer Institute [internet]. Antioxidants Accelerate the
Growth and Invasiveness of Tumors in Mice. 12 de noviembre de 2015.
[Consultado el 14 de octubre de 2018]. Disponible en: https://www.can-
cer.gov/news-events/cancer-currents-blog/2015/antioxidants-metastasis.

77. National Cancer Institute [internet]. Nutrition in Cancer Care.
Health Professional Version. 17 de noviembre de 2017. [Consultado el
14 de octubre de 2018]. Disponible en: https://www.ncbi.nlm.nih.gov/
books/NBK65854/.

78. National Cancer Institute [internet]. Nutrition in Cancer Care.
Patient Version. 16 de marzo de 2018. [Consultado el 14 de octubre de
2018]. Disponible en: https://www.ncbi.nlm.nih.gov/books/NBK66004/.

79. NHS Choices [internet]. Probiotics. 28 de enero de 2016. [Consul-
tado el 14 de octubre de 2018]. Disponible en: https://www.nhs.uk/condi-
tions/probiotics.

80. Organización Mundial de la Salud [internet]. Agencia Internacional de Investigación sobre el Cáncer. Código Europeo Contra el Cáncer.
12 formas de reducir el riesgo de cáncer. 2016. [Consultado el 14 de octubre de 2018]. Disponible en: https://cancer-code-europe.iarc.fr/index.php/
es/doce-formas.

81. PDQ Supportive and Palliative Care Editorial Board. Nutrition in
Cancer Care (PDQ®): Patient Version. 2018 Mar 16. En: PDQ Cancer
Information Summaries [internet]. Bethesda (MD): National Cancer Institute (US). [Consultado el 14 de octubre de 2018]. Disponible en: https://
www.ncbi.nlm.nih.gov/books/NBK66004/.

82. PEN: Practice-based Evidence in Nutrition [internet]. Cancer. Summary of Recommendations and Evidence. 2018. [Consultado el 14 de
octubre de 2018]. Disponible en: https://www.pennutrition.com/Knowle-
dgePathway.aspx?kpid=4546&trid=8934&trcatid=42.

83. Pereda O, Raffio V. Los imperios económicos de los charlatanes de la pseudociencia. El Periódico. 19 de octubre de 2018. [Consultado el 20 de octubre de 2018]. Disponible en: https://www.elperiodico.com/es/sociedad/20181019/facturacion-empresas-pseudociencia-pamies-corbera-marti-7097119

84. Pérez Ávila M, Workman P. Es inaceptable que tratar un cáncer cueste más que comprar una casa. El Mundo. 6 de mayo de 2017. [Consultado el 14 de octubre de 2018]. Disponible en: http://www.elmundo.es/ciencia-y-salud/salud/2017/05/06/590cc64d46163fce4b8b4683.html.

85. Puente J, de Velasco G. ¿Qué es el cáncer y cómo se desarrolla? Sociedad Española de Oncología Médica. 4 de abril de 2013. [Consultado el 14 de octubre de 2018]. Disponible en: https://seom.org/informacion-sobre-el-cancer/que-es-el-cancer-y-como-se-desarrolla.

86. Risberg T, Vickers A, Bremnes RM, Wist EA, Kaasa S, Cassileth BR. Does use of alternative medicine predict survival from cancer? Eur J Cancer. 2003 Feb;39(3):372-7.

87. Sadeghi M, Keshavarz-Fathi M, Baracos V, Arends J, Mahmoudi M, Rezaei N.Cancer cachexia: Diagnosis, assessment, and treatment. Crit Rev Oncol Hematol. 2018 Jul;127:91-104.

88. Santos I, Morán J. Food Consulting and Associates. 2016. [Consultado el 14 de octubre de 2018]. Disponible en: http://www.foodconsulting.es/wp-content/uploads/El-mercado-de-los-complementos-alimenticios-en-Espana.pdf.

89. Sonbol MB, Firwana B, Diab M, Zarzour A, Witzig TE.The Effect of a Neutropenic Diet on Infection and Mortality Rates in Cancer Patients: A Meta-Analysis. Nutr Cancer. 2015;67(8):1230-8.

90. Tarrazo Espiñeira MR. Osotomías de alimentación. Consejería de Salud y Servicios Sanitarios del Principado de Asturias. [Consultado el 14 de octubre de 2018]. Disponible en: https://www.saludinforma.es/portalsi/documents/10179/264401/Ostomizados_Guia_Alimentacion_+Para_Cuidadores.pdf/824f4f7b-930b-4c27-adde-725eba31e16c.

91. Trifilio S, Helenowski I, Giel M, Gobel B, Pi J, Greenberg D, Mehta J. Questioning the role of a neutropenic diet following hematopoetic stem cell transplantation. Biol Blood Marrow Transplant. 2012 Sep;18(9):1385-90.

92. UpToDate [internet]. Bruera B, Dev R. Palliative care: Assessment and management of anorexia and cachexia. 2018. [Consultado el 14 de octubre de 2018]. Disponible en: https://www.uptodate.com/contents/palliative-care-assessment-and-management-of-anorexia-and-cachexia.

93. UpToDate [internet]. Educación para el paciente: Cuando el tratamiento para el cáncer lo hace sentir cansado (Conceptos Básicos). UpToDate. 2018. [Consultado el 14 de octubre de 2018]. Disponible en: https://www.uptodate.com/contents/es-419/when-your-cancer-treatment-makes-you-tired-the-basics/print.

94. UpToDate [internet]. Educación para el paciente: Náuseas y vómitos por el tratamiento para el cáncer. 2018. [Consultado el 14 de octubre de 2018]. Disponible en: https://www.uptodate.com/contents/es-419/nausea-and-vomiting-with-cancer-treatment-the-basics/print.

95. UpToDate [internet]. Patient education: Managing loss of appetite and weight loss with cancer (The Basics). UpToDate. 2018. [Consultado el 14 de octubre de 2018]. Disponible en: https://www.uptodate.com/contents/managing-loss-of-appetite-and-weight-loss-with-cancer-the-basics/print.

96. UpToDate [internet]. Patient education: Mouth sores from cancer treatment (The Basics). 2018. [Consultado el 14 de octubre de 2018]. Disponible en: https://www.uptodate.com/contents/mouth-sores-from-cancer-treatment-the-basics/print.

97. Van Dalen EC, Mank A, Leclercq E, Mulder RL, Davies M, Kersten MJ, Van de Wetering MD. Low bacterial diet versus control diet to prevent infection in cancer patients treated with chemotherapy causing episodes of neutropenia. Cochrane Database Syst Rev. 2016 Abr 24;4:CD006247.

98. World Cancer Research Fund/American Institute for Cancer Research [internet]. 2018. Cancer survivors. [Consultado el 14 de octubre de 2018]. Disponible en: https://www.wcrf.org/dietandcancer/cancer-survivors.

99. World Cancer Research Fund/American Institute for Cancer Research [internet]. After a cancer diagnosis follow our Recommendations, if you can. 2018. [Consultado el 14 de octubre de 2018]. Disponible en: http://www.wcrf.org/int/research-we-fund/cancer-prevention-recommendations/cancer-survivors.

100. World Health Organization. International Agency For Research On Cancer. Plants containing aristolochic acid. Junio de 2018. [Consultado el 14 de octubre de 2018]. Disponible en: https://monographs.iarc.fr/wp-content/uploads/2018/06/mono100A-23.pdf.

101. Yang HY, Wang JD, Lo TC, Chen PC. Increased mortality risk for cancers of the kidney and other urinary organs among Chinese herbalists. J Epidemiol. 2009;19(1):17-23.

102. You W, Henneberg M. Meat consumption providing a surplus energy in modern diet contributes to obesity prevalence: an ecological analysis. BMC Nutr. 2016;2(1):2-22.

103. Yun YH, Lee MK, Park SM, Kim YA, Lee WJ, Lee KS et al. Effect of complementary and alternative medicine on the survival and health-related quality of life among terminally ill cancer patients: a prospective cohort study. Ann Oncol. 2013 Feb;24(2):489-94.

104. Zhang YF, Gao HF, Hou AJ, Zhou YH. Effect of omega-3 fatty acid supplementation on cancer incidence, non-vascular death, and total mortality: a meta-analysis of randomized controlled trials. BMC Public Health. 2014 Feb 26;14:204. doi: 10.1186/1471-2458-14-204.

105. Zick SM, Ruffin MT, Lee J, Normolle DP, Siden R, Alrawi S et al. Phase II trial of encapsulated ginger as a treatment for chemotherapy-induced nausea and vomiting. Support Care Cancer. 2009 May;17(5):563-72.

Capítulo 7. ¿Qué hacer si nos han dado «el alta»?

1. Alexandrov LB, Ju YS, Haase K, Van Loo P, Martincorena I, Nik-Zainal S et al. Mutational signatures associated with tobacco smoking in human cancer. Science. 2016 Nov 4;354(6312):618-22.

2. Álvarez E. El observatorio médico contra las seudociencias recibió 500 denuncias. La voz de Galicia. 12 de octubre de 2018. [Consultado el 14 de octubre de 2018]. Disponible en: https://www.lavozdegalicia.es/amp/noticia/sociedad/2018/10/12/observatorio-medico-contra-seudociencias-recibio-500-denuncias/0003_201810G12P27991.htm.

3. Bagnardi V, Rota M, Botteri E, Tramacere I, Islami F, Fedirko V et al. Light alcohol drinking and cancer: a meta-analysis. Ann Oncol. 2013 Feb;24(2):301-8.

4. Global Lung Cancer Coalition [internet]. Lung cancer facts. 2018. [Consultado el 14 de octubre de 2018]. Disponible en: http://www.lungcancercoalition.org/lung-cancer-facts.html.

5. Europa Press. El cáncer es la enfermedad sobre la que más bulos se difunden en internet. Infosalus. 19 de septiembre de 2018. [Consultado el 14 de octubre de 2018]. Disponible en: https://www.infosalus.com/asisten-

cia/noticia-cancer-enfermedad-mas-bulos-difunden-internet-20180919131009.html.

6. Infobae [internet]. Los últimos y prometedores avances contra el cáncer. 10 de junio de 2017. [Consultado el 14 de octubre de 2018]. Disponible en: https://www.infobae.com/salud/2017/06/10/los-ultimos-y-prometedores-avances-contra-el-cancer.

7. Julio Basulto. 4 de noviembre de 2016. «¿No tienes ni idea de nutrición humana ni tampoco ganas de estudiarla, pero sí quieres ganar popularidad (y ojalá dinero) a costa del desconocimiento generalizado sobre el tema?». [Facebook]. [Consultado el 14 de octubre de 2018]. Disponible en: https://www.facebook.com/julio.basultomarset/posts/1182898705129860.

8. Ligibel J, Meyerhard, Ganz PA, Vora SR. The roles of diet, physical activity, and body weight in cancer survivors. UpToDate. 20 de Agosto de 2018. [Consultado el 14 de octubre de 2018]. Disponible en: https://www.uptodate.com/contents/the-roles-of-diet-physical-activity-and-body-weight-in-cancer-survivors.

9. McMaster Health Forum [internet]. Examining the Costs and Cost-effectiveness of Policies for Reducing Alcohol Consumption. 13 de febrero de 2018. [Consultado el 14 de octubre de 2018]. Disponible en: www.goo.gl/dVkZYZ.

10. Médicos y pacientes [internet]. Oncólogos radioterápicos y especialistas en nutrición advierten sobre las dietas anticáncer. 3 de octubre de 2018. [Consultado el 14 de octubre de 2018]. Disponible en: http://www.medicosypacientes.com/articulo/oncologos-radioterapicos-y-especialistas-en-nutricion-advierten-sobre-las-dietas-anticancer.

11. Nekhlyudov L, Snyder C. Overview of cancer survivorship care for primary care and oncology providers. UpToDate. 9 de julio de 2018. [Consultado el 14 de octubre de 2018]. Disponible en: https://www.uptodate.com/contents/overview-of-cancer-survivorship-care-for-primary-care-and-oncology-providers/print.

12. Organización Mundial de la Salud [internet]. Agencia Internacional de Investigación sobre el Cáncer. Código Europeo Contra el Cáncer. 12 formas de reducir el riesgo de cáncer. 2016. [Consultado el 14 de octubre de 2018]. Disponible en: https://cancer-code-europe.iarc.fr/index.php/es/doce-formas.

13. Peacock A, Leung J, Larney S, Colledge S, Hickman M, Rehm J et al. Global statistics on alcohol, tobacco and illicit drug use: 2017 status report. Addiction. 2018 Oct;113(10):1905-1926.

14. Sampedro J. La mitad de los cánceres ya se curan. ¿Nos ponemos con la otra mitad?. El País. 26 de mayo de 2018. [Consultado el 14 de octubre de 2018]. Disponible en: https://elpais.com/elpais/2018/05/25/ciencia/1527258286_934477.html.

15. World Cancer Research Fund/American Institute for Cancer Research [internet]. 2018. Limit alcohol consumption. For cancer prevention, it's best not to drink alcohol. [Consultado el 14 de octubre de 2018]. Disponible en: https://www.wcrf.org/dietandcancer/recommendations/limit-alcohol-consumption.

16. World Cancer Research Fund/American Institute for Cancer Research [internet]. After a cancer diagnosis follow our Recommendations, if you can. 2018. [Consultado el 14 de octubre de 2018]. Disponible en: http://www.wcrf.org/int/research-we-fund/cancer-prevention-recommendations/cancer-survivors.

17. World Cancer Research Fund/American Institute for Cancer Research [internet]. Be physically active. 2018. [Consultado el 14 de octubre de 2018]. Disponible en: https://www.wcrf.org/dietandcancer/recommendations/be-physically-active.

18. World Cancer Research Fund/American Institute for Cancer Research [internet]. Cancer Prevention Recommendations. 2018. [Consultado el 14 de octubre de 2018]. Disponible en: https://www.wcrf.org/dietandcancer/cancer-prevention-recommendations.

19. World Cancer Research Fund/American Institute for Cancer Research [internet]. Eat wholegrains, vegetables, fruit & beans. 2018. [Consultado el 14 de octubre de 2018]. Disponible en: https://www.wcrf.org/dietandcancer/recommendations/wholegrains-veg-fruit-beans.

20. World Cancer Research Fund/American Institute for Cancer Research [internet]. Limit red and processed meat. Eat no more than moderate amounts of red meat and little, if any, processed meat. 2018. [Consultado el 14 de octubre de 2018]. Disponible en: https://www.wcrf.org/dietandcancer/recommendations/limit-red-processed-meat.

21. World Cancer Research Fund/American Institute for Cancer Research [internet]. Limit sugar sweetened drinks. 2018. [Consultado el 14 de octubre de 2018]. Disponible en: https://www.wcrf.org/dietandcancer/recommendations/limit-sugar-sweetened-drinks.

22. World Cancer Research Fund/American Institute for Cancer Research. Survivors of breast and other cancers. 2018. [Consultado el 14 de octubre de 2018]. Disponible en: https://www.wcrf.org/sites/default/files/Cancer-Survivors.pdf.